JN074750

はじめての
Deep Learning RNN, VAE, GAN with Python
ディープラーニング2

Pythonで実装する再帰型ニューラルネットワークとVAE、GAN

我妻幸長［著］
Yukinaga Azuma

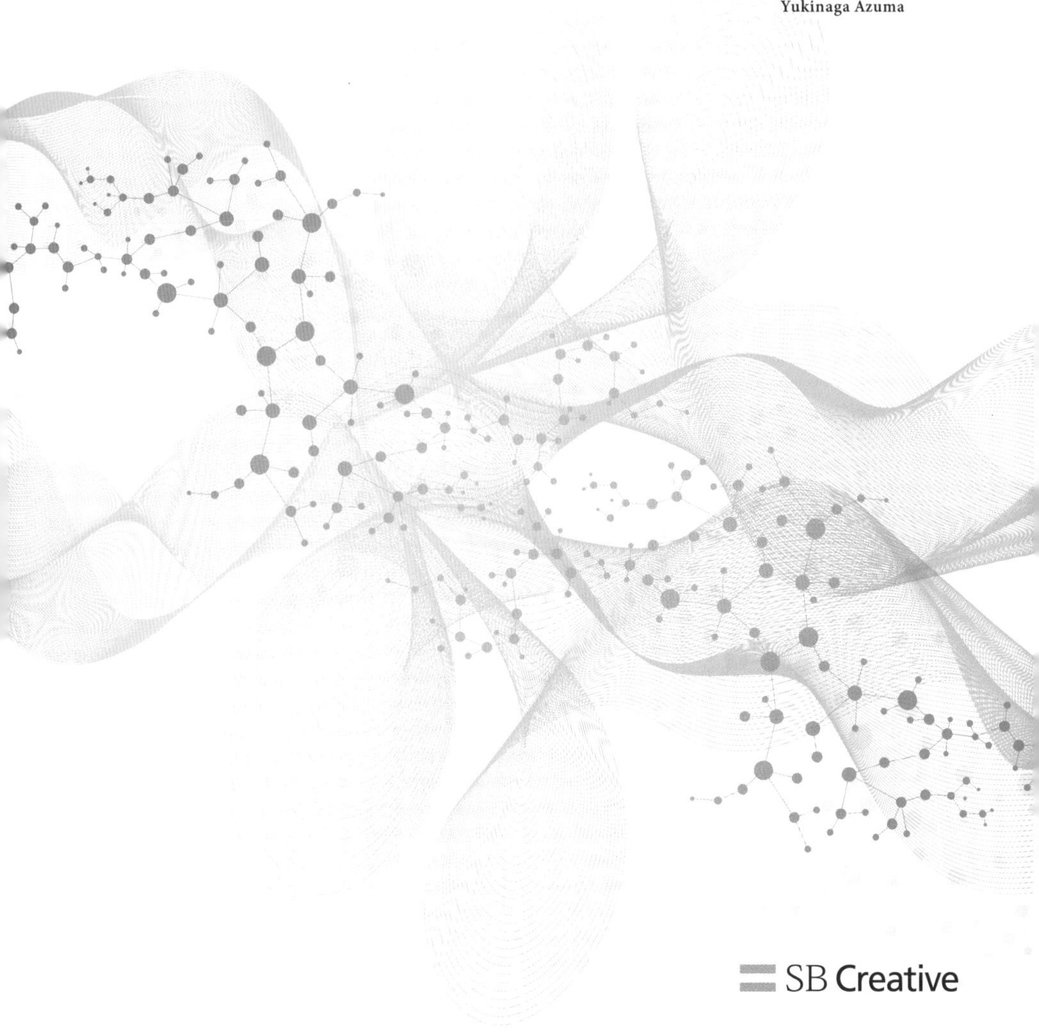

SB Creative

はじめに

ヒトとAI、もしくは地球とAIが共生する未来が、少しずつ近づいているように思えます。AIの中でも特にディープラーニングの技術は、世界中の人々の関心を集めており、近年多様な発展を遂げています。また、顔認識や音声認識、セキュリティなどの形で、我々の生活にもディープラーニングは徐々に浸透を始めています。

しかしながら、ディープラーニングの仕組みの理解は多くの人々にとって敷居の高いものです。線形代数や微分などの数学、Pythonなどのプログラミング言語の知識をベースに、バックプロパゲーションなどのアルゴリズムを理解する必要があります。

このような敷居を少しでも下げるために、前著「はじめてのディープラーニング」ではPythonによるプログラミング、必要な数学を丁寧に解説した上で、フレームワークを使わずにゼロからディープラーニングを構築しました。コードで実装可能な数式を丁寧に導出し、簡潔なコードで実装することによりディープラーニングの仕組みは明瞭になりました。

この内容を踏まえて、本書ではさらに踏み込んだ内容を扱います。シンプルなRNNからその発展形であるLSTMやGRU、さらには生成モデルであるVAEやGANまでを扱います。本書でも、前著と同様にフレームワークは使いません。さまざまなディープラーニングの発展形を、数式とコードをシームレスにつなげてゼロから実装します。これにより内部の実装がよく理解できますし、問題が起きたときに原因を追求するのが楽になります。また、自身でオリジナルの仕組みを作る際は、ゼロから構築するスキルがあった方が望ましいです。

本書は前著を読んだことがなくても読み進めることは可能ですが、前著で扱った内容は簡潔な解説に留めています。

本書のターゲットはディープラーニングを学びたいすべての方ですが、前提としてあった方が望ましい知識が2つあります。1つ目は、何らかのオブジェクト指向プログラミング言語の経験です。本書では簡潔にプログラミング言語Pythonの解説をしますが、プログラミング未経験の方はより初心者向きのPythonの書籍などで練習しておくことをお勧めします。

もう1つは、中学-高校レベルの数学です。本書ではディープラーニングに必要な線形代数と微分を簡単に解説しますが、ある程度の数学の知識が事前にあった方が学習がスムーズになります。もちろん、不足している知識は他の本やウェブサイトで補足しながら本書を進める、というスタイルでも大丈夫です。

本書は読み進めるのみでも学習が進められるようになっていますが、可能であればPythonのコードを動かしながら読み進めるのが望ましいです。本書で使用しているコードはWebサイトからダウンロード可能ですが、このコードをベースに、オリジナルのディープラーニングのコードを書いてみることもお勧めです。さらに、皆さん自身で新しい人工知能の仕組みを作って試してみても面白いかもしれません。

ディープラーニングには数日-数週間かかる場合もありますが、本書のディープラーニングのコードの実行時間は短くて10秒以内、長くて数十分程度です。拡張性を確保しつつも、小規模な試行錯誤を何度も繰り返すことができるコードの作りになっています。また、実行環境がリッチでない人でもコードを試せるように、使用する画像などのデータサイズはなるべく小さくしています。

また、数式とコードをシームレスにつなげるため、数式はなるべくコードで実装のしやすい表記にしています。

ディープラーニングは、ニューラルネットワークというヒトの脳の仕組みに似たネットワークをベースにしています。知能の仕組みを自分でプログラムし、再現することは知的好奇心を刺激するのではないでしょうか。もちろん技術は一朝一夕で身につくものではありませんが、時間をかけて手と頭を動かし続けることができれば、次第にディープラーニングのコードを読んだり構築したりできるようになります。焦らず、一歩一歩じっくりと取り組みましょう。

専門家だけではなく、すべての人にとってディープラーニングを学ぶことは大きな意義のあることです。本書が、多くの方々にとってのAIに取り組むきっかけになれば著者として嬉しく思います。

2020年2月　我妻幸長

サンプルプログラムのダウンロードについて

本書で紹介しているPythonのサンプルプログラムは、以下のURLからダウンロードすることができます。

サンプルのダウンロード
http://isbn2.sbcr.jp/05582

サンプルはZIP形式で圧縮してあり、展開すると、章ごとのipynbファイル(Jupyter Notebookのノートブックファイル)が解凍されます。各ノートブックファイルを開く場合は、JupyterNotebookのダッシュボードに解凍されたファイルの存在するフォルダを表示して、ダブルクリックしてください。

Google Colaboratoryを利用する場合は、解凍されたノートブックファイルを事前にGoogleドライブ、もしくはGitHubリポジトリにアップロードしておく必要があります。

目次

第1章 ディープラーニングの発展

第2章 学習の準備

第4章 RNN

第7章 VAE

第9章 さらに進むために

付録

第1章

ディープラーニングの発展

ディープラーニングは、ビジネス、アート、生命科学、さらには宇宙探索に到るまで、さまざまな領域で活用され始めており、我々の生活の中にも既に溶け込み始めています。

本章は本書の導入ですが、人工知能とは何か？ から始めて、ディープラーニングの概要、ディープラーニングの応用、そして本書で扱う技術の概要を解説します。それでは、まずはディープラーニングの概要から学んでいきましょう。

1.1 ディープラーニングの概要

ディープラーニングにより、コンピュータのプログラムは高度な認識・判断能力を備えるようになります。最初に、このようなディープラーニングの概要を解説します。

1.1.1 人工知能と機械学習

ディープラーニングは機械学習の1つの手法であり、機械学習は人工知能の1つの分野です。人工知能(Artificial Intelligence、AI)とは、読んで字のごとく人工的に作られた知能のことですが、そもそも知能とは何でしょうか? 知能にはさまざまな定義の仕方があるのですが、環境との相互作用による適応、物事の抽象化、他者とのコミュニケーションなどの、さまざまな脳が持つ知的能力のことだと考えることも可能でしょう。

このような「知能」が、生命を離れて人工的なコンピュータの中に再現されようとしています。まだ汎用性という意味ではヒトなどの生物の知能にははるかに及びませんが、指数関数的に向上するコンピュータの演算能力を背景として、人工知能は著しい発展を続けています。

既に、チェスや囲碁などのゲーム、医療用の画像解析などいくつかの分野では、人工知能はヒトを上回るパフォーマンスを発揮し始めています。ヒトの脳のような極めて汎用性の高い知能を実現することはまだまだ難しいですが、既にいくつかの領域において人工知能は人間の代わり、あるいはそれ以上の役割を果たしつつあります。人工知能と今後どのように共存していくのか、それは人類が抱えている大きなテーマとなることは間違いないでしょう。

機械学習(Machine Learning)とは人工知能の分野の1つで、ヒトなどに備わる学習能力と似たような機能をコンピュータで再現しようとする技術のことです。機械学習は、さまざまなテクノロジー系の企業が、近年特に力を入れている分野の1つです。

機械学習は、たとえば、検索エンジン、機械翻訳、文章の分類、マーケットの予測、DNAの解析、音声認識、医療、ロボットなど幅広い分野で応用されています。機械学習にはさまざまな手法がありますが、応用する分野の特性に応じて、機械学習の手法も適切に選択する必要があります。

機械学習の手法ですが、これまでにさまざまなものが考案されています。近年さまざまな分野で高いパフォーマンスを示し注目を集めているディープラーニングは、このような機械学習の一手法であり、本書が扱う対象です。

ディープラーニングを含む人工知能技術の発展の元、ヒトが創り出した知能が世界により大きな影響を与える未来が来るのは間違いないでしょう。

1.1.2 ディープラーニング

多くの層を持つ深いニューラルネットワークを用いた学習を、ディープラーニング(Deep Learning、深層学習)といいます。以下の図にディープラーニングに用いる多層ニューラルネットワークの例を示します。

多層ニューラルネットワーク

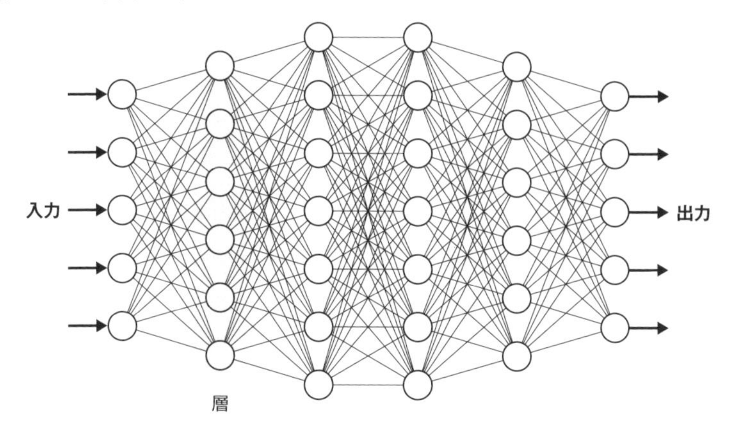

複数の層からなるニューラルネットワークに入力と出力がありますが、このようなネットワークの各パラメータが目的に対して調整されることでネットワーク自体が学習します。

ニューラルネットワークは、バックプロパゲーションというアルゴリズムで学習します。以下の図にバックプロパゲーションのイメージを示しますが、ニューラルネットワークをデータが遡るようにして、ネットワークの各層のパラメータが調整されます。

バックプロパゲーションのイメージ

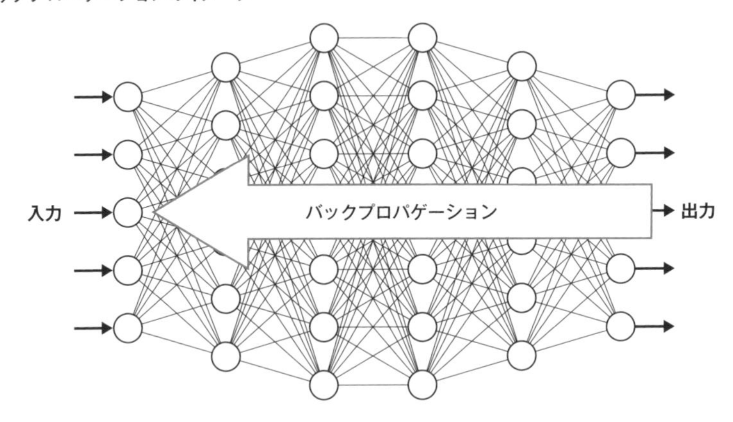

各パラメータが繰り返し調整されることで、ネットワークは次第に学習し適切な出力が得られるようになります。

ディープラーニングはさまざまな分野での幅広い用途がありますが、それはディープラーニングのどのような特性によるものでしょうか。まず、その高い性能が挙げられます。ディープラーニングは、しばしば他の手法と比較して圧倒的に高い精度を発揮します。対象範囲を極めて狭くすればですが、時としてヒトの能力を超えることさえあります。

そして、その高い汎用性も注目に値します。ディープラーニングはヒトの神経細胞ネットワークの構造を真似たものなのですが、これまでヒトのみができたさまざまな分野で、部分的ながらもヒトに置き換わりつつあります。

他にもディープラーニングにはさまざまな長所があり、これまで想像もできなかったような分野で次第に応用されていくことかと思われます。ディープラーニングの仕組みと脳の仕組みは相違点も多いのですが、コンピュータ上のニューラルネットワークが高い性能を発揮することは、生命が持つ知能は実は人工的に再現可能なのではないか、という希望を私たちに抱かせているようにも思えます。

このようにディープラーニングは多くの可能性を秘めており、その成果は世界にインパクトを与え続けています。その具体的な応用については、次の節で解説します。

1.2 ディープラーニングの応用

本節では、発展を続けるディープラーニング技術の応用例をいくつか紹介します。

1.2.1 画像認識

ディープラーニングの代表的な応用に画像認識があります。画像に何が映っているかを判断するタスクはディープラーニングの登場以前から取り組まれていましたが、近年、ディープラーニングに代表されるAI技術がブレークスルーをもたらしました。以下の図に画像認識による物体認識の例を示します。

ディープラーニングによる物体認識

参考文献[1]より引用

スティールドラムや椅子などさまざまな物体を認識している様子が確認できます。ディープラーニングでは特徴量を自動抽出することが可能なので、このような精度の高い物体認識が可能になります。このようなディープラーニングがそれ以前の機械学習の手法よりも優れている理由は当初よくわかっていませんでしたが、最近はその理論的な裏付けが徐々に進んできています。なお、このような画像認識では、畳み込みニューラルネットワークがよく使われます。

また、画像を認識し分類する技術は、クラウドサービスやスマートフォンにおける写真の分類や仕分け、ウェブ画像検索などで活用されています。皆様が撮影した写真のストックが、いつのまにか適切に分類されていることに驚いた方も多いかと思います。

顔認証の技術は、スマートフォンのロック解除や防犯に利用されています。お手元のスマートフォンでも、既に顔認証は身近な技術になっているのではないでしょうか。

そして、画像認識技術は医療への応用が有望視されています。画像認識を医療に応用することにより、病巣部の検出やオンライン診断などが可能になります。このような技術の中でも特に、病巣部の検出で画像認識技術は大きな成果をあげています。たとえば、国立がんセンターは、画像認識を早期の胃がんの検出に活用しています(→参考文献[2])。早期の胃がんは形状が複雑で多様であり、専門家でも判断が難しいという問題がありました。そこで、ディープラーニングによる画像認識技術を利用することにより、高精度の検出方法が確立されました。他にも膨大な医療データの活用など、AIの活用は医療において大きな可能性を秘めています。

以上のように、ディープラーニングによる画像認識はさまざまな分野で活用され始めており、仕事や生活のスタイルを少しずつ変えつつあります。

1.2.2 画像生成

次に、画像生成の例を解説します。これは、現実にはない画像を自動で生成する技術です。画像生成には、VAE(変分オートエンコーダ)やGAN(敵対的生成ネットワーク)などのディープラーニングの派生技術が使用されます。以下の図に画像生成技術による顔画像の生成の例を示します。

顔画像生成の例

参考文献[3]より引用

これはDCGANという技術により生成された顔画像ですが、極めて鮮明で自然な表情の顔が生成されている様子が確認できます。

他にも、たとえばモネやゴッホの画風を学習させれば、現実に存在しないゴッホ風の家の絵を描くことができます。また、線のみの絵や白黒写真を自動で着色する技術や、「白い鳥が飛んでいる」というテキストから白い鳥が飛んでいる画像を生成するような、文章からの画像を生成する技術の研究も行われています。

このような技術により、AIによるロゴデザインや、実在しない人物の顔をAIで生成して著作フリー素材として配布する、などのサービスが実際に誕生しています。

また、同様の技術を動画に適用することにより、たとえば撮影していない動画コンテンツの生成や、動画中の物体の入れ替えやモーションの変更などが可能になってきています。

一方で、偽の動画 と音声を生成し、まるで本物の政府要人の発言のような動画が作成されたこともあり、悪質なフェイクニュースとして問題になりました。これらの話題は、AIの躍進により新たな仮想現実のフロンティアが生まれる一方で、デジタルなデータが本物とひも付いているかどうか、判定するのが極めて難しくなることを意味します。

なお、画像生成によく利用されるVAEとGANについては、後の章で詳しく解説します。

1.2.3 異常検知

異常検知とは、大量の計測値を機械学習させて、複雑なパターンが異常であるかどうかを検知する技術です。さまざまな産業で、不正な取り引きの検知や、工場における装置故障の検知、機器の監視などに活用されています。

以下の図は後の章で解説するGANを利用した異常検知の例ですが、それぞれ畳み込み層を持つGeneratorとDiscriminatorという2つのモデルを訓練し、正常な画像と異常な画像のマッピングを行っています。

GANを利用した異常検知の例

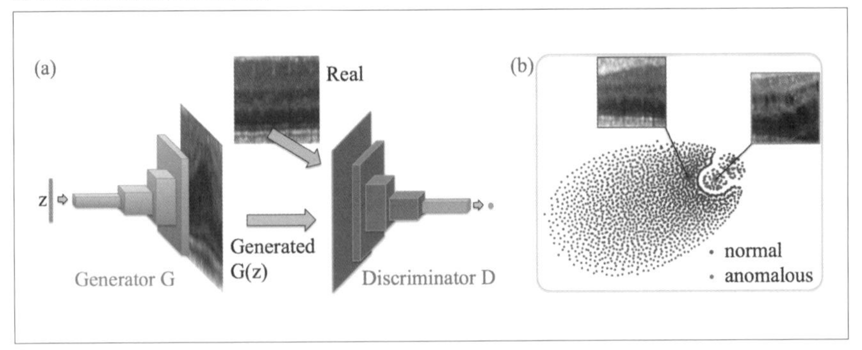

参考文献[4]より引用

機械学習は大きく教師あり学習、教師なし学習、強化学習の3つに分けることができますが、異常検知にはこのうち教師あり学習と教師なし学習が主に使われます。

教師あり学習の場合は過去のデータからパターンを見い出し、未知のデータが異常かどうかを確率として表します。十分に過去のデータが蓄積されている場合はこの教師あり学習が有効です。しかしながら、工場の装置異常などあまり頻繁に発生しない出来事、すなわち十分に過去データが蓄積されてない場合は、教師なし学習が使われます。

実際に、製造業では産業機械の稼働状況に異常がないか監視したり、画像をチェックして異常な製品を検出したりするのに異常検知が使われています。

また、非製造業においてですが、たとえばファイナンスの分野で不正を検出するために異常検知が使われています。実際に、三井住友フィナンシャルグループなどは不正検知アルゴリズムにディープラーニングを採用し、不正な取り引きを自動で、なおかつそれまでよりも精度良く検出する仕組みを開発したと発表しています。

このように、異常検知は人工知能の中でも産業と直接結びつきやすい領域なので、今後も多くの分野で応用が模索されていくものと考えられます。

1.2.4 自然言語処理

自然言語という言葉ですが、これは日本語や英語などの我々が普段使う言語のことを指します。自然言語処理は、Natural Language Processingの訳で、よくNLPと略されますが、これは自然言語をコンピュータで処理する技術のことです。

もちろん、AIはこの分野で大活躍しています。特によく使われるAI技術は、後の章で扱うRNN（再帰型ニューラルネットワーク）です。

自然言語処理は主に文章の理解もしくは生成に使われます。

文章の理解の例に、スパムメールなどを自動判別するためのスパムフィルタがあります。スパムフィルタでは機械学習により文章を分類し、そのメールが迷惑メールかどうかを判定します。

また、文章を解析しタスクに落とし込むことで、SiriやGoogle Homeのような音声アシスタントが実現されています。そして、問題文の読解もある程度可能になってきています。2018年にGoogle社が開発したBERTというモデルは、読解力テストで人間のスコアを上回る結果を残しています。

このように、自然言語処理による文章の理解は、長期間の研究により着実な進歩が見られる分野です。

次に、文章の生成についてですが、1つの用途として長い文章から要点を取り出してまとめる文章の要約技術があります。また、文章生成技術を利用した会話エンジンは、カスタマーサポートや、医療や法律などの相談窓口、もしくは雑談の相手などとして活躍を始めています。

自然言語処理は機械翻訳の分野でも活躍していますが、近年特に注目を集めた技術の1つは、Google社によって2016年ごろに実装されたGoogle 翻訳です。公開直後は、英文を日本語に翻訳するとぎこちない日本語になることが多かったですが、最近はとても洗練された訳を返すことが多くなりました。

その他にも多くの分野で自然言語処理は活用されており、機械と人間の間のコミュニケーションは少しずつスムーズになってきています。

1.2.5 強化学習

強化学習は「環境において最も報酬が得られやすい行動」を学習する機械学習の一種です。90年代より前から存在し、以前から制御などに使用されてきました。強化学習にはQ学習やSARSAと呼ばれる手法が含まれますが、強化学習をディープラーニングと組み合わせた深層強化学習は、従来はコンピュータに不可能だったタスクを可能にしました。

たとえば囲碁の場合、DeepMind社によるAlphaGoの例を挙げることができます。AlphaGoはこれまでコンピュータには難しいとされてきた囲碁の分野で、トップ棋士であるイ・セドル九段を打ち負かすことができました。AlphaGoはそれまでの常識を覆す一手で、囲碁の世界を驚嘆させたのですが、これ以来人間である棋士の方がAIから学ぶという事例も増えつつあり、新しい定石がいくつも生まれ始めています。

また将棋の世界でも AIの性能は向上しており、もはやプロ棋士でもトップのAIに勝つことは難しくなっています。これに伴い、将棋の研究にAIを用いる棋士が増え始め、将棋界に急激な変化が起きています。

また、AI にテレビゲームをプレイさせる研究も進んでいます。ディープラーニングを用いれば動画情報の処理が比較的簡単になるため、これを強化学習と組み合わせることで人間よりはるかに上手にゲームをプレイするAIが開発されています。

以下の図は、このような深層強化学習を用いてブロック崩しやシューティングゲームなどさまざまなゲームの攻略を行った例です。

深層強化学習によるさまざまなゲームの攻略

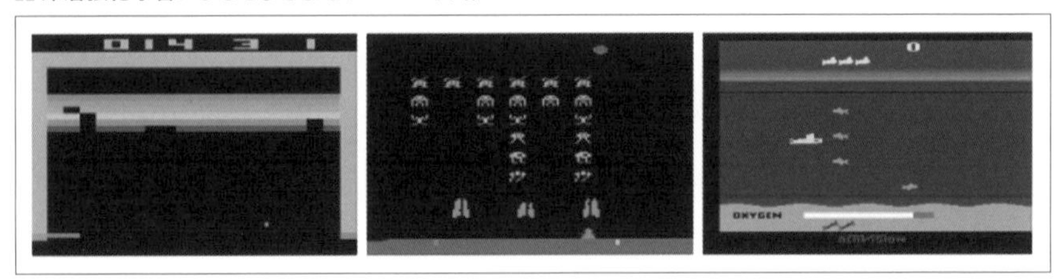

参考文献[5]より引用

ゲーム画面の動画と成功、失敗の報酬からAIは学習し、まるで人間のように次第に上達してきます。

また、ゲームにおけるキャラクターの制御においても深層強化学習は活用されています。いわゆるノンプレイヤーキャラクターは次第に賢くなり、時には人間のプレイヤーと勘違いしてしまうことさえあります。

強化学習の産業への応用ですが、DeepMind社によるデータセンターの電力削減の事例が有名です。この事例では深層強化学習が使われているのですが、データセンター設備の稼働状態や気候などに応じて冷却設備の設定を最適化することで、冷却設備の消費電力を40%削減できたとの報告がありました(→参考文献[6])。

さらに、ファイナンスや広告配信などの分野でも、利益を最大化するために強化学習を利用する研究が行われています。

強化学習は、ロボットの制御においても昔からよく研究されています。エンジニアが動作方法をすべてコーディングしなくても、強化学習を使えばロボットが自律的に行動を学んでいきます。以前は学習にとても時間がかかってしまう問題があったのですが、ハードウェアの進化とさまざまな有用なアルゴリズムの登場のおかげで、現実的な学習速度で最適な行動を学ぶことができるようになりました。

このように、強化学習は教師データがなくても自律的に最適な行動を学習できるため、さまざまな領域で人間の代わりを務める可能性を秘めています。

1.2.6 その他の応用例

ここまで挙げてこなかった、さまざまなディープラーニングの応用例を紹介します。

たとえば食品の分野では、多数のユーザの味覚を満足させるようにAIが成分を調整したお菓子や飲料などが、既に販売されています。また、ユーザの購買履歴などから嗜好を分析し、好みに応じて食品をレコメンドする仕組みなども研究開発されています。

天気予報の分野でも、ディープラーニングの活躍が期待されています。ディープラーニングを使えば、従来のデータに加えて、雲の色や形からも天気予報ができるようになります。これにより、天気予報の精度向上が期待できますが、たとえば個人がスマートフォンを雲にかざすことで局所的な天気の動向を予測することも可能になるかもしれません。

また、AIは自身の予報が間違った際に、その間違ったということ自体を教師データにして、次の予報の精度を上げることが可能です。自身の予測結果をもとに継続的にモデルを改善することで、予報は継続的に改善していきます。

化学の分野では、高分子化合物の設計にディープラーニングが使われ始めています。高分子化合物は形状が複雑であるため、意図したものを作るのはなかなか困難でした。そこで、理化学研究所と東京大学のチームは実際に高分子化合物をディープラーニングを使って設計し、望んだ特性を持つ化合物を合成しました（→参考文献[7]）。今後、このようなAIによる高分子化合物の設計技術が進めば、医療や農業などさまざまな分野において技術の革新が進むことでしょう。

また、スポーツの分野でもディープラーニングの導入は進んでいます。たとえば野球では膨大な配球や走塁などのデータの蓄積があるので、このようなデータを効果的に分析できるチームは次第に有利になりつつあります。

現在、野球だけではなくサッカー、ゴルフ、バスケットボール、体操などさまざまなスポーツで、AIによる作戦立案や練習メニューを積極的に導入しようとしています。スポーツにおける膨大な数の不確定要素から最適解を導き出すのは、まさにAIが得意とするところです。

このように、AI時代では人間はAIからアドバイスをもらったり、最適解を示してもらえるようになります。そのような意味で、AIは名監督かつ名コーチとなるでしょう。

そして、AIはスポーツにおける審判としても活躍を始めています。特に、フィギュアスケートやシンクロナイズドスイミングのような、人間にしか採点が難しいと考えられてきた競技でも、AIによる判定システムが研究開発されています。このようなシステムが確立されれば、より公正なジャッジが可能になると思われます。

以上のように、ディープラーニングは既に社会におけるさまざまな領域で活用され始めています。今後もさらに多くの分野で、ディープラーニングの活用が模索されていくことでしょう。

1.3 本書で扱う技術

本書で扱うディープラーニング技術の概要を解説します。本書で扱う技術は、大きく「RNN」と「生成モデル」に分けることができます。なお、ここでいう「モデル」とは、定量的なルールを数式などで表したもののことで、機械学習の分野でよく使われる言葉です。

1.3.1 RNN

この世界には、多くの連続的に変化する値があります。たとえば、海水面の高さ、空中のボールの位置、気温、物価などは前の時刻の値に強く依存しており、何の脈絡もなく突然値が変わることはありません。このような連続性を持つ値からなるデータは、「時系列データ」と呼ばれます。我々の脳は無意識にこのような時系列データを処理し、次の時刻における出来事の予測を行っています。そして、このような予測に基づき、次の行動が決定されます。

なお、時間で変化するわけではないのですが、単語の並びが連続性を持つ文章なども時系列データに含まれます。

RNN（Recurrent Neural Network、再帰型ニューラルネットワーク）は、このような時系列データを扱うのに適したニューラルネットワークです。RNNは、時間変化するデータのトレンドや周期、時間をまたいだ関連性をうまくとらえることができます。RNNでは、ニューラルネットワークの内部でデータが時間方向に伝播していきます。RNNはすべての時刻を通したバックプロパゲーションにより学習可能なので、適切に訓練を行ったRNNは次の時刻の値を精度良く予測できるようになります。

本書では、シンプルなRNNから始めて、より複雑な内部構造を持つLSTMやGRUまでを扱います。それぞれの概要は以下のとおりです。

- シンプルなRNN：4章で扱います。通常のニューラルネットワークに、時間方向の接続を導入します。
- LSTM：5章で扱います。「ゲート」および「記憶セル」という構造を内部に持つ、より機能的なRNNです。
- GRU：6章で扱います。LSTMから記憶セルなどがなくなり、比較的シンプルな構造をしています。

本書では、数式とコードを用いてこれらをゼロから実装し、簡単な時系列データの予測、さらに簡単なテキスト生成も行います。次の章で解説する偏微分と連鎖律さえ適用できれば、複雑なモデルでもコードで実装可能になることを実感しましょう。

1.3.2 生成モデル

我々の脳は、過去の経験から得た膨大なパターンをもとに、新たなパターンを生成することができます。それはアイディアなどの概念であったり、絵画などの創作物であったりするのですが、ディープラーニングの活用によりこのようなパターンの生成が少しずつ可能になってきています。

生成モデル（Generative model）では、訓練データを学習しそれらのデータと似たような新しいデータを生成します。ディープラーニングの用途は予測や識別だけでありません。生成モデルを用いると、過去の多くのパターンをベースに新たなパターンを生成することができます。

本書では、生成モデルとしてVAEとGANの2種類を扱います。それぞれの概要は以下のとおりです。

- VAE：7章で扱います。データの特徴を潜在変数と呼ばれる少数の変数に圧縮し、復元します。
- GAN：8章で扱います。偽物を生成するGenerator、偽物を見抜くGenerator、2つのネットワークが競い合うようにして学習することで、本物らしいデータが生成されていきます。

本書では、数式とコードを用いてこれらをゼロから実装し、VAEにおける潜在変数の可視化と制御、さらにGANによる画像生成過程の観察を行います。生成モデルがどのような仕組みで機能するか把握し、フレームワークに頼らなくても実装できるようになりましょう。

まとめ

本章では、人工知能、ディープラーニング全般について俯瞰した後、ディープラーニングの応用例をリストアップしました。また、本書で扱う技術の概要を抑えました。

ヒトのような知能をコンピュータ上に再現できることの価値は計り知れないのですが、ディープラーニングは非常に狭い範囲でヒトの脳に迫る性能を発揮しています。その技術は年々より幅広い領域で応用されつつあり、さまざまな派生技術が生まれつつあります。

本書では、ディープラーニングの発展形であるRNNや生成モデルの構築方法を、基礎から少しずつ解説していきます。今この技術を学ぶことは決して無駄にはなりませんので、一緒にディープラーニングの世界を少しずつ学んでいきましょう。

学習の準備

本章は、本書を読み進めるための下準備として以下を学びます。

・Anacondaのインストール
・Jupyter Notebookの使い方
・Google Colaboratoryの利用方法
・プログラミング言語 Python
・ディープラーニングに必要な数学

開発環境は、AnacondaかGoogle Colaboratoryのどちらかが用意できれば大丈夫です。上記について既に知識のある方は、本章をスキップしていただいて問題ありません。
それでは、環境構築から始めていきましょう。

2.1 Anacondaの環境構築

Anacondaは、さまざまな数値計算、機械学習用の外部パッケージをあらかじめ内蔵しているPythonのディストリビューションです。これを利用することで、簡単にディープラーニングの環境を整えることができます。

本節ではAnaconda+Jupyter Notebook環境の設定を解説しますが、こちらか次の節で解説するGoogle Colaboratory、どちらかを開発環境に選びましょう。

2.1.1 Anacondaのダウンロード

Anacondaには、Windows用、macOS用、Linux用の3種類が用意されています。以下のURLを開くと、ダウンロード用のボタンが表示されますので「Python 3.X」の方の「Download」を選択しましょう。OSの種類や、64ビット/32ビットの違いは自動的に判別されます。

Anacondaのダウンロード
https://www.anaconda.com/distribution/

Anacondaのダウンロードページ

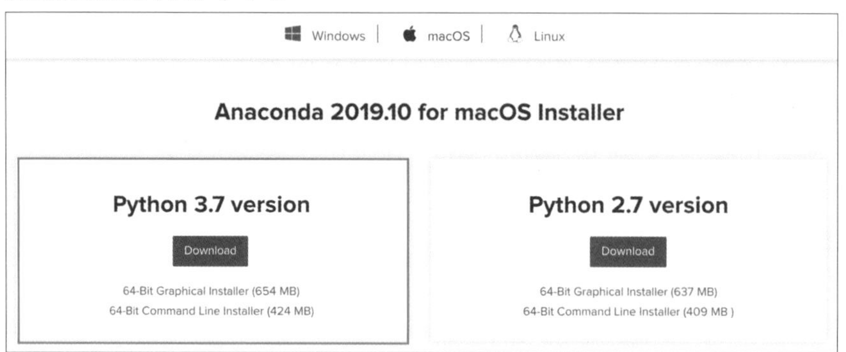

すると、Windowsの場合はexeファイル、macOSの場合はpkgファイル、Linuxの場合はシェルスクリプトがダウンロードされます。

2.1.2 Anacondaのインストール

WindowsやmacOSの場合はダウンロードしたファイルを実行して、通常のアプリケーションと同じようにインストールしましょう。インストーラに表示される設定はすべてデフォルトのままでかまいません。

Linuxの場合は、ターミナルソフトを起動してダウンロードしたディレクトリに移動し、シェルスクリプトを実行します。以下は64ビット版Ubuntuを使った場合です。

```
$ bash ./Anaconda3-バージョン番号-Linux-x86_64.sh
```

これでテキストベースの対話型インストーラが起動しますので、これに従いインストールを行いましょう。インストールが終了したら、念のために次のパスをエクスポートしておきましょう。

```
$ export PATH=/home/ユーザ名/anaconda3/bin:$PATH
```

パスが通っているかどうかを以下で確認しましょう。エラーがなければ次のように表示されるはずです。

```
$ conda -V
conda 4.4.10
```

以上でインストールは終了です。これで、Python関連のファイルの他にAnaconda Navigatorというランチャーアプリがインストールされます。

2.1.3 Jupyter Notebookの起動

次に、Jupyter Notebookを起動しましょう。Windowsの場合はスタートボタンから**【Anaconda3】→【Anaconda Navigator】**を選択します。一方、macOSの場合は「アプリケーション」フォルダから「Anaconda-Navigator.app」を起動します。

■ Anaconda Navigatorの画面

Anaconda Navigatorが起動したら、「Jupyter Notebook」の「Launch」ボタンを探しましょう。「Launch」ボタンの代わりに「Install」ボタンが表示されるかもしれませんが、その際は「Install」ボタンをクリックしてJupyter Notebookをインストールすれば「Launch」ボタンが表示されます。

「Launch」ボタンをクリックすると、Webブラウザが自動的に起動して、以下の画面が表示されます。

■ Jupyter Notebookのダッシュボード

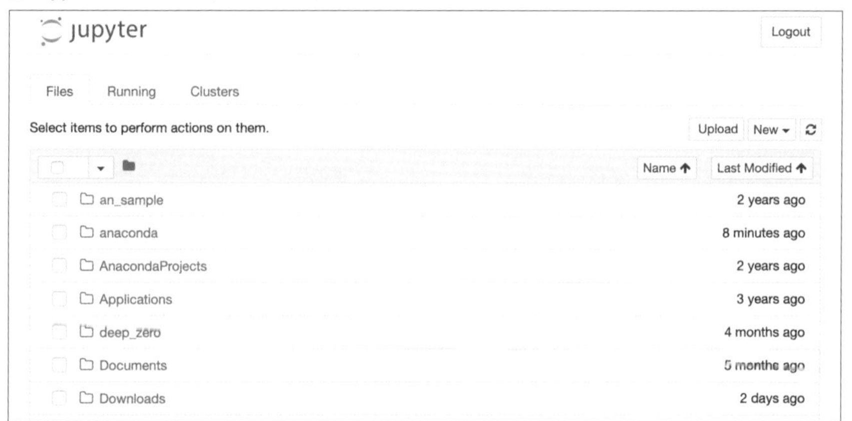

この画面はダッシュボードと呼ばれる画面で、Windowsのエクスプローラやの macOSのFinderのように、フォルダの移動やファイルの作成などが実行可能です。デフォルトでは各ユーザのホームフォルダの内容が表示されているはずです。

LinuxでJupyter Notebookを起動する場合、ターミナルから以下のコマンドを実行することでAnaconda Navigatorが起動します。

```
$ anaconda-navigator
```

ただし、すべてのLinuxディストリビューションとGUIパッケージの組み合わせで起動するかどうかはわかりませんので、Jupyter Notebookを直接起動するためのコマンドも覚えておくとベターです。以下のコマンドはJupyter Notebookをリモートで起動する場合にも使えます。

```
$ jupyter notebook
```

2.1.4 Jupyter Notebookの使い方

Jupyter Notebookはブラウザ上で動作するので、その操作方法はプラットフォームによらずほぼ同じです。ここでは、Jupyter Notebook上でPythonの簡単なプログラムを実行する手順を解説します。

まずノートブックを作成しましょう。ダッシュボードの右上にある「New」ボタンから「Python3」を選択します。

ノートブックの作成

これでノートブックが作成され、新しいタブに表示されます。このノートブックの実体は.ipynbという拡張子を持つファイルで、ダッシュボードに表示されているフォルダに作成されます。

ノートブックの画面

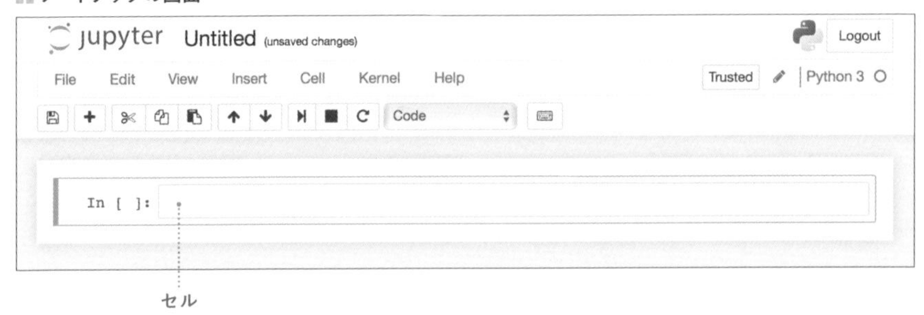

ノートブックの画面では、上部にメニューやツールバーが表示されており、さまざまな操作を行うことができます。たとえばノートブックの作成直後、ノートブックの名前が「Untitled」になっていますが、メニューから**「File」→「Rename」**を選択することで変更することができます。「first_notebook」などの好きな名前に、ノートブックの名前を変更しておきましょう。

Pythonプログラムの入力は、画面中央のセルと呼ばれる部分に行います。次のようなコードを入力して、最後に**Shift+Enter**（macOSの場合は**shift+return**）を押してみましょう。

プログラムの実行

```
print("Hello World")
```

```
Hello World
```

セルの下に実行結果が表示されます。Jupyter Notebook上で、Pythonのコードを実行することができました。なお、セルが一番下にある場合は、新しいセルが下に自動で追加されます。

なお、**Control+Enter**で実行すると、セルが一番下にあっても新しいセルが下に追加されません。この場合、同じセルが選択されたままとなります。

コードの実行結果

次にグラフを表示してみましょう。次のプログラムを新しいセルに入力して、先ほどと同じく**Shift+Enter**（**shift+return**）を押しましょう。セルの下にグラフが表示されます。

グラフの表示

```
%matplotlib inline

import numpy as np
import matplotlib.pyplot as plt

x = np.linspace(-np.pi, np.pi)
plt.plot(x, np.cos(x))
plt.plot(x, np.sin(x))
plt.show()
```

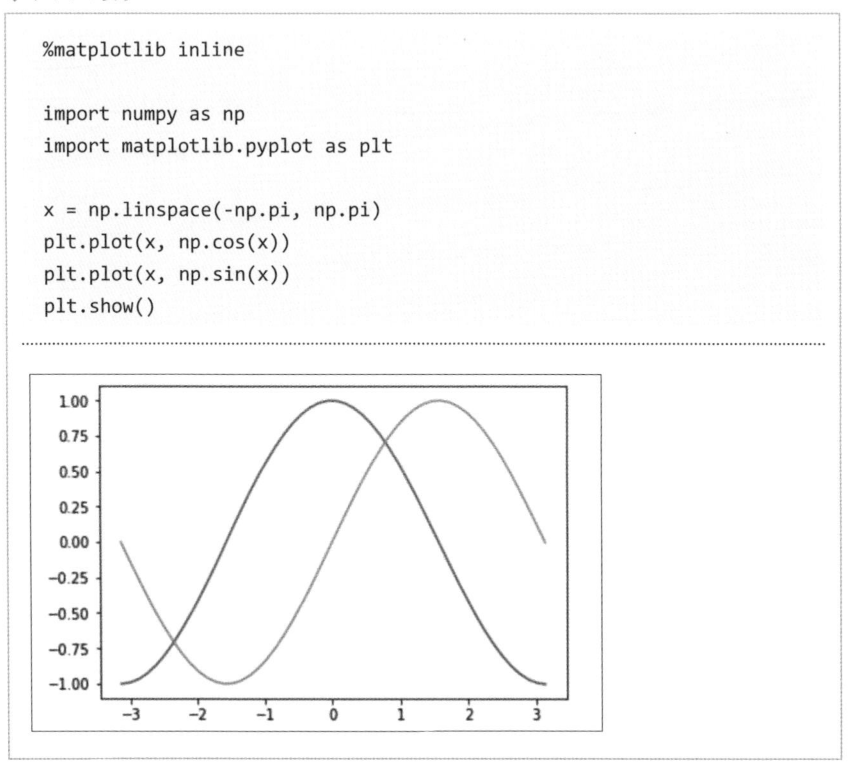

上記のプログラムではNumPyという数値計算のモジュールと、matplotlibというグラフ表示用のモジュールを使用しており、importから始まる2行ではそれらのモジュールをインポートしています。このようなimport文はノートブック内で一度実行しておけば、その後のセルでも共有されます。これは変数の値などでも同じです。
なお、NumPyとmatplotlib、およびその他の表記については後ほど詳しく解説します。

2.1.5 ノートブックの終了

ノートブックはJupyter Notebookのサーバー機能により1つのプロセスとして起動されます。このためノートブックを表示しているWebブラウザのタブを閉じてもプロセスは終了されません。

ノートブックを閉じる場合は、メニューから**「File」→「Close and Halt」**を実行しましょう。これでタブが閉じられるとともにプロセスも終了されます。間違ってWebブラウザのタブを閉じてしまった場合は、ダッシュボードの「Running」タブでプロセスを終了させることが可能です。

Jupyter ダッシュボードの「Running」タブ

なお終了させたノートブックは、ダッシュボードでファイルをクリックすることで、再度開くことができます。

2.2 Google Colaboratoryの使い方

Google Colaboratoryは、クラウド上で動作する研究、教育向けのPythonの実行環境です。ブラウザで手軽に機械学習のコードを動かすことができて、GPUも利用可能なので最近人気を集めています。

また、Anaconda+Jupyter Notebookの場合と違って、Googleアカウントさえあればインストール作業も不要で、スマートフォンなどでも実行可能です。

2.2.1 Google Colabortoryの準備

Google Colabortoryを使うためにはGoogleアカウントが必要です。持っていない方は、以下のサイトで取得しましょう。

Googleアカウントの設定
https://myaccount.google.com/

Googleアカウントを取得した上で、以下のGoogle Colaboratoryのサイトにアクセスします。

Google Colaboratory
https://colab.research.google.com/

ファイルを選択するためのウィンドウが表示されることがありますが、とりあえずキャンセルしましょう。以下の導入ページが表示されます。

Google Colaboratoryの導入ページ

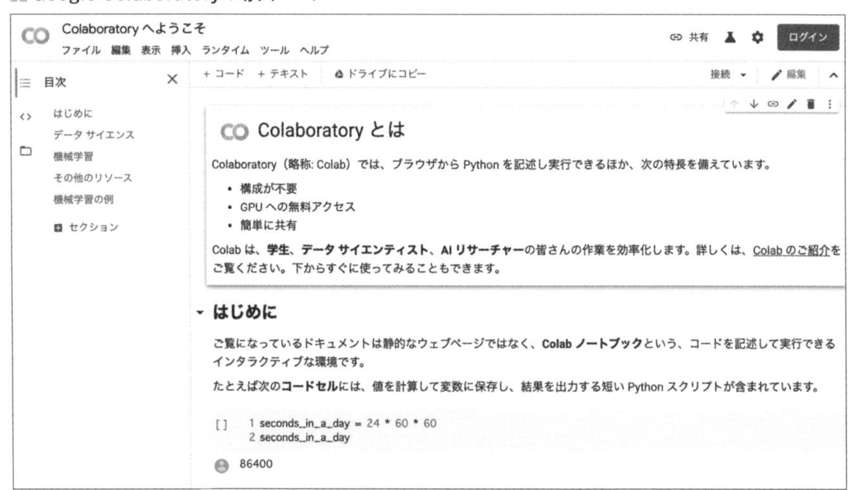

以上でGoogle Colaboratoryの準備は完了です。クラウド上で動作するのでローカル環境へのインストールは必要ありません。

2.2.2 Colabノートブックの使い方

Google ColaboratoryはJupyter Notebookをベースにしているので、ノートブックの扱い方はAnaconda+Jupyter Notebookと大半は同じです。

まずノートブックを作成しましょう。ページ左上にある**「ファイル」**から**「Python 3の新しいノートブック」**を選択します。

Colabノートブックの作成

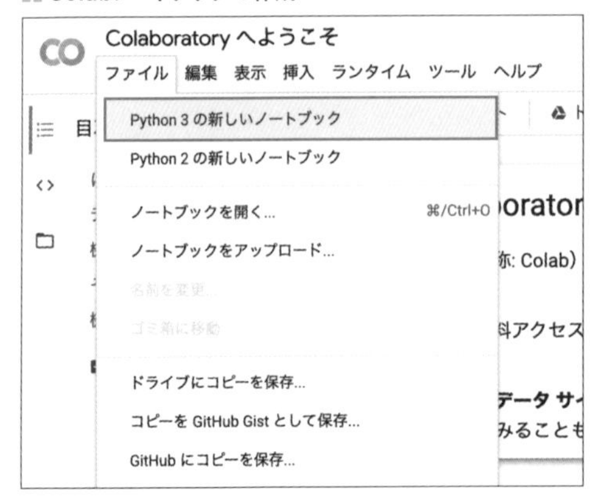

Googleアカウントでログインしてない場合、ここでログインが要求されます。これでノートブックが作成され、新しいページとして表示されます。このノートブックは、.ipynbという拡張子でGoogleドライブのColab Notebooksフォルダに保存されます。

ノートブックの画面

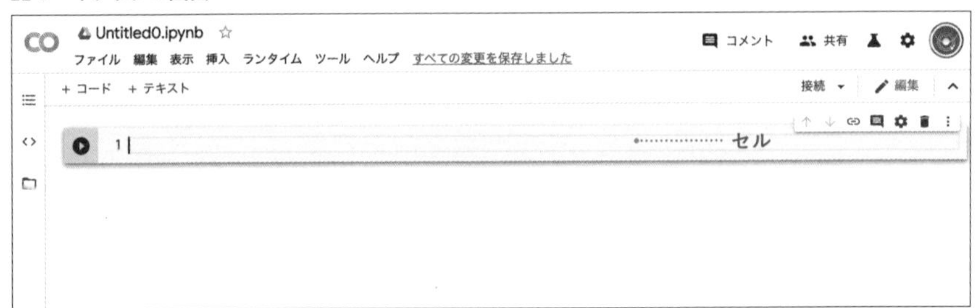

ノートブックの画面では、上部にメニューなどが表示されており、さまざまな操作を行うことができます。たとえばノートブックの作成直後、ノートブックの名前が「Untitled0.ipynb」になっていますが、メニューから**「ファイル」→「名前を変更」**を選択することで変更することができます。「first_notebook.ipynb」などの好きな名前に、ノートブックの名前を変更しておきましょう。

Pythonプログラムの入力は、画面中央のセルと呼ばれる部分に行います。次のようなコードを入力して、最後に**Shift+Enter**（macOSの場合は**shift+return**）を押してみましょう。

プログラムの実行

```
print("Hello World")
```

```
Hello World
```

セルの下に実行結果が表示されます。Colab ノートブック上で、Pythonのコードを実行することができました。セルが一番下にある場合は、新しいセルが下に自動で追加されます。

コードの実行結果

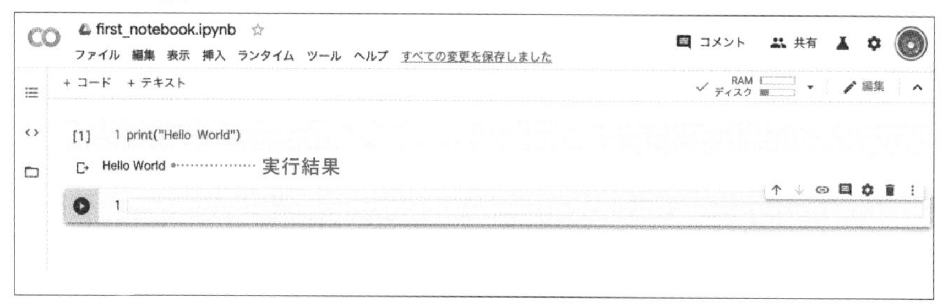

なお、**Control+Enter**で実行すると、セルが一番下にあっても新しいセルが下に追加されません。この場合、同じセルが選択されたままとなります。

次にグラフを表示してみましょう。次のプログラムを新しいセルに入力して、先ほどと同じく**Shift+Enter**（**shift+return**）を押しましょう。

グラフの表示

```
import numpy as np
import matplotlib.pyplot as plt

x = np.linspace(-np.pi, np.pi)
plt.plot(x, np.cos(x))
plt.plot(x, np.sin(x))
plt.show()
```

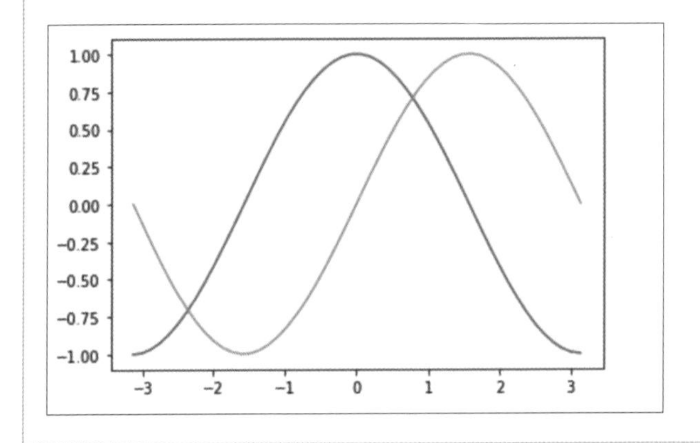

Anaconda+Jupyter Notebook環境とは異なり、%matplotlib inlineの表記は必要ありません。

2.2.3 GPUの使い方

Google ColaboratoryではGPUを無料で使うことができます。GPUはもともと画像処理に特化した演算装置ですが、CPUよりも並列演算性能に優れ、行列演算が得意なためディープラーニングでよく利用されます。GPUの速度における優位性は、特に大規模な計算において顕著になります。

GPUは、メニューの**「編集」**から**「ノートブックの設定」**を選択し、「ハードウェアアクセラレータ」にGPUを設定することで使用可能になります。

GPUの利用

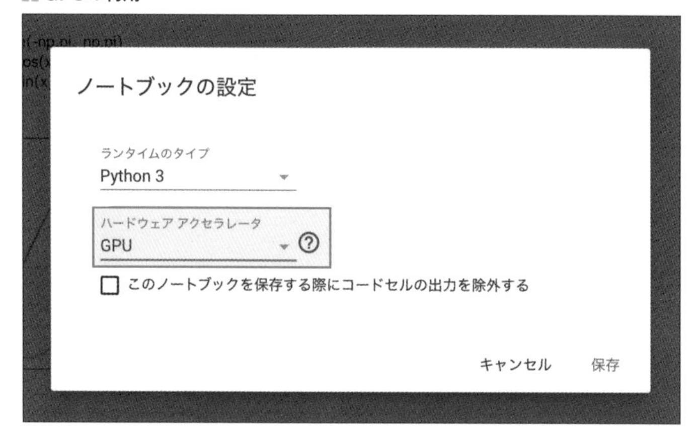

本書ではNumPyという数値計算のモジュールを行列演算に使用しますが、GPUを使う場合はこの代わりにCuPyというモジュールを使う必要があります。CuPyはGoogle Colaboratoryに最初からインストールされているので、個別にインストールする必要はありません。CuPyはNumPyと高い互換性を持つのですが、一部共通で使えないコードがあります。次章以降のコードは先頭の一部を変更すればCuPyで動作するので、CPUとGPU、両方でコードを手軽に試すことができます。

なお、Google ColaboratoryではGPUの利用に時間制限がありますのでご注意ください。GPUの利用時間について、詳しくは以下のページのリソース制限を参考にしましょう。

Google Colaboratory FAQ
https://research.google.com/colaboratory/faq.html

2.2.4 ファイルの扱い方

本書のダウンロード可能なコードは.ipynb形式ですが、.ipynb形式のファイルは一度Googleドライブにアップすれば、**「ファイル」→「ノートブックを開く」**で表示される画面の「Googleドライブ」のタブなどから開くことができます。

ノートブックを開く

例　最近　Google ドライブ　GitHub　アップロード

ノートブックを絞り込む

タイトル	所有者	最終更新	最終閲覧
02-02.ipynb	我妻幸長	0 分前	0 分前
cpu_gpu.ipynb	我妻幸長	15 分前	15 分前
session_instance.ipynb	我妻幸長	15 分前	15 分前
settings_functions.ipynb	我妻幸長	16 分前	16 分前
first_notebook.ipynb	我妻幸長	45 分前	45 分前

キャンセル

また、本書の一部のコードは外部ファイルの読み込みが必要になります。ノートブックからアクセス可能な外部ファイルは、ページ左の「ファイル」のアイコンをクリックし、「アップロード」を選択することでアップロードすることができます。

外部ファイルのアップロード

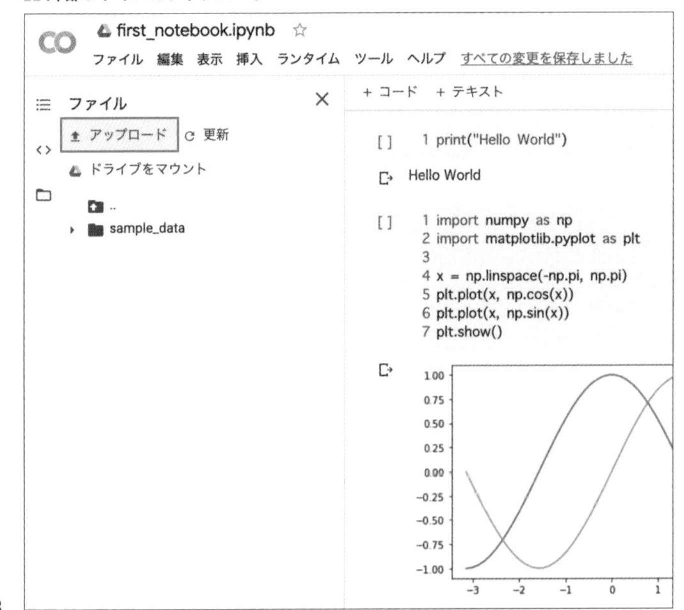

また、ノートブックからGoogleドライブをマウントし、Googleドライブに配置した外部ファイルを使用することも可能です。このようなファイルの扱いを含め、他にもさまざまな機能がありますので、興味のある方は調べて試してみましょう。

2.3 Pythonの基礎

ここでは本書で紹介するプログラムを読み解くために、Pythonの文法について解説します。ただし、何らかのオブジェクト指向言語の経験が前提となっていますので、プログラミングの基礎知識にあたる内容は省略しています。プログラミングが全くの初心者の方は、他の書籍などで基礎を習得した上で先に進みましょう。

また、ディープラーニングのコードで頻繁に使用する言語要素のみ解説していますので、Pythonの詳細については知りたい方は、Pythonの公式ドキュメントやPythonの専門書などを参考にしましょう。

2.3.1 変数と型

Pythonでは、変数を使用する前に何らかの記述をする必要ありません。以下のように、値を代入するところから記述を始めることができます。

```
a = 123
```

Pythonは、変数に対して型の明示は不要です。たとえば、整数型の変数に文字列を代入すれば、それは文字列型の変数になります。

また、上記のように変数にいきなり代入できるデータ型を、Pythonでは組み込み型と呼んでいます。主な組み込み型には次のようなものがあります。

```
a = 123 ................ 整数型(int)
b = 123.456 ............ 浮動小数点型(float)
c = "Hello World!" ..... 文字列型(str)
d = True ............... 論理型(bool)
e = [1, 2, 3] .......... リスト型(list)
```

変数がどの型であるかはtype関数を用いて知ることができます。

type関数の実行結果を表示する

```
a = 123
print(type(a))
```

```
<class 'int'>
```

#はコメントを表し、同じ行のそれ以降はコードとして認識されることはありません。

また、bool型の値は数値として扱うことができます。Trueは1でFalseは0として扱われます。以下の例では、TrueとFalseを足していますが、結果は0と1の和の1になります。

bool値の演算

```
a = True; b = False
print(a+b)
```

```
1
```

Pythonでは、上記のように;（セミコロン）で区切ることで、1行内に複数の処理を書くことができます。

また、浮動小数点型の値は指数表記が可能です。以下のようにeを用いて小数を表記することができます。

```
1.2e5 ………… 2x10の5乗 120000
1.2e-5 ………… 1.2x10の-5乗 0.000012
```

2.3.2 演算子

Pythonの演算子については、他のプログラミング言語と大きな違いはありません。

さまざまな演算子を使う

```
a = 3; b = 4

c = a + b ······· 足し算
print(c)

d = a < b ······· 比較(小さいかどうか)
print(d)

e = 3 < 4 and 4 < 5 ······· 論理和
print(e)
```

```
7
True
True
```

主な演算子をまとめると以下のとおりです。

Pythonの主な演算子

算術演算子	+	足し算
	-	引き算
	*	かける
	/	割る(小数)
	//	割る(整数)
	%	余り
	**	べき乗
比較演算子	<	小さい
	>	大きい
	<=	以上
	>=	以下
	==	等しい
	!=	等しくない
論理演算子	and	両者を満たす
	or	どちらか片方を満たす
	not	満たさない

+演算子は文字列や後述するリストの結合に利用することもできます。

文字列とリストの加算

```
a = "Hello" + "World" ········· 文字列の結合
print(a)

b = [1, 2, 3] + [4, 5, 6] ········· リストの結合
print(b)
```

```
HelloWorld
[1, 2, 3, 4, 5, 6]
```

2.3.3 リスト

リストは、複数の値をまとめて扱う場合に使用します。リストは全体を[ ]で囲み、各要素は,で区切ります。Pythonのリストはどのような型の値でも格納することができ、リストの中にリストを格納することもできます。

リストは、要素の追加や入れ替えなどが可能です。

リストの操作

```
a = [1, 2, 3, 4, 5] ········· リストの作成

b = a[2] ········· 3番目の要素を取得
print(b)

a.append(6) ········· 末尾に要素を追加する
print(a)

a[2] = 7 ········· 要素の入れ替え
print(a)
```

```
3
[1, 2, 3, 4, 5, 6]
[1, 2, 7, 4, 5, 6]
```

2.3.4 タプル

タプルはリストと同じく複数の値をまとめて扱いたいときに利用しますが、要素の

追加や削除、入れ替えなどはできません。タプルは全体を( )で囲み、各要素は,で区切ります。

タプルの操作

```
a = (1, 2, 3, 4, 5)  # タプルの作成

b = a[2]  # 3番目の要素を取得
print(b)
```

```
3
```

要素が1つだけのタプルは、以下のように要素の直後に,が必要です。

```
(3,)
```

なお、リストやタプルの要素は、以下のようにしてまとめて変数に代入することが可能です。

タプルの要素を変数に代入する

```
a = [1, 2, 3]
a1, a2, a3 = a
print(a1, a2, a3)

b = (4, 5, 6)
b1, b2, b3 = b
print(b1, b2, b3)
```

```
1 2 3
4 5 6
```

2.3.5 辞書

辞書は、キーと値の組み合わせでデータを格納します。以下は辞書を扱う例ですが、文字列をキーとして辞書を作成し、値の取得や入れ替え、要素の追加を行っています。

辞書の操作

```
a = {"Apple":3, "Pineapple":4}  ……… 辞書の作成

print(a["Apple"])  ……… "Apple"のキーを持つ値を取得

a["Pinapple"] = 6  ……… 要素の入れ替え
print(a["Pinapple"])

a["Melon"] = 3  ……… 要素の追加
print(a)
```

```
3
6
{'Apple': 3, 'Pineapple': 4, 'Melon': 3}
```

2.3.6　if文

分岐にはif文を用います。ifの条件が満たされていなければ、elifの条件が上から順番に判定されます。これらの条件がすべて満たされていなければ、else内の処理が実行されます。

多くのプログラミング言語では分岐や関数のブロックを表すために{ }を使用しますが、Pythonではインデントを挿入します。すなわち、インデントしていない行が出現したら、その直前にブロックは終了していることになります。インデントには、半角スペース4つを用いることが多いです。

if文の実行

```
a = 7
if a < 12:
    print("Good morning!")
elif a < 17:
    print("Good afternoon!")
elif a < 21:
    print("Good evening!")
else:
    print("Good night!")
```

```
Good morning!
```

2.3.7 for文

指定した回数ループするためにはfor文を用います。ループする範囲を指定するためには、リストやrange関数を「in」とともに用います。rangeの使い方は次のとおりです。[ ]で囲まれた引数は省略可能です。

range([開始番号,] 終了番号 [, ステップ数])

たとえばrange(3)は、0から2までの範囲になります。

for文の実行

```
for a in [4, 7, 10]: ・・・・・・・・ リストを使ったループ
    print(a)

for a in range(3): ・・・・・・・・ rangeを使ったループ
    print(a)
```

```
4
7
10
0
1
2
```

2.3.8 関数

関数を用いることで、複数行の処理をまとめることができます。関数はdefの後に関数名を記述し、( )の中に引数を記述します。returnの後の値が返り値になります。

関数の定義と実行

```
def add(a, b): ・・・・・・・・ 関数の定義
    c = a + b
    return c

print(add(3, 4)) ・・・・・・・・ 関数の実行
```

```
7
```

関数では、*(アスタリスク)を付けたタプルを用いて、複数の引数を一度に渡すことができます。

タプルで引数を渡す

```
def add(a, b ,c):
    d = a + b + c ······ 関数の定義
    print(d)

e = (1, 2, 3)
add(*e) ······ 複数の引数を一度に渡す
```

```
6
```

2.3.9 変数のスコープ

関数内で定義された変数がローカル変数、関数外で定義された変数がグローバル変数です。ローカル変数は同じ関数内からのみ参照できますが、グローバル変数はどこからでも参照できます。

グローバル変数とローカル変数

```
a = 123 ······ グローバル変数

def showNum():
    b = 456 ······ ローカル変数
    print(a, b)

showNum()
```

```
123 456
```

Pythonでは、関数内でグローバル変数に値を代入しようとすると、新しいローカル変数とみなされます。以下の例では、関数内でグローバル変数aに値を代入しても、グローバル変数aの値は変わっていません。

関数内でグローバル変数に値を代入した場合

```
a = 123

def setLocal():
    a = 456 ········ aはローカル変数とみなされる
    print("Local:", a)

setLocal()
print("Global:", a)
```

```
Local: 456
Global: 123
```

グローバル変数の値を変更するためには、globalキーワードを用いて、変数がローカルではないことを明記する必要があります。

globalキーワード

```
a = 123

def setGlobal():
    global a
    a = 456
    print("Global:", a)

setGlobal()
print("Global:", a)
```

```
Global: 456
Global: 456
```

2.3.10 クラス

Pythonでは、オブジェクト指向プログラミングが可能です。オブジェクト指向は、オブジェクト同士の相互作用として、システムの振る舞いをとらえる考え方です。

オブジェクト指向には、クラスとインスタンスという概念があります。クラスは設計図のようなもので、インスタンスは実体です。クラスから複数のインスタンスを生成することができます。

Pythonでクラスを定義するためには、classの表記を用います。クラスを用いると、複数のメソッドをまとめることができます。メソッドは関数に似ており、defで記述を開始します。

以下の例では、Calcクラス内に__init__メソッド、addメソッド、multiplyメソッドが実装されています。

クラスの定義

```
class Calc:
    def __init__(self, a):
        self.a = a

    def add(self, b):
        print(self.a + b)

    def multiply(self, b):
        print(self.a * b)
```

Pythonのメソッドは引数としてselfを受け取るという特徴があります。このselfを用いて、他のメソッドや外部からアクセス可能なインスタンス変数を扱うことができます。

__init__は特殊なメソッドで、コンストラクタと呼ばれています。このメソッドで、インスタンスの初期設定を行います。上記のクラスでは、self.a = aで引数として受け取った値をインスタンス変数aに代入します。

addメソッドとmultiplyメソッドでは、引数として受け取った値をインスタンス変数aと演算しています。このように、一度メソッドで値が代入されたインスタンス変数は、同じインスタンスのどのメソッドからでもselfを用いてアクセスすることができます。

上記のクラスCalcから、以下のようにインスタンスを生成しメソッドを呼び出すことができます。この場合、Calc(3)でインスタンスを生成し、変数calcに代入しています。

クラスを使う

```
calc = Calc(3) ……………… インスタンスの生成
calc.add(4) ……………… メソッドの実行
calc.multiply(4)
```

```
7
12
```

初期化時に3という値をインスタンスに渡し、addメソッドとmultiplyメソッドを呼び出します。実行すると、4+3と4x3、それぞれの計算結果を得ることができます。

また、クラスには継承という概念があります。クラスを継承することで、既存のクラスを引き継いで新たなクラスを定義することができます。以下の例では、Calcクラスを継承してCalcPlusクラスを定義しています。

クラスの継承

```
class CalcPlus(Calc):  ······ Calcを継承
    def subtract(self, b):
        print(self.a - b)

    def divide(self, b):
        print(self.a / b)
```

subtractメソッドと、divideメソッドが新たに追加されています。それでは、CalcPlusクラスからインスタンスを生成し、メソッドを呼び出してみましょう。

継承したクラスを使う

```
calc_plus = CalcPlus(3)
calc_plus.add(4)
calc_plus.multiply(4)
calc_plus.subtract(4)
calc_plus.divide(4)
```

```
7
12
-1
0.75
```

このように、継承元のCalcクラスで定義されたメソッドも、これを継承したCalcPlusクラスで定義されたメソッドも、同じように呼び出すことができます。このようなクラスの継承を利用すれば、複数のクラスの共通部分を継承元のクラスにまとめることができます。

2.4 NumPyとmatplotlib

この節では、NumPyとmatplotlibの概要を解説します。

NumPyはPythonの拡張モジュールで、シンプルな表記で効率的なデータの操作を可能にします。多次元配列を強力にサポートし、内部はC言語で実装されているため高速に動作します。ディープラーニングを実装する際には、ベクトルや行列を頻繁に扱いますので、NumPyは非常に有用なツールです。

matplotlibはNumPyと同じPythonの外部モジュールで、グラフの描画や画像の表示、簡単なアニメーションの作成などを行うことができます。本書では、このmatplotlibを使ってデータの可視化を行います。

これらのモジュールは、AnacondaとGoogle Colaboratory両者ともに最初からインストールされているので、個別にインストールする必要はありません。

なお、本節の解説は前著「はじめてのディープラーニング」と異なり、要点を絞った解説となります。本節で解説してないNumPyやmatplotlibの機能が、本節以降で登場することもあるのでご注意ください。

2.4.1 モジュールのインポート

モジュールとは再利用可能なPythonのスクリプトファイルのことです。Pythonでは、importの記述によりモジュールを導入することができます。NumPyとmatplotlibはモジュールなので、これらを使用するためには、コードの先頭に以下のように記述します。

```
%matplotlib inline

import numpy as np
import matplotlib.pyplot as plt
```

このように記述すると、これ以降npという名前でNumPyのモジュールを、pltという名前でmatplotlibのpyplotというモジュールを扱うことができます。pyplotはグラフの描画をサポートします。

また、Anaconda環境でmatplotlibのグラフをインライン表示するためには、先頭に

%matplotlib inlineの記述が必要なことがあります。次節以降に掲載されているコードには、%matplotlib inlineの記述が省略されていますが、Anaconda環境で実行してもグラフが表示されない場合は、この表記を先頭に追加しましょう。

2.4.2 NumPyの配列

ディープラーニングの計算には配列やベクトルを多用しますが、これらを表現するのにNumPyの配列を用います。本書では、単に配列と記載されている場合はNumPyの配列を指すことにします。

NumPyの配列は、array関数を使うことでPythonのリストから簡単に作ることができます。

NumPy配列の作成

```
a = np.array([0, 1, 2, 3, 4, 5])
print(a)
```

```
[0 1 2 3 4 5]
```

上記のように外部モジュールに含まれる関数を使用する場合は、モジュール名と関数名を.(ドット)でつなぎます。

このような配列が折り重なった、2次元の配列を作ることもできます。2次元配列は、要素がリストであるリスト(2重のリスト)から作ります。

2次元配列の作成

```
b = np.array([[0, 1, 2], [3, 4, 5]]) ········ リストのリストを渡す
print(b)
```

```
[[0 1 2]
 [3 4 5]]
```

同様に、3次元の配列も作ることができます。3次元の配列は、2次元の配列がさらに折り重なったもので、3重のリストから作ります。

↓ 3次元配列の作成

```
c = np.array([[[0, 1, 2], [3, 4, 5]], [[5, 4, 3], [2, 1, 0]]])
print(c)
```

```
[[[0 1 2]
  [3 4 5]]

 [[5 4 3]
  [2 1 0]]]
```

同様にして、より多次元の配列を作ることもできます。

配列の形状（各次元の要素数）は、shape属性により得ることができます。

↓ shape属性の確認

```
print(c.shape)
```

```
(2, 2, 3)
```

このように、配列の形状はよくタプルで表されます。

また、リストの要素数をカウントするlen関数は、配列に使用すると最初の次元の要素数をカウントします。

↓ len関数を使う

```
d = [[1,2],[3,4],[5,6]]  # (3, 2)
print(len(d))
print(len(np.array(d)))
```

```
3
3
```

2.4.3 配列を生成するさまざまな関数

array関数の他にも、NumPyには配列を生成する関数がいくつか用意されています。以下は、それぞれ、要素がすべて0.0の配列、要素がすべて1.0の配列、要素がすべて乱数の配列を生成する関数です。

さまざまな関数による配列の生成

```
print(np.zeros(10))
print(np.ones(10))
print(np.random.rand(10))
```

```
[ 0.  0.  0.  0.  0.  0.  0.  0.  0.  0.]
[ 1.  1.  1.  1.  1.  1.  1.  1.  1.  1.]
[ 0.81390548  0.75209638  0.71734419  0.57793517  0.79752031
0.0864414  0.82203105  0.43120247  0.96350209  0.19624734]
```

このうち、zeros関数とones関数は引数にタプルを指定することができます。この場合、生成する配列はタプルの形状の多次元配列になります。

タプルを渡す場合

```
print(np.zeros((2, 3)))
print(np.ones((2, 3)))
```

```
[[ 0.  0.  0.]
 [ 0.  0.  0.]]
[[ 1.  1.  1.]
 [ 1.  1.  1.]]
```

linspace関数を用いると、指定した範囲で一定間隔に要素が並んだ配列を作ることができます。linspace関数は、以下のように引数を設定します。

linspace(開始する値, 終了する値, 要素数)

以下の例では、linspace関数を用いて、0から1までの要素数が11個の配列を生成しています。この場合、要素の間隔は0.1刻みになります。

linspace関数を使う

```
pprint(np.linspace(0, 1, 11))
```

```
[ 0.   0.1  0.2  0.3  0.4  0.5  0.6  0.7  0.8  0.9  1. ]
```

linspace関数の第3引数は省略できますが、省略すると配列の要素数は50になります。以下は、0から1まで、等間隔に50個の要素を持つ配列を生成する例です。

第3引数を省略した場合

```
print(np.linspace(0, 1))
```

```
[ 0.          0.02040816  0.04081633  0.06122449  0.08163265  0.10204082
  0.12244898  0.14285714  0.16326531  0.18367347  0.20408163  0.2244898
  0.24489796  0.26530612  0.28571429  0.30612245  0.32653061  0.34693878
  0.36734694  0.3877551   0.40816327  0.42857143  0.44897959  0.46938776
  0.48979592  0.51020408  0.53061224  0.55102041  0.57142857  0.59183673
  0.6122449   0.63265306  0.65306122  0.67346939  0.69387755  0.71428571
  0.73469388  0.75510204  0.7755102   0.79591837  0.81632653  0.83673469
  0.85714286  0.87755102  0.89795918  0.91836735  0.93877551  0.95918367
  0.97959184  1.        ]
```

このようなlinspace関数の機能は、グラフにおける横軸の値などを表現するのによく用いられます。

2.4.4　reshapeによる形状の変換

NumPyの配列が持つreshapeメソッドを使うと、配列の形状を変換することができます。以下の例では、要素数が8の1次元配列を 形状が(2, 4)の2次元配列に変換しています。

reshapeメソッドを使う

```
a = np.array([0, 1, 2, 3, 4, 5, 6, 7])  ……… 配列の作成
b = a.reshape(2, 4)  ……… (2, 4)の2次元配列に変換
print(b)
```

```
[[0 1 2 3]
 [4 5 6 7]]
```

reshapeを使うことで、たとえば以下のように2次元配列を3次元配列に変換することもできます。要素数は2×2×2=8なので変わりません。

(2, 2, 2)の3次元配列に変換

```
c = b.reshape(2, 2, 2)
print(c)
```

```
[[[0 1]
  [2 3]]

 [[4 5]
  [6 7]]]
```

このように、トータルの要素数さえ合っていればどのような形状にでもreshapeで変換することができます。

また、reshapeの引数を-1にすることで、どのような形状の配列でも1次元配列に変換することができます。

1次元配列に変換

```
e = d.reshape(-1)
print(e)
```

```
[0 1 2 3 4 5 6 7]
```

複数ある引数のうち1つを-1にすれば、その次元の要素数を自動で計算してくれます。以下の例では、引数に2と4を指定すべきところを2と-1を指定しています。NumPyがトータルの要素数8を2で割って4を自動で計算してくれます。

要素数を自動計算する場合

```
f = e.reshape(2, -1)
print(f)
```

```
[[0 1 2 3]
 [4 5 6 7]]
```

2.4.5 配列の演算

配列同士、もしくは配列と数値の間で、演算子を用いて演算を行うことができます。以下の例では、配列と数値の間で演算を行っています。この場合、配列の各要素と数値の間で演算が行われます。

配列と数値の演算

```
a = np.array([0, 1, 2, 3, 4, 5]).reshape(2, 3) ……… 2行3列の配列を作成
print(a)
print(a + 3) ……… 各要素に3を足す
print(a * 3) ……… 各要素に3をかける
```

```
[[0 1 2]
 [3 4 5]]

[[3 4 5]
 [6 7 8]]

[[ 0  3  6]
 [ 9 12 15]]
```

また、以下は配列同士の演算の例です。この場合は対応する各要素同士で演算が行われます。基本的に演算に使用する配列の形状は同じでないとエラーになるので注意しましょう。ただし、後述するブロードキャストの条件を満たしていれば違う形状の配列同士でも演算が可能です。

配列同士の演算

```
b = np.array([5, 4, 3, 2, 1, 0]).reshape(2, 3)
print(b)
print(a + b) ……… 配列同士の足し算
print(a * b) ……… 配列同士の掛け算
```

```
[[5 4 3]
 [2 1 0]]

[[5 5 5]
 [5 5 5]]
```

```
[[0 4 6]
 [6 4 0]]
```

また、NumPyでは、特定の条件を満たしていれば違う形状の配列同士でも演算を行うことができます。この機能を**ブロードキャスト**といいます。たとえば、次のような2つの配列を考えます。

例となる配列

```
a = np.array([[1, 1],
              [1, 1]])  ……… 2次元配列
b = np.array([1, 2])  ……… 1次元配列
```

これらの2つの配列は次元が違いますが、ブロードキャストにより演算することが可能です。

ブロードキャスト

```
print(a + b)
```

```
[[2 3]
 [2 3]]
```

この場合、配列bは1次元配列が縦方向に並べられた2次元配列として演算の対象になります。その結果、同じ形状を有する配列同士の演算として扱われます。以上のように、ある方向に拡張することで配列の形状が一致すれば、ブロードキャストにより形状が異なる配列同士でも演算が可能です。

2.4.6 要素へのアクセス

2次元配列の場合、要素にアクセスする際にはインデックスを縦横で2つ指定します。,(カンマ)区切りでインデックスを並べることも、インデックスを入れた[ ]を2つ並べることもできます。

インデックスを使う

```
b = np.array([[0, 1, 2],
              [3, 4, 5]])
print(b[1, 2])  # b[1][2]と同じ
```

```
5
```

縦のインデックスが1、横のインデックスが2の要素を取り出すことができました。このように、多次元配列の要素にアクセスする場合、次元の数だけインデックスを指定する必要があります。

また、NumPyの**スライシング**機能を用いると、配列の一部にアクセスすることができます。たとえば一次元配列の場合、次のような形式で配列の一部にアクセスすることができます。

配列名[このインデックス以上:このインデックス未満]

このように、スライシングでは:(コロン)を用いて範囲を指定します。以下の例では、1次元配列の一部をスライシングにより抜き出しています。

スライシングを使う

```
a = np.array([0, 1, 2, 3, 4, 5, 6, 7, 8, 9])
print(a[2:8])
```

```
[2 3 4 5 6 7]
```

インデックスが2以上8未満の要素が抜き出されて、1次元の配列となりました。要素へのアクセスとは異なり、抜き出した配列の次元は、元の配列の次元と変わりません。

また、[ ]の中に:のみを記述するとすべての要素を指定することができます。

すべての要素を指定する

```
print(a[:])
```

```
[0 1 2 3 4 5 6 7 8 9]
```

2次元配列の場合、カンマで区切って各次元の範囲を指定します。

範囲を指定する

```
b = np.array([[0, 1, 2],
              [3, 4, 5],
              [6, 7, 8]])
print(b[:, 0:2]) ………… 各次元の範囲を指定
```

```
[[0 1]
 [3 4]
 [6 7]]
```

スライシングにより、配列bのすべての行、左側の2列が取り出されました。

さらに次元数の多い配列に対しても、同様にスライシングを利用して配列の領域にアクセスすることができます。

2.4.7 グラフの描画

NumPyとmatplotlibを使ってサイン関数を描画します。NumPyのlinspace関数でx座標のデータを配列として生成し、NumPyのsin関数でこれからサインの値を求めてy座標とします。そして、pyplotのplot関数で、x座標、y座標のデータをプロットし、show関数でグラフを表示します。

さらに、軸のラベルやグラフのタイトル、凡例などを表示し、線のスタイルを変更してリッチなグラフにします。

グラフの描画

```
x = np.linspace(0, 2*np.pi)
y_sin = np.sin(x)
y_cos = np.cos(x)

# 軸のラベル
plt.xlabel("x value")
plt.ylabel("y value")

# グラフのタイトル
plt.title("sin/cos")
```

```
# プロット 凡例と線のスタイルを指定
plt.plot(x, y_sin, label="sin")
plt.plot(x, y_cos, label="cos", linestyle="dashed")
plt.legend() ・・・・・・・・・・・・・・・・・・・・・・・・・ 凡例を表示

plt.show()
```

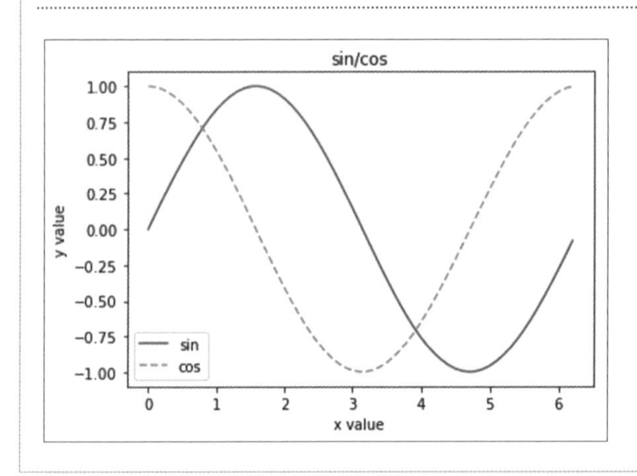

このグラフでは曲線が描画されていますが、scatter関数を使えば散布図を描画することができます。

2.4.8 画像の表示

pyplotのimshow関数を使えば、配列を画像として表示することができます。

配列を画像として表示

```
img = np.array([[0, 1, 2, 3],
                [4, 5, 6, 7],
                [8, 9, 10,11],
                [12,13,14,15]])

plt.imshow(img, "gray") ・・・・・・・・・・・・・・ グレースケールで表示
plt.colorbar() ・・・・・・・・・・・・・・・・・・・ カラーバーの表示
plt.show()
```

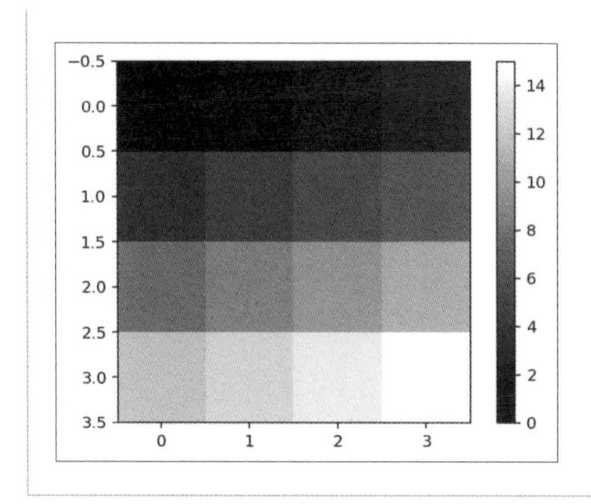

この場合、0が黒、15が白を表し、その間の値はこれらの中間色を表します。

2.5 数学の基礎

この節では、本書を読み進めるのに必要な数学の概念をいくつか解説します。数学を活用すれば、ディープラーニングに必要なデータの操作をシンプルできれいな数式にまとめることができます。

なお、本節での解説は公式の証明を省いています。証明について知りたい方は、他のWebサイトや書籍、あるいは前著「はじめてのディープラーニング 」などを参考にしてください。

2.5.1 ベクトル

ベクトルは、数値を直線上に並べたものです。本書における数式では、アルファベットの小文字に矢印を乗せたものでベクトルを表します。以下はベクトルの表記の例です。

$$
\vec{a} = \begin{pmatrix} 1 \\ 2 \\ 3 \end{pmatrix}
$$

$$
\vec{b} = (-2.3, 0.25, -1.2, 1.8, 0.41)
$$

$$
\vec{p} = \begin{pmatrix} p_1 \\ p_2 \\ \vdots \\ p_m \end{pmatrix}
$$

$$
\vec{q} = (q_1, q_2, \cdots, q_n)
$$

ベクトルには、上記の$\vec{a}$、$\vec{p}$のように縦に数値を並べる縦ベクトルと、$\vec{b}$、$\vec{q}$のように横に数値を並べる横ベクトルがあります。また、$\vec{p}$、$\vec{q}$に見られるように、ベクトルの要素を変数で表す際の添字の数は1つです。

2.5.2 行列

行列は数値を格子状に並べたもので、たとえば以下のように表記します。

$$
\begin{pmatrix} 0.12 & -0.34 & 1.3 & 0.81 \\ -1.4 & 0.25 & 0.69 & -0.41 \\ 0.25 & -1.5 & -0.15 & 1.1 \end{pmatrix}
$$

行列において、水平方向の数値の並びを行、垂直方向の数値の並びを列といいます。また、行がm個、列がn個並んでいる行列を、m×nの行列と表現します。従って、上記の行列は、3×4の行列になります。

なお、縦ベクトルは列の数が1の行列と、横ベクトルは行の数が1の行列と考えることもできます。

本書における数式では、アルファベット大文字のイタリックで行列を表します(誤差Eを除きます)。以下は行列の表記の例です。

$$A = \begin{pmatrix} 0 & 1 & 2 \\ 3 & 4 & 5 \end{pmatrix}$$

$$P = \begin{pmatrix} p_{11} & p_{12} & \ldots & p_{1n} \\ p_{21} & p_{22} & \ldots & p_{2n} \\ \vdots & \vdots & \ddots & \vdots \\ p_{m1} & p_{m2} & \ldots & p_{mn} \end{pmatrix}$$

行列Aは2×3の行列で、行列Pはm×nの行列です。また、Pに見られるように、行列の要素を変数で表す際の添字の数は2つです。

```
import numpy as np

a = np.array([[1, 2, 3],
              [4, 5, 6]])  # 2×3の行列
b = np.array([[0.21, 0.14],
              [-1.3, 0.81],
              [0.12, -2.1]])  # 3×2の行列
```

ディープラーニングで行われる演算は、大半が行列同士の演算になります。

2.5.3 要素ごとの積

行列の要素ごとの積は、アダマール積(Hadamard product)とも呼ばれており、行列の各要素を掛け合わせます。

以下の行列A、Bを考えましょう。

$$A = \begin{pmatrix} a_{11} & a_{12} & \ldots & a_{1n} \\ a_{21} & a_{22} & \ldots & a_{2n} \\ \vdots & \vdots & \ddots & \vdots \\ a_{m1} & a_{m2} & \ldots & a_{mn} \end{pmatrix}$$

$$B = \begin{pmatrix} b_{11} & b_{12} & \ldots & b_{1n} \\ b_{21} & b_{22} & \ldots & b_{2n} \\ \vdots & \vdots & \ddots & \vdots \\ b_{m1} & b_{m2} & \ldots & b_{mn} \end{pmatrix}$$

これらの行列の要素ごとの積は、演算子$\circ$を用いて次のように表すことができます。

$$A \circ B = \begin{pmatrix} a_{11}b_{11} & a_{12}b_{12} & \dots & a_{1n}b_{1n} \\ a_{21}b_{21} & a_{22}b_{22} & \dots & a_{2n}b_{2n} \\ \vdots & \vdots & \ddots & \vdots \\ a_{m1}b_{m1} & a_{m2}b_{m2} & \dots & a_{mn}b_{mn} \end{pmatrix}$$

要素ごとの積を計算するためには、配列のサイズが同じである必要があります。しかしながら、NumPyのブロードキャストの機能により、配列のサイズが異なっても要素積が計算可能である場合があります。

2.5.4 行列積

一般に「行列の積」もしくは「行列積」という場合、要素ごとの積よりも少々複雑な演算を意味します。以下の図に行列積の計算の一部を示します。

行列の積: 1行目と1列目の、各要素の積の総和

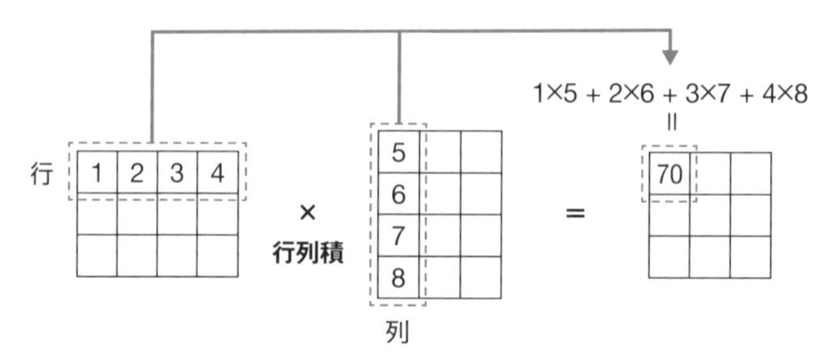

行列積では、前の行列における行の各要素と、後の行列における列の各要素を掛け合わせて総和をとり、新しい行列の要素とします。上図は前の行列の1行目と後の行列の1列目を演算していますが、次の図では左の行列の1行目と右の行列の2行目を演算しています。

行列の積: 1行目と2列目の、各要素の積の総和

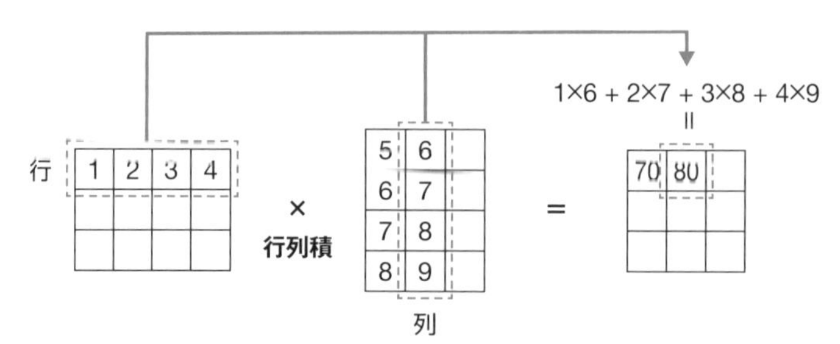

このようにして、左の行列のすべての行と、右の行列のすべての列の組み合わせで演算を行い、新たな行列を作ります。

行列積の例を見ていきましょう。まず、行列AとBを次のように設定します。Aは2×3の行列で、Bは3×2の行列です。

$$A = \begin{pmatrix} a_{11} & a_{12} & a_{13} \\ a_{21} & a_{22} & a_{23} \end{pmatrix}$$

$$B = \begin{pmatrix} b_{11} & b_{12} \\ b_{21} & b_{22} \\ b_{31} & b_{32} \end{pmatrix}$$

そして、AとBの積を次のように表します。

$$\begin{aligned} AB &= \begin{pmatrix} a_{11} & a_{12} & a_{13} \\ a_{21} & a_{22} & a_{23} \end{pmatrix} \begin{pmatrix} b_{11} & b_{12} \\ b_{21} & b_{22} \\ b_{31} & b_{32} \end{pmatrix} \\ &= \begin{pmatrix} a_{11}b_{11} + a_{12}b_{21} + a_{13}b_{31} & a_{11}b_{12} + a_{12}b_{22} + a_{13}b_{32} \\ a_{21}b_{11} + a_{22}b_{21} + a_{23}b_{31} & a_{21}b_{12} + a_{22}b_{22} + a_{23}b_{32} \end{pmatrix} \\ &= \begin{pmatrix} \sum_{k=1}^{3} a_{1k}b_{k1} & \sum_{k=1}^{3} a_{1k}b_{k2} \\ \sum_{k=1}^{3} a_{2k}b_{k1} & \sum_{k=1}^{3} a_{2k}b_{k2} \end{pmatrix} \end{aligned}$$

Aの各行とBの各列の各要素を掛け合わせて総和をとり、新しい行列の各要素とします。上記の行列積には総和の記号Σが登場していますが、行列積は積の総和を計算する際に大活躍します。ディープラーニングでは積の総和を頻繁に計算するので、行列積は欠くことができません。

通常の積と異なり、行列積においては、前の行列と後ろの行列の交換は特定の条件を除きできません。そして、行列積を計算するためには、前の行列の列数と、後ろの行列の行数が一致していなければなりません。たとえば、前の行列の列数が3であれば、後ろの行列の行数は3である必要があります。

行列積に関わる行列の、それぞれの行数と列数は以下の図のようになります。

行列積に関わる行列の行数と列数

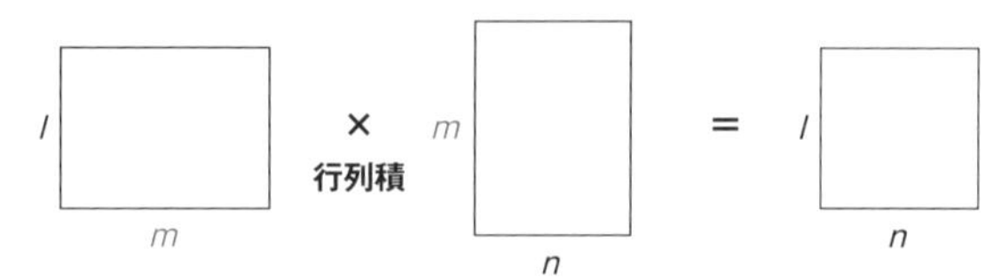

l×mの行列と、m×nの行列の積は、l×nの行列になります。前の行列の行数と、後ろの行列の列数が、新しい行列の行数と列数になります。

行列積を、より一般的な形で記述します。以下は、l×mの行列Aと、m×nの行列Bの行列積です。

$$
AB = \begin{pmatrix} a_{11} & a_{12} & \dots & a_{1m} \\ a_{21} & a_{22} & \dots & a_{2m} \\ \vdots & \vdots & \ddots & \vdots \\ a_{l1} & a_{l2} & \dots & a_{lm} \end{pmatrix} \begin{pmatrix} b_{11} & b_{12} & \dots & b_{1n} \\ b_{21} & b_{22} & \dots & b_{2n} \\ \vdots & \vdots & \ddots & \vdots \\ b_{m1} & b_{m2} & \dots & b_{mn} \end{pmatrix}
$$

$$
= \begin{pmatrix} \sum_{k=1}^{m} a_{1k}b_{k1} & \sum_{k=1}^{m} a_{1k}b_{k2} & \dots & \sum_{k=1}^{m} a_{1k}b_{kn} \\ \sum_{k=1}^{m} a_{2k}b_{k1} & \sum_{k=1}^{m} a_{2k}b_{k2} & \dots & \sum_{k=1}^{m} a_{2k}b_{kn} \\ \vdots & \vdots & \ddots & \vdots \\ \sum_{k=1}^{m} a_{lk}b_{k1} & \sum_{k=1}^{m} a_{lk}b_{k2} & \dots & \sum_{k=1}^{m} a_{lk}b_{kn} \end{pmatrix}
$$

行列積をすべての行と列の組み合わせで計算するのは大変ですが、NumPyのdot関数を用いれば、簡単に行列積を計算することができます。

dot関数による行列積の計算

```
import numpy as np

a = np.array([[0, 1, 2],
              [1, 2, 3]])
b = np.array([[2, 1],
              [2, 1],
              [2, 1]])

print(np.dot(a, b))
```

```
[[ 6  3]
 [12  6]]
```

もし、aの列数とbの行数が一致しないと、NumPyはエラーを返します。

行列積により、大量のデータを1度で高速に処理することができます。行列積はディープラーニングを高速化するためにも重要な演算です。

2.5.5 行列の転置

行列に対する重要な操作に、転置というものがあります。行列を転置することにより、行と列が入れ替わります。以下は転置の例ですが、たとえば行列Aの転置行列はA^{T}と表します。

$$
A = \begin{pmatrix} 1 & 2 & 3 \\ 4 & 5 & 6 \end{pmatrix}
$$

$$
A^{\mathrm{T}} = \begin{pmatrix} 1 & 4 \\ 2 & 5 \\ 3 & 6 \end{pmatrix}
$$

NumPyにおいては、行列を表す配列名の後に.Tを付けると転置されます。

転置

```
import numpy as np

a = np.array([[1, 2, 3],
              [4, 5, 6]])
print(a.T)
```

```
[[1 4]
 [2 5]
 [3 6]]
```

行列積においては、基本的に前の行列の列数と、後ろの行列の行数が一致する必要があります。しかしながら、一致しなくても転置により行列積が可能になる場合があります。

2.5.6　微分

微分とは、ある関数上の各点における変化の割合のことです。xの微小な変化Δxに対する関数$f(x)$の変化の割合は、以下の式で表されます。

$$\frac{f(x+\Delta x)-f(x)}{\Delta x}$$

この式で、Δxの値を0に限りなく近づけると、新たな関数$f'(x)$を得ることができます。

$$f'(x)=\lim_{\Delta x\to 0}\frac{f(x+\Delta x)-f(x)}{\Delta x}$$

このとき、関数$f'(x)$を$f(x)$の**導関数**といいます。

そして、関数$f(x)$から導関数$f'(x)$を得ることを、関数$f(x)$を**微分**する、といいます。

導関数は次のように表すこともあります。

$$f'(x)=\frac{df(x)}{dx}=\frac{d}{dx}f(x)$$

この場合は関数の変数がxのみなのですが、このような1変数関数に対する微分を**常微分**といいます。

本書ではxの変化に対する$f(x)$の変化の割合を**勾配**と呼びますが、導関数により、1変数関数上のある点における勾配を求めることができます。関数$f(x)$上のある点、$(a, f(a))$における勾配は、$f'(a)$となります。この関係を以下の図に示します。

導関数と勾配

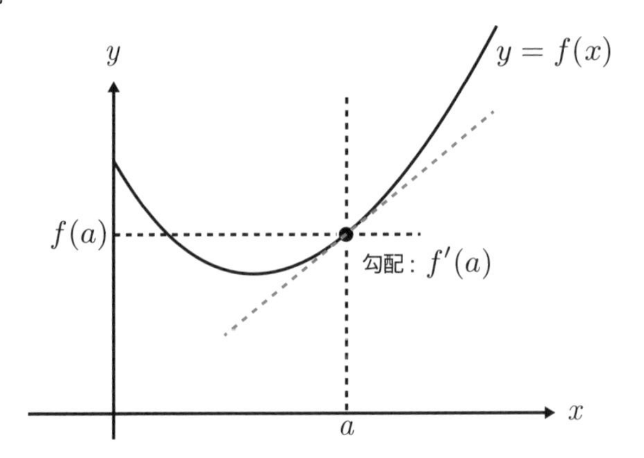

上図の傾いた破線は曲線上の点$(a, f(a))$における接線です。この接線の勾配は$f'(a)$であり、この点における曲線の勾配に等しくなります。

いくつかの関数は、微分の公式を用いることで簡単に導関数を求めることができます。ここでは、微分の公式をいくつか紹介します。

rを任意の実数として$f(x)=x^r$としたとき、以下の公式が成り立ちます。

$$\frac{d}{dx}f(x)=\frac{d}{dx}x^r=rx^{r-1}$$

また、関数の和$f(x)+g(x)$を微分する際は、それぞれを微分して足し合わせます。

$$\frac{d}{dx}(f(x)+g(x))=\frac{d}{dx}f(x)+\frac{d}{dx}g(x)$$

関数の積$f(x)g(x)$は、次のように微分することができます。

$$\frac{d}{dx}(f(x)g(x))=f(x)\frac{d}{dx}g(x)+g(x)\frac{d}{dx}f(x)$$

定数は、微分の外に出ることができます。kを任意の実数としたとき、以下の公式が成り立ちます。

$$\frac{d}{dx}kf(x)=k\frac{d}{dx}f(x)$$

ネイピア数eの累乗は、微分しても変化しません。ネイピア数が便利な理由の1つです。

$$\frac{d}{dx}e^x=e^x$$

自然対数の導関数は、以下のようにxの逆数となります。

$$\frac{d}{dx}\log x=\frac{1}{x}$$

2.5.7 連鎖律

連鎖律を扱う前に、合成関数を解説します。合成関数とは、

$$y = f(u)$$
$$u = g(x)$$

のようにして、複数の関数の合成で表される関数のことです。

合成関数の微分は、構成する各関数の導関数の積で表すことができます。これを連鎖律(chain rule)といいます。連鎖律は以下の式で表されます。

$$\frac{dy}{dx} = \frac{dy}{du}\frac{du}{dx} \quad \text{式2-1}$$

yがuの関数で、uがxの関数であるとき、この公式を用いてyをxで微分することができます。

例として、以下の関数を微分してみましょう。

$$y = (x^3 + 2x^2 + 3x + 4)^3$$

この式において、uを以下のとおり設定します。

$$u = x^3 + 2x^2 + 3x + 4$$

そうすると、yを以下のように表すことができます。

$$y = u^3$$

このとき、**式2-1**の連鎖律の式を用いると、yをxで微分することができます。

$$\begin{aligned}\frac{dy}{dx} &= \frac{dy}{du}\frac{du}{dx} \\ &= 3u^2(3x^2 + 4x + 3) \\ &= 3(x^3 + 2x^2 + 3x + 4)^2(3x^2 + 4x + 3)\end{aligned}$$

以上のように、合成関数は連鎖律を用いて手軽に微分することができます。

2.5.8 偏微分

複数の変数を持つ関数に対する、1つの変数のみによる微分を**偏微分**といいます。偏微分の場合、他の変数は定数として扱います。

たとえば、2変数からなる関数$f(x, y)$の偏微分は、次のように表すことができます。

$$\frac{\partial}{\partial x}f(x,y)=\lim_{\Delta x\to 0}\frac{f(x+\Delta x,y)-f(x,y)}{\Delta x}$$

xのみ微小量Δxだけ変化させて、Δxを限りなく0に近づけます。yは微小変化しないので、偏微分の際は定数のように扱うことができます。

例として、次のような変数x、yを持つ関数$f(x,y)$を考えてみましょう。

$$f(x,y)=3x^2+4xy+5y^3$$

この関数を偏微分します。偏微分の際は、yを定数として扱い、微分の公式を用いてxで微分します。これにより、以下の式を得ることができます。偏微分ではdではなく∂の記号を使います。

$$\frac{\partial}{\partial x}f(x,y)=6x+4y$$

このような、偏微分により求めた関数を**偏導関数**といいます。この場合、偏導関数はyの値を固定した際の、xの変化に対する$f(x,y)$の変化の割合になります。

$f(x,y)$のyによる偏微分は以下のとおりです。この場合、xは定数として扱います。

$$\frac{\partial}{\partial y}f(x,y)=4x+15y^2$$

これは、xの値を固定した際の、yの変化に対する$f(x,y)$の変化の割合になります。

偏微分を用いることで、特定のパラメータの微小な変化が、結果へ及ぼす影響を求めることができます。

2.5.9 連鎖律の拡張

以下のような合成関数を考えます。

$$y=f(u_1,u_2,\cdots,u_n)$$

$$u_i=g_i(x_1,x_2,\cdots,x_m)$$

ここで、$1\leq i\leq n$です。yは$u_1,u_2,\cdots,u_n$の関数で、u_iは$x_1,x_2,\cdots,x_m$の関数です。g_iは添字ごとに異なる関数です。

このような合成関数yをx_jで偏微分する場合には、以下のとおり総和の形で連鎖律を適用できます。ここで、$1 \leq j \leq m$です。

$$\frac{\partial y}{\partial x_j} = \sum_{i=1}^{n} \frac{\partial y}{\partial u_i} \frac{\partial u_i}{\partial x_j} \quad \text{式2-2}$$

この式が実際に機能することを確かめてみましょう。以下の関数を考えます。

$$y = (x_1^2 + x_2 + 1)(x_2 - 1) + x_2 - 1 \quad \text{式2-3}$$

この式の偏導関数は展開して偏微分することにより以下の形になります。

$$\begin{aligned} \frac{\partial y}{\partial x_1} &= 2x_1x_2 - 2x_1 \\ \frac{\partial y}{\partial x_2} &= x_1^2 + 2x_2 + 1 \end{aligned} \quad \text{式2-4}$$

ここで、**式2-2**を使っても同じ結果が得られることを確認します。以下のとおりにu_1とu_2を設定します。

$$\begin{aligned} u_1 &= x_1^2 + x_2 + 1 \\ u_2 &= x_2 - 1 \end{aligned}$$

このとき、**式2-3**は次のように表されます。

$$y = u_1u_2 + u_2$$

ここで、**式2-2**を使います。

$$\begin{aligned} \frac{\partial y}{\partial x_1} &= \frac{\partial y}{\partial u_1}\frac{\partial u_1}{\partial x_1} + \frac{\partial y}{\partial u_2}\frac{\partial u_2}{\partial x_1} \\ &= 2u_2x_1 \\ &= 2x_1x_2 - 2x_1 \end{aligned}$$

$$\begin{aligned} \frac{\partial y}{\partial x_2} &= \frac{\partial y}{\partial u_1}\frac{\partial u_1}{\partial x_2} + \frac{\partial y}{\partial u_2}\frac{\partial u_2}{\partial x_2} \\ &= u_2 + (u_1 + 1) \\ &= x_1^2 + 2x_2 + 1 \end{aligned}$$

式2-4と同じ結果が得られました。**式2-2**がしっかりと機能していますね。

ニューラルネットワークは多くの関数からなる合成関数と考えることができるので、このような連鎖律を適用すれば微分で扱える対象となります。

2.5.10 正規分布

正規分布（normal distribution）は以下の図の形状をしたデータの分布です。

■正規分布のグラフ

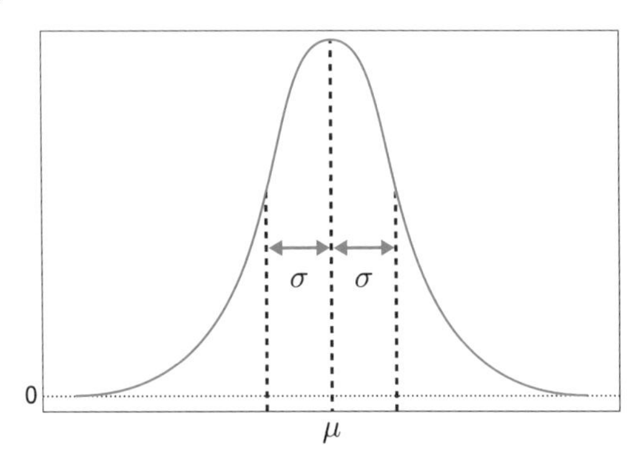

このグラフにおいて、横軸はある値を、縦軸はその値の頻度や確率を表します。μは平均値で、σは標準偏差と呼ばれるデータのばらつき具合を表す尺度です。

平均値μと標準偏差σは、それぞれ以下の式で表されます。x_kはそれぞれのデータで、nはデータの数です。

$$\mu = \frac{\sum_{k=1}^{n} x_k}{n}$$

$$\sigma = \sqrt{\frac{\sum_{k=1}^{n} (x_k - \mu)^2}{n}}$$

正規分布の曲線は、これらを用いた以下の確率密度関数と呼ばれる関数で表されます。

$$y = \frac{1}{\sqrt{2\pi\sigma^2}} \exp(-\frac{(x-\mu)^2}{2\sigma^2})$$

少々複雑な式ですが、平均が0、標準偏差が1とすると次の比較的シンプルな形になります。

$$y = \frac{1}{\sqrt{2\pi}}\exp(-\frac{x^2}{2})$$

正規分布に従うデータ分布は、NumPyを用いて簡単に生成することができます。以下は、NumPyのrandom.normalにより正規分布に従う乱数を生成し、Matplotlibのhist関数でヒストグラムとして表示しています。

正規分布に従う乱数の分布

```
import numpy as np
import matplotlib.pyplot as plt

# 正規分布に従う乱数を生成 平均50、標準偏差10、10000個
x = np.random.normal(50, 10, 10000)

# ヒストグラム
plt.hist(x, bins=50)  ······ 50は棒の数
plt.show()
```

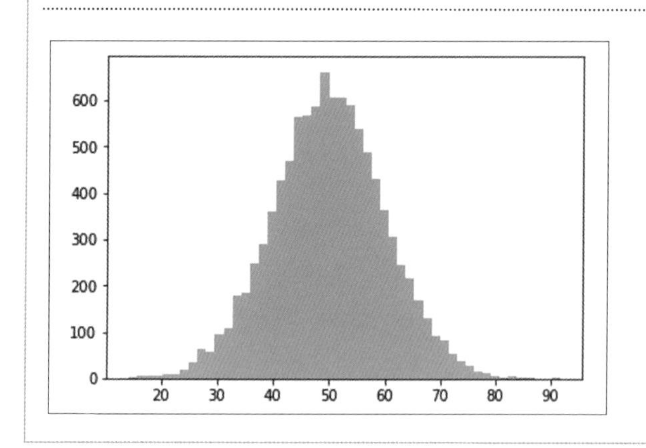

乱数が正規分布に従って生成されていることがわかります。ニューラルネットワークは多くの変動するパラメータを持ちますが、これらのパラメータの初期値は、しばしば正規分布に従ってランダムに決定されます。

まとめ

本章では本書を読み進めるための下準備として、開発環境を準備し、プログラミング言語Pythonと数学を学びました。

Pythonは記法が独特ですが、プログラミングの素養のある方であれば文法の本質は他の言語と大差ないことに気づくかと思います。モジュールとしてNumPyを使えば多次元の配列に対してさまざまな操作が可能になり、matplotlibを使えば簡単にグラフ表示が可能になります。

本章のPythonの解説は必要最低限に留めていますが、Pythonについてさらに詳しく知りたい方は、Pythonの公式ドキュメントなどをご参照ください。

Pythonのドキュメント
https://www.python.org/doc/

また、行列積、偏微分、連鎖律などの数学を学びましたが、これらはディープラーニングに必要な操作を簡潔な数式にまとめることを可能にします。実際に、本書ではこの後これらの数学が大活躍します。

なお、本章における数学の解説は直感的なイメージと簡潔さを優先したため、厳密さに欠ける箇所があります。線形代数や微分、確率統計を本格的に学びたい方は、専門の書籍を通読することをお勧めします。

それでは、本章の内容をベースにディープラーニングを学んでいきましょう。

Column AIに真の知能は宿るのか？

我々が備えているものと同等の知能は、AIに宿るのでしょうか。今回は少し考えてみます。動物が備える天然の知能にあって現状のAIに欠けているもの、大きなものを2つ挙げるとすると、「自律性」と「汎用性」があるのではないでしょうか。

自律性についてですが、現状のAIは人間が特定の問題を設定し、それを解決するためのツールとしての使い方が主流です。この場合、AIは自律的というよりも他律的ですね。それに対して、動物が持つ知能は、周囲のさまざまな状況から、適した行動を総合的に判断することができます。環境から独立し、なおかつ環境と相互作用する自律性を、我々動物の知能は備えています。

汎用性に関してですが、限定された状況においてのみ高い能力を発揮するのが、現状のAIです。砂漠から北極圏、都市での生活まで幅広く適応可能な我々ヒトの知能には、まだまだ遠く及びません。クジラの消化管にのみ適応した寄生虫や、深海に生息するシーラカンスのように環境を限定することで生き残った動物もいますが、高度に進化した動物の知能は、さまざまな環境に適応できる汎用性を備えています。たとえば、我々と異なる進化経路をとったタコなどの頭足類は、ときとして本当に「心」があるのではないか、と我々に感じさせることさえあります。

AIがこのような自律性と汎用性を兼ね備えるためには、何が必要なのでしょうか。1つ考えられるのは、「内部世界」です。ディープラーニングの場合は順伝播、逆伝播でそれぞれ情報が一方向に流れるのみですが、我々の脳は常に情報が循環する複雑な流れを持っています。言わば、内部に外部とは異なる「世界」があります。AIでこれを再現するのであれば、「最小化するようにパラメータを最適化する」という発想からの脱却が必要でしょう。

もう1つ考えられるのは、「感情」です。動物は、美味しい、美しい、心地よいなどのポジティブな感情を多く得られるように、そして痛い、醜い、苦しいなどのネガティブな感情を避けるように行動します。しかしながら、AIは生来このような感情を持っていません。AIが自律性を備えるためには行動の指針が必要なのですが、この感情のような仕組みを模倣できればそのような指針になるでしょう。「強化学習」では報酬を最大化するように行動が選択されるので、そのような感情を模倣する仕組みとして有効かもしれません。

以上のように、「内部世界」と「感情」を持つことがAIに動物のような知能を与えるためのアプローチとして有望だと著者は考えています。しかしながら、このような仕組みをネットワークとして構築すれば知能の本質に迫れるのか、それとも、知能とは複雑すぎて人類には手に負えないものなのかはまだわかりません。

ここで、「2001年宇宙の旅」や「幼年期の終わり」で知られる、SF作家アーサー・C・クラークが定義したクラークの3法則を紹介します。

- 高名で年配の科学者が可能であると言った場合、その主張はほぼ間違いない。また不可能であると言った場合には、その主張はまず間違っている。
- 可能性の限界を測る唯一の方法は、不可能であるとされるところまでやってみることである。
- 十分に発達した科学技術は、魔法と見分けがつかない。

結局のところ、上記の第2法則に従うしかないのでしょう。それが本当に不可能なのかどうか知りたければ、その領域に踏み込むしかありません。また、さまざまな背景の人々が先入観や固定概念なしで参入し、作ってみることができる環境を整えることも大事です。

科学にとって技術は検証となり、技術にとって科学は根拠となります。やがて、真のAIの芽がどこかで生まれ、どこかで使われ始めることで望ましいサイクルが生まれるのではないでしょうか。

もちろん、これには倫理的な問題が伴いますが、これについては別のコラムに書きます。

ディープラーニングの基礎

本章では、RNNや生成モデルを学ぶための下準備として、ディープラーニングの基礎を学びます。順伝播と逆伝播の仕組みを理解し、ニューラルネットワークの「層」を実装できるようになりましょう。

なお、前著「はじめてのディープラーニング」などでディープラーニングの基礎を学習済みの方は、この章をスキップしても問題ありません。

3.1 ディープラーニングの概要

まずはディープラーニングの概要について解説します。

3.1.1 ディープラーニングとは？

ディープラーニングは多数の層からなるニューラルネットワークを使った機械学習なのですが、ニューラルネットワークは以下の図のようなニューロンが構成単位です。

ニューロン内部の処理

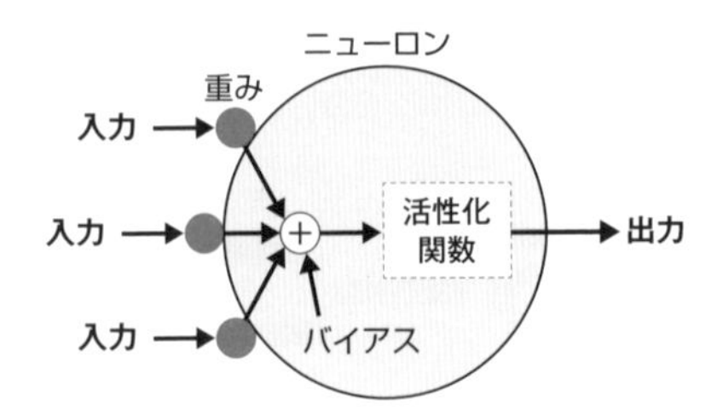

1つのニューロンには複数の入力がありますが、それぞれに「重み」を掛け合わせて総和をとります。そして、活性化関数により処理を行うことで出力となります。

このようなニューロンを多数層状に並べることで、以下の図のようなニューラルネットワークが構築されます。

ニューラルネットワーク

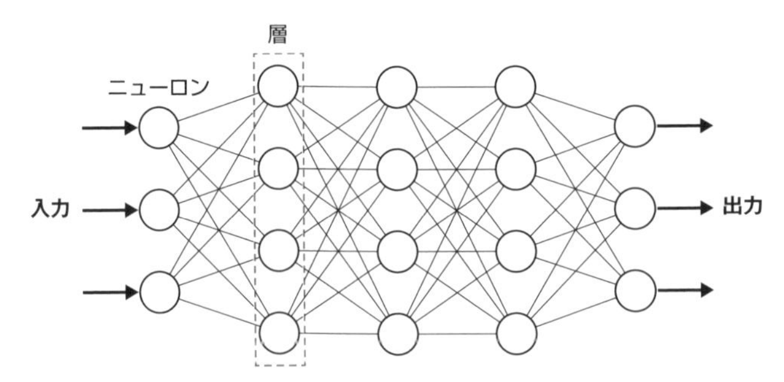

ニューラルネットワーク全体に入力と出力があるのですが、出力と正解の誤差が小さくなるようにパラメータ(重みやバイアスなど)を調整することで学習することができます。

1層ずつ遡るように誤差を伝播させて重みとバイアスを更新しますが、このアルゴリズムは、**バックプロパゲーション**、もしくは**誤差逆伝播法**と呼ばれます。以下の図にバックプロパゲーションの概要を示します。

バックプロパゲーション

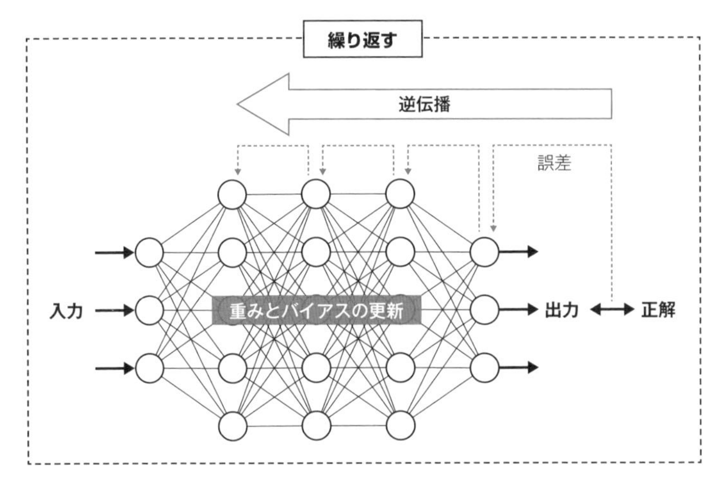

バックプロパゲーションでは、ニューラルネットワークをデータが遡るようにして、ネットワークの各層のパラメータが調整されます。

ニューラルネットワークの各パラメータが繰り返し調整されることでネットワークは次第に学習し、適切な予測が行われるようになります。

そして、多数の層からなるニューラルネットワークによる学習のことを、ディープラーニング(深層学習)と呼びます。何層以上のケースをディープラーニングと呼ぶかについては明確な定義はありませんが、層がいくつも重なったニューラルネットワークによる学習を、漠然とディープラーニングと呼ぶようです。

基本的に、層の数が多くなるほどネットワークの表現力は向上するのですが、それに伴い学習は難しくなります。

3.1.2　層の上下と数え方

以下の図に示すように、ニューラルネットワークにおける層は、入力層、中間層（隠れ層）、出力層の3つに分類することができます。

■ 層の分類

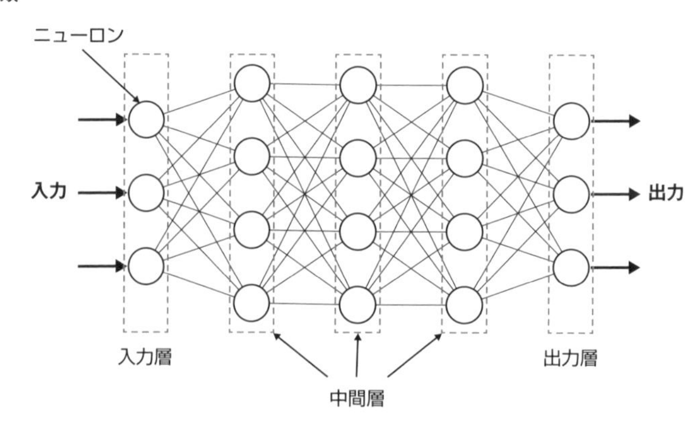

入力層はニューラルネットワーク全体の入力を受け取り、出力層はネットワーク全体の出力を出力します。中間層は入力層と出力層の間にある複数の層です。これらのうち、ニューロンの演算が行われるのは中間層と出力層のみで、入力層は受け取った入力を中間層に渡すのみです。通常のニューラルネットワークにおいては、1つのニューロンからの出力が、次の層のすべてのニューロンの入力とつながっています。

ニューラルネットワークにおいて、入力から出力に向けての伝播を順伝播といいます。逆に、出力から入力に向けた逆の伝播を逆伝播といいます。順伝播と逆伝播の関係を以下の図に示します。

■ 順伝播と逆伝播

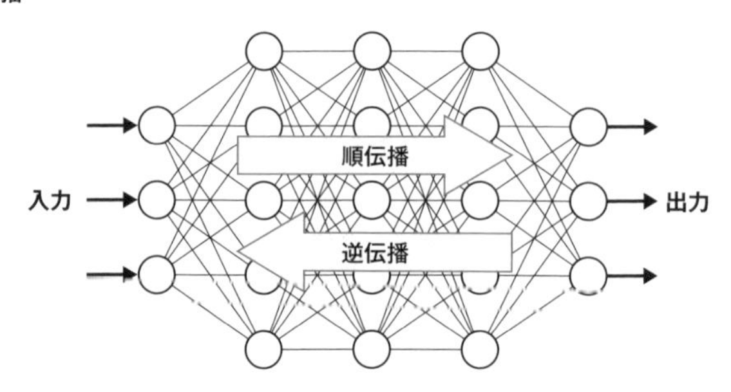

層の位置関係についてですが、本書では混乱を避けるために、よりネットワークの入力に近い層を「上の層」と表現します。そして、よりネットワークの出力に近い層を、「下の層」と表現します。

また、層の数え方ですが、たとえば上図のニューラルネットワークの場合、本書では入力層が1、中間層が3、出力層が1で5層と数えます。入力層ではニューロンの演算が行われないため、入力層をカウントしない層の数え方もありますが、本書では入力層もカウントします。

3.1.3 勾配降下法

バックプロパゲーションでは、勾配降下法によりパラメータの修正量が決定されます。バックプロパゲーションにおける勾配降下法のイメージを以下の図に示します。

勾配降下法

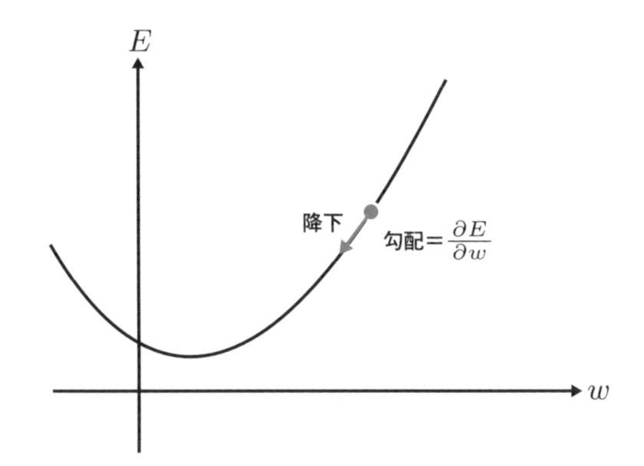

このグラフでは、横軸のwがある重み、縦軸のEが誤差です。$\frac{\partial E}{\partial w}$は誤差$E$を重み$w$で偏微分したものですが、これは曲線の傾き（勾配）を表します。重みの値に応じて誤差は変化しますが、実際はこのような曲線の形状を知ることはできないので、足元の曲線の傾きに応じて少しずつ重みを変化させていきます。ネットワークのすべての重みをこの曲線を降下するように変化させていけば、誤差を次第に小さくしていくことができます。

従って、ニューラルネットワークのすべての重みとバイアスを更新するためにまず必要なことは、すべての重みとバイアスに対する、誤差の勾配を求めることになります。

重みとバイアスの更新ですが、一番シンプルな**確率的勾配降下法**(Stochastic Gradient Descent、**SGD**)の場合、偏微分を用いた次の式で表されます。

$$w \leftarrow w - \eta \frac{\partial E}{\partial w}$$

$$b \leftarrow b - \eta \frac{\partial E}{\partial b}$$

ここでwは重み、bはバイアス、Eは誤差で矢印はパラメータの更新を表します。また、ηは**学習係数**と呼ばれる定数で、学習の速度を決めます。$\frac{\partial E}{\partial w}$と$\frac{\partial E}{\partial b}$が勾配ですが、勾配を求めるためには数学的なテックニックが必要になります。

ニューラルネットワークにおけるすべての勾配を求めた後に、上記の式に基づきすべての重みとバイアスを更新することになります。

3.1.4 エポックとバッチ

すべての訓練(学習)データを1回学習することを、1**エポック**(epoch)と数えます。1エポックで、学習データをすべて使い切ることになります。

入力と正解のペアのことを本書ではサンプルと呼びますが、このサンプルのかたまりのことを**バッチ**(batch)といいます。1回の学習では、1つのバッチが使用されます。すなわち、1エポックで使用する訓練データは、複数のバッチに分割されることになります。

訓練用データとバッチの関係を以下の図に示します。

訓練データのバッチの関係

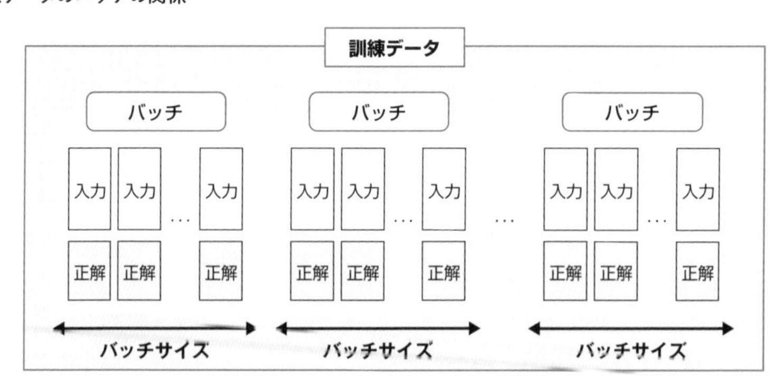

バッチサイズは、このバッチに含まれるサンプル数のことです。バッチ内のすべてのサンプルを使用してから重みとバイアスの更新が行われるので、バッチサイズは重みとバイアスの修正を行う間隔と表現することもできます。バッチサイズは、基本的に学習中ずっと一定です。

学習方法には、訓練データ全体を一度の学習で使用するバッチ学習、サンプルごとに学習を行うオンライン学習などもありますが、本書では、訓練データを小さなサイズのバッチに分割し、バッチごとに学習する**ミニバッチ学習**をメインで使用します。

たとえば、訓練データのサンプル数が1000個の場合を考えましょう。この1000個のサンプルを使い切ると1エポックになります。ミニバッチ学習の場合、たとえばバッチサイズを50に設定すると、1エポックあたり20回更新が行われます。

バッチサイズが学習時間やパフォーマンスに影響することは経験的に知られているのですが､バッチサイズを適切に設定するのはなかなか難しい問題です。一般的には、10〜100程度のバッチサイズを設定することが多いようです。

3.2 全結合層の順伝播

通常のニューラルネットワークで使用される層は**全結合層**とも呼ばれますが、ここからは全結合層の仕組みと実装方法について、数式とコードを交えて解説していきます。まずは、順伝播について解説します。

3.2.1 順伝播の数式

順伝播を数式で表しましょう。まずは以下の図のような2つの層の間の接続を考えます。

層間の接続

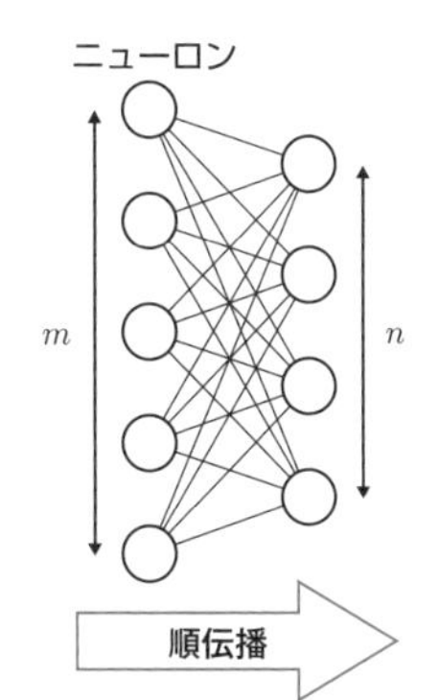

この図において、上の層のすべてのニューロンは、それぞれ下の層のすべてのニューロンと接続されています。これは、下の層のすべてのニューロンが、それぞれ上の層のすべてのニューロンと接続されている、と表現することもできます。

それでは、ここからは下の層に注目しましょう。下の層のニューロンへのそれぞれの入力には重みをかけます。重みの数は入力の数と等しいので、上の層のニューロン数をmとすると、下の層のニューロンは1つあたりm個の重みを持つことになります。下の層のニューロン数nとすると、下の層には合計$m \times n$個の重みが存在することになります。

このような重みですが、たとえば上の層の1番目のニューロンから、下の層の2番目のニューロンへの入力の重みはw_{12}と表します。重みは、上の層のすべてのニューロンと、下の層のすべてのニューロンのそれぞれの組み合わせごとに設定する必要がありますが、ここで、行列が役に立ちます。

以下のような$m \times n$の行列に、下の層のすべての重みを格納することができます。

$$W = \begin{pmatrix} w_{11} & w_{12} & \ldots & w_{1n} \\ w_{21} & w_{22} & \ldots & w_{2n} \\ \vdots & \vdots & \ddots & \vdots \\ w_{m1} & w_{m2} & \ldots & w_{mn} \end{pmatrix}$$

Wは重みを表す行列です。

また、下の層への入力(=上の層の出力)を以下のようにベクトル$\vec{x}$で表します。

$$\vec{x} = (x_1, x_2, \cdots, x_m)$$

上の層にはm個のニューロンがあるので、ベクトルの要素数はmになります。上の層の出力は下の層の入力に等しくなります。

また、バイアスもベクトルで表記します。バイアスの数は下の層のニューロン数に等しく、下の層のニューロン数はn個なので、バイアス$\vec{b}$は次のように表すことができます。

$$\vec{b} = (b_1, b_2, \cdots, b_n)$$

また、下の層の出力の数はニューロンの数nに等しいので、ベクトル$\vec{y}$を用いて次のように表記することができます。

$$\vec{y} = (y_1, y_2, \cdots, y_n)$$

入力と重みの積の総和は、行列積を用いて1度に求めることができます。$\vec{x}$を1 × mの行列と捉えると、以下の行列積で入力と重みの積の総和を一度に求めることができます。

$$\begin{aligned}\vec{x}W &= (x_1, x_2, \cdots, x_m)\begin{pmatrix} w_{11} & w_{12} & \dots & w_{1n} \\ w_{21} & w_{22} & \dots & w_{2n} \\ \vdots & \vdots & \ddots & \vdots \\ w_{m1} & w_{m2} & \dots & w_{mn} \end{pmatrix} \\ &= (\sum_{k=1}^{m} x_k w_{k1}, \sum_{k=1}^{m} x_k w_{k2}, \dots, \sum_{k=1}^{m} x_k w_{kn})\end{aligned}$$

これにバイアス$\vec{b}$を加えたものを$\vec{u}$としますが、$\vec{u}$は次のように表されます。

$$\begin{aligned}\vec{u} &= \vec{x}W + \vec{b} \\ &= (x_1, x_2, \cdots, x_m)\begin{pmatrix} w_{11} & w_{12} & \dots & w_{1n} \\ w_{21} & w_{22} & \dots & w_{2n} \\ \vdots & \vdots & \ddots & \vdots \\ w_{m1} & w_{m2} & \dots & w_{mn} \end{pmatrix} + (b_1, b_2, \cdots, b_n) \\ &= (\sum_{k=1}^{m} x_k w_{k1} + b_1, \sum_{k=1}^{m} x_k w_{k2} + b_2, \dots, \sum_{k=1}^{m} x_k w_{kn} + b_n)\end{aligned}$$

式03-01

$\vec{u}$の各要素は、重みと入力の積の総和にバイアスを足したものになっています。

次に、活性化関数を使用します。ベクトル$\vec{u}$の各要素を活性化関数に入れて処理し、下の層の出力を表すベクトル$\vec{y}$を得ることができます。

$$\begin{aligned}\vec{y} &= (y_1, y_2, \cdots, y_n) \\ &= f(\vec{u}) \\ &= f(\vec{x}W + \vec{b}) \\ &= (f(\sum_{k=1}^{m} x_k w_{k1} + b_1), f(\sum_{k=1}^{m} x_k w_{k2} + b_2), \dots, f(\sum_{k=1}^{m} x_k w_{kn} + b_n))\end{aligned}$$

式03-02

入出力をベクトルとして、順伝播を数式で表すことができました。

3.2.2　順伝播を行列で表す

順伝播の数式を拡張し、バッチ対応を行います。この場合、入出力は行列になります。行列の各行が、バッチ内の各サンプルを表すことになります。

入力を行列X、出力を行列Yとすると、それぞれの行列は以下のように表されます。

$$X = \begin{pmatrix} x_{11} & x_{12} & \ldots & x_{1m} \\ x_{21} & x_{22} & \ldots & x_{2m} \\ \vdots & \vdots & \ddots & \vdots \\ x_{h1} & x_{h2} & \ldots & x_{hm} \end{pmatrix}$$

$$Y = \begin{pmatrix} y_{11} & y_{12} & \cdots & y_{1n} \\ y_{21} & y_{22} & \cdots & y_{2n} \\ \vdots & \vdots & \ddots & \vdots \\ y_{h1} & y_{h2} & \cdots & y_{hn} \end{pmatrix}$$

ここで、hはバッチサイズです。

また、バイアスはバッチ内ですべて同じ値をとるため、以下のようにベクトルを縦方向に引き伸ばした行列で表すことができます。

$$B = \begin{pmatrix} b_1 & b_2 & \ldots & b_n \\ b_1 & b_2 & \ldots & b_n \\ \vdots & \vdots & \ddots & \vdots \\ b_1 & b_2 & \ldots & b_n \end{pmatrix}$$

これらの行列を用いて、順伝播の式は以下のように拡張されます。

$$U = XW + B$$
$$Y = f(U)$$

式03-03

それでは、これらの式の各要素を見ていきましょう。

$$
\begin{aligned}
U &= XW + B \\
&= \begin{pmatrix} x_{11} & x_{12} & \dots & x_{1m} \\ x_{21} & x_{22} & \dots & x_{2m} \\ \vdots & \vdots & \ddots & \vdots \\ x_{h1} & x_{h2} & \dots & x_{hm} \end{pmatrix} \begin{pmatrix} w_{11} & w_{12} & \dots & w_{1n} \\ w_{21} & w_{22} & \dots & w_{2n} \\ \vdots & \vdots & \ddots & \vdots \\ w_{m1} & w_{m2} & \dots & w_{mn} \end{pmatrix} \\
&+ \begin{pmatrix} b_1 & b_2 & \dots & b_n \\ b_1 & b_2 & \dots & b_n \\ \vdots & \vdots & \ddots & \vdots \\ b_1 & b_2 & \dots & b_n \end{pmatrix} \\
&= \begin{pmatrix} \sum_{k=1}^{m} x_{1k}w_{k1} + b_1 & \sum_{k=1}^{m} x_{1k}w_{k2} + b_2 & \dots & \sum_{k=1}^{m} x_{1k}w_{kn} + b_n \\ \sum_{k=1}^{m} x_{2k}w_{k1} + b_1 & \sum_{k=1}^{m} x_{2k}w_{k2} + b_2 & \dots & \sum_{k=1}^{m} x_{2k}w_{kn} + b_n \\ \vdots & \vdots & \ddots & \vdots \\ \sum_{k=1}^{m} x_{hk}w_{k1} + b_1 & \sum_{k=1}^{m} x_{hk}w_{k2} + b_2 & \dots & \sum_{k=1}^{m} x_{hk}w_{kn} + b_n \end{pmatrix}
\end{aligned}
$$

$$
\begin{aligned}
Y &= f(U) \\
&= \begin{pmatrix} f(u_{11}) & f(u_{12}) & \dots & f(u_{1n}) \\ f(u_{21}) & f(u_{22}) & \dots & f(u_{2n}) \\ \vdots & \vdots & \ddots & \vdots \\ f(u_{h1}) & f(u_{h2}) & \dots & f(u_{hn}) \end{pmatrix}
\end{aligned}
$$

式03-01と**式03-02**が、バッチ対応のため縦方向に拡張されていますね。順伝播を行列の式で表すことができました。行列で表すことさえできれば、後は簡単にコードで実装することができます。

3.2.3 順伝播をコードで実装

式03-03は、NumPyのdot関数を用いて以下のように実装することができます。

```
# x: 入力の行列 w: 重みの行列 b: バイアスのベクトル
u = np.dot(x, w) + b
# y: 出力の行列  f: 活性関数
y = f(u)
```

バイアスbはベクトルですが、これは縦方向にブロードキャストされるので実質行列として演算されます。

以上により、順伝播の数式をコードに落とし込むことができました。

3.3 全結合層の逆伝播

全結合層における逆伝播の仕組みと実装方法について、数式とコードを交えて解説していきます。

3.3.1 逆伝播の数式

逆伝播により各パラメータの勾配を求めます。まずは、以下の順伝播の式から始めます。

$$U = XW + B$$
$$Y = f(U)$$

ここで、以下のようにUの各要素に注目します。

$$u = \sum_{k=1}^{m} x_k w_k + b$$
$$y = f(u)$$

式03-04

上記の式では、層内の個々のニューロンを識別するための添字、およびバッチ内のサンプルを識別するための添字は省略されています。

ここで、重みの勾配、すなわち誤差の重みによる偏微分を考えます。連鎖律により、以下の関係が成り立ちます。

$$\frac{\partial E}{\partial w_i} = \frac{\partial E}{\partial u}\frac{\partial u}{\partial w_i}$$

式03-05

ここで、w_iは**式03-04**にある重みですが、$1 \leq i \leq m$となります。

ここで、右辺の$\frac{\partial E}{\partial u}$ですが、以下のように$\delta$を使って表します。

$$\delta = \frac{\partial E}{\partial u} = \frac{\partial E}{\partial y}\frac{\partial y}{\partial u} \quad \text{式03-06}$$

上記のように、δは連鎖律を使って$\frac{\partial E}{\partial y}$と$\frac{\partial y}{\partial u}$に分解することができます。

$\frac{\partial E}{\partial y}$は、出力層の場合は誤差関数の$y$による偏微分により、中間層の場合は下の層からの伝播により得ることができます。

また、$\frac{\partial y}{\partial u}$は活性化関数を偏微分して得ることができます。

次に**式03-05**における$\frac{\partial u}{\partial w_i}$ですが、以下のように偏微分することで得ることができます。

$$\begin{aligned}\frac{\partial u}{\partial w_i} &= \frac{\partial(\sum_{k=1}^{m} x_k w_k + b)}{\partial w_i} \\ &= \frac{\partial}{\partial w_i}(x_1 w_1 + x_2 w_2 + \cdots + x_i w_i + \cdots + x_m w_m + b) \\ &= x_i\end{aligned} \quad \text{式03-07}$$

ここで、**式03-05、式03-06、式03-07**により、重みの勾配を以下の通りに表すことができます。

$$\delta = \frac{\partial E}{\partial u} = \frac{\partial E}{\partial y}\frac{\partial y}{\partial u}$$

$$\frac{\partial E}{\partial w_i} = x_i \delta$$

バイアスの勾配ですが、uをbで偏微分すると1になるので、後は上記と同様にして次のように求めることができます。

$$\frac{\partial E}{\partial b} = \delta$$

最後に、入力x_iの勾配を求めます。x_iは層内のすべてのニューロンに影響を与えるので、連鎖律を層内のすべてのニューロンに拡張する必要があります。

入力の勾配は、ニューロン数をnとして以下のように求めることができます。

$$\begin{aligned}\frac{\partial E}{\partial x_i} &= \sum_{k=1}^{n} \frac{\partial E}{\partial u_k}\frac{\partial u_k}{\partial x_i} \\ &= \sum_{k=1}^{n} w_{ik}\delta_k\end{aligned}$$

ここで、添字のkは層内の各ニューロンを表します。

入力の勾配は1つ上の層の出力の勾配と等しく、そこでδを求めるために使用されます。

3.3.2 逆伝播を行列で表す

以下の、要素ごとの逆伝播の式を行列に拡張します。

$$\begin{aligned}\frac{\partial E}{\partial w_i} &= x_i\delta \\ \frac{\partial E}{\partial b} &= \delta \\ \frac{\partial E}{\partial x_i} &= \sum_{k=1}^{n} w_{ik}\delta_k\end{aligned} \qquad \text{式03-08}$$

まずは、重みの勾配を行列で表します。重みの勾配はバッチごとに計算する必要があります。バッチ全体の誤差をEとすると、重みの勾配は次のようにして求めることができます。

$$\frac{\partial E}{\partial w_i} = \sum_{k=1}^{h} \frac{\partial E}{\partial E_k}\frac{\partial E_k}{\partial w_i} \qquad \text{式03-09}$$

ここでhはバッチサイズ、E_kはサンプルごとの誤差です。

また、以下に示すようにサンプルごとの誤差の総和がバッチの誤差となり、

$$E = \sum_{k=1}^{h} E_k$$

式03-09において$\frac{\partial E}{\partial E_k} = 1$となるので、あるバッチにおける重みの勾配は以下のよう

に表すことができます。

$$\frac{\partial E}{\partial w_i} = \sum_{k=1}^{h} \frac{\partial E_k}{\partial w_i}$$

このように、あるバッチの勾配は各サンプルの勾配の総和により求めることができます。そして、これは行列演算を用いて1度に計算することができます。

以下に示すように、行列Xを転置したものと、δの行列Δの行列積により、バッチ内での総和をとることができます。ここで、Δは微小な変化を表すΔとは異なるのでご注意ください。

$$\begin{aligned}
\frac{\partial E}{\partial W} &= X^{\mathrm{T}}\Delta \\
&= \begin{pmatrix} x_{11} & x_{21} & \dots & x_{h1} \\ x_{12} & x_{22} & \dots & x_{h2} \\ \vdots & \vdots & \ddots & \vdots \\ x_{1m} & x_{2m} & \dots & x_{hm} \end{pmatrix} \begin{pmatrix} \delta_{11} & \delta_{12} & \dots & \delta_{1n} \\ \delta_{21} & \delta_{22} & \dots & \delta_{2n} \\ \vdots & \vdots & \ddots & \vdots \\ \delta_{h1} & \delta_{h2} & \dots & \delta_{hn} \end{pmatrix} \\
&= \begin{pmatrix} \sum_{k=1}^{h} x_{k1}\delta_{k1} & \sum_{k=1}^{h} x_{k1}\delta_{k2} & \dots & \sum_{k=1}^{h} x_{k1}\delta_{kn} \\ \sum_{k=1}^{h} x_{k2}\delta_{k1} & \sum_{k=1}^{h} x_{k2}\delta_{k2} & \dots & \sum_{k=1}^{h} x_{k2}\delta_{kn} \\ \vdots & \vdots & \ddots & \vdots \\ \sum_{k=1}^{h} x_{km}\delta_{k1} & \sum_{k=1}^{h} x_{km}\delta_{k2} & \dots & \sum_{k=1}^{h} x_{km}\delta_{kn} \end{pmatrix}
\end{aligned}$$

行列$\frac{\partial E}{\partial W}$の各要素は、**式03-08**で表されるサンプルごとの勾配の総和になっていますね。

次にバイアスの勾配ですが、これもサンプルごとの勾配の総和により求めることができます。バイアスの勾配はバッチ内ですべて同じ値をとるため、以下のように横ベクトルを縦方向に引き伸ばした行列で表すことができます。

$$\frac{\partial E}{\partial B} = \begin{pmatrix} \sum_{k=1}^{h} \delta_{k1} & \sum_{k=1}^{h} \delta_{k2} & \dots & \sum_{k=1}^{h} \delta_{kn} \\ \vdots & \vdots & \ddots & \vdots \\ \sum_{k=1}^{h} \delta_{k1} & \sum_{k=1}^{h} \delta_{k2} & \dots & \sum_{k=1}^{h} \delta_{kn} \end{pmatrix}$$

最後に入力の勾配ですが、これはバッチ内で総和をとる必要はありません。その代わり、各サンプル、各入力ごとに重みとδの積の総和を計算します。これはΔとW^Tの行列積で求めることができます。

$$
\begin{aligned}
\frac{\partial E}{\partial X} &= \Delta W^{\mathrm{T}} \\
&= \begin{pmatrix} \delta_{11} & \delta_{12} & \dots & \delta_{1n} \\ \delta_{21} & \delta_{22} & \dots & \delta_{2n} \\ \vdots & \vdots & \ddots & \vdots \\ \delta_{h1} & \delta_{h2} & \dots & \delta_{hn} \end{pmatrix} \begin{pmatrix} w_{11} & w_{21} & \dots & w_{m1} \\ w_{12} & w_{22} & \dots & w_{m2} \\ \vdots & \vdots & \ddots & \vdots \\ w_{1n} & w_{2n} & \dots & w_{mn} \end{pmatrix} \\
&= \begin{pmatrix} \sum\limits_{k=1}^{n} w_{1k}\delta_{1k} & \sum\limits_{k=1}^{n} w_{2k}\delta_{1k} & \dots & \sum\limits_{k=1}^{n} w_{mk}\delta_{1k} \\ \sum\limits_{k=1}^{n} w_{1k}\delta_{2k} & \sum\limits_{k=1}^{n} w_{2k}\delta_{2k} & \dots & \sum\limits_{k=1}^{n} w_{mk}\delta_{2k} \\ \vdots & \vdots & \ddots & \vdots \\ \sum\limits_{k=1}^{n} w_{1k}\delta_{hk} & \sum\limits_{k=1}^{n} w_{2k}\delta_{hk} & \dots & \sum\limits_{k=1}^{n} w_{mk}\delta_{hk} \end{pmatrix}
\end{aligned}
$$

各要素は、層内のニューロンで総和をとったものになっていますね。この入力の勾配を表す行列が、上の層に伝播することになります。

要素を行列に拡張することで、逆伝播の複数ニューロン、バッチ対応が完了しました。

3.3.3　逆伝播をコードで実装

以下の各勾配を求める式をコードで実装します。

$$
\begin{aligned}
\frac{\partial E}{\partial W} &= X^{\mathrm{T}}\Delta \\
\frac{\partial E}{\partial B} &= \dots \\
\frac{\partial E}{\partial X} &= \Delta W^{\mathrm{T}}
\end{aligned}
$$

$\frac{\partial E}{\partial B}$の右辺は、先ほど表記した通りです。次のようにNumPyのdot関数やsum関数を使えば、シンプルなコードで実装することができます。

```
# x: 入力の行列  w: 重みの行列  delta: δの行列
grad_w = np.dot(x.T, delta)      # wの勾配
grad_b = np.sum(delta, axis=0)  # bの勾配
grad_x = np.dot(delta, w.T)      # xの勾配
```

バイアスの勾配は、axis=0、すなわち縦方向(バッチ内)で総和をとることにより求めています。この場合grad_bの行数は1になりますが、必要に応じてブロードキャストにより引き伸ばして使います。

逆伝播に必要な数式を、コードに落とし込むことができました。

3.4 全結合層の実装

全結合層をPythonのクラスとして実装します。

3.4.1 共通クラスの実装

中間層、出力層をそれぞれ異なるクラスとして実装しますが、まずは共通部分を記述するクラス、BaseLayerを定義します。

BaseLayerクラス

```
# -- 全結合層の継承元 --
class BaseLayer:
    def update(self, eta):
        self.w -= eta * self.grad_w
        self.b -= eta * self.grad_b
```

今回はBaseLayerクラスにはupdateメソッドのみを実装します。このメソッドには最適化アルゴリズムを実装しますが、今回は以下の式で表されるSGD(確率的勾配降下法)を実装しています。

$$w \leftarrow w - \eta\frac{\partial E}{\partial w}$$

$$b \leftarrow b - \eta\frac{\partial E}{\partial b}$$

上記の式の学習係数ηは、updateメソッドのetaに対応します。self.が付いている変数は、他のメソッドや外部と共有する変数です。

なお、AdaGradやAdamなどの他の最適化アルゴリズムを実装する際は、このBaseLayerの記述を変更します。

3.4.2 中間層の実装

以下は中間層の実装例です。初期化のための__init__メソッド、順伝播のforwardメソッド、逆伝播のbackwardメソッドが含まれます。

MiddleLayerクラス

```
# -- 中間層 --
class MiddleLayer(BaseLayer):
    def __init__(self, n_upper, n):
        # Heの初期値
        self.w = np.random.randn(n_upper, n) * np.sqrt(2/n_upper)
        self.b = np.zeros(n)

    def forward(self, x):
        self.x = x
        self.u = np.dot(x, self.w) + self.b
        self.y = np.where(self.u <= 0, 0, self.u) # ReLU

    def backward(self, grad_y):
        delta = grad_y * np.where(self.u <= 0, 0, 1)  # ReLUの微分

        self.grad_w = np.dot(self.x.T, delta)
        self.grad_b = np.sum(delta, axis=0)
        self.grad_x = np.dot(delta, self.w.T)
```

__init__メソッド

n_upperは上の層のニューロン数、nはこの層のニューロン数です。

重みself.wの初期値には、平均値が0で標準偏差が以下の式で表される「Heの初期値」を使っています。

$$\sigma = \sqrt{\frac{2}{m}}$$

ここで、mは上の層のニューロン数です。

Heの初期値は、活性化関数がReLUの場合、層を重ねても値が偏りにくいと考えられています(→参考文献[8])。

forwardメソッド

活性化関数に以下の式で表されるReLUを使用しています。

$$y = \begin{cases} 0 & (u \leq 0) \\ u & (u > 0) \end{cases}$$

このReLUは、forwardメソッドの中でwhere関数を使って実装されています。

backwardメソッド

最初にdeltaを計算していますが、これは以下の式に基づいています。

$$\delta = \frac{\partial E}{\partial y}\frac{\partial y}{\partial u}$$

右辺は、出力の勾配と、活性化関数を偏微分したもの(偏導関数)の積になりますが、コードにおいては引数であるgrad_yが出力の勾配に対応します。

活性化関数であるReLUの偏導関数ですが、以下の式で表されます。

$$\frac{\partial y}{\partial u} = \begin{cases} 0 & (u \leq 0) \\ 1 & (u > 0) \end{cases}$$

これは、以下のようにwhere関数を使ったコードで実装することができます。

```
np.where(self.u <= 0, 0, 1)
```

grad_yと上記の積でdeltaを求め、後はこれを使って各勾配を計算する流れになります。

3.4.3 出力層の実装

以下は出力層の実装例です。中間層と同様に、初期化のための__init__メソッド、順伝播のforwardメソッド、逆伝播のbackwardメソッドが含まれます。

OutputLayerクラス

```
class OutputLayer(BaseLayer):
    def __init__(self, n_upper, n):
        # Xavierの初期値
        self.w = np.random.randn(n_upper, n) / np.sqrt(n_upper)
        self.b = np.zeros(n)

    def forward(self, x):
        self.x = x
        u = np.dot(x, self.w) + self.b
        # ソフトマックス関数
        self.y = np.exp(u)/np.sum(np.exp(u), axis=1,
                                    keepdims=True)

    def backward(self, t):
        delta = self.y - t

        self.grad_w = np.dot(self.x.T, delta)
        self.grad_b = np.sum(delta, axis=0)
        self.grad_x = np.dot(delta, self.w.T)
```

__init__メソッド

重みself.wの初期値に標準偏差が以下の式で表される「Xavierの初期値」を使っています。

$$\sigma = \sqrt{\frac{1}{m}}$$

ここで、mは上の層のニューロン数です。

Xavierの初期値は、活性化関数が左右対称な場合に、値の偏りの抑止に有効だと考えられています(→参考文献[9])。

forwardメソッド

活性化関数に以下の式で表されるソフトマックス関数を使用しています。

$$y_i = \frac{\exp(u_i)}{\sum_{k=1}^{n} \exp(u_k)}$$

この式において、nはこの層のニューロン数で、添字はこの層のニューロンのインデックスを表します。ソフトマックス関数の出力y_iは必ず0より大きくなり層内のすべてのニューロンで総和をとると1になるので、確率を表現するのによく使われます。

コードではこのソフトマックス関数をNumPyのsum関数を使って実装していますが、axis=1を指定してサンプルごとの総和とし、keepdims=Trueを指定して配列の次元を保っています。

backwardメソッド

出力の勾配と活性関数の偏導関数の積によりdeltaを計算しますが、活性化関数であるソフトマックス関数の偏導関数は以下のように表すことができます。

$$\frac{\partial y_i}{\partial u_k} = \begin{cases} y_i(1 - y_i) & (i = k) \\ -y_i y_k & (i \neq k) \end{cases}$$

そして、今回は多クラスの分類問題を想定して以下の交差エントロピー誤差を誤差関数として使用します。

$$E = -\sum_{k=1}^{n} t_k \log(y_k)$$

ここで、y_kが出力、そしてt_kはそれに対応した正解になります。

これらを用いて、δ_iを次のように求めることができます。

$$
\begin{aligned}
\delta_i &= \frac{\partial E}{\partial u_i} \\
&= \sum_{k=1}^{n} \frac{\partial E}{\partial y_k} \frac{\partial y_k}{\partial u_i} \\
&= \frac{\partial E}{\partial y_i} \frac{\partial y_i}{\partial u_i} + \sum_{k \neq i} \frac{\partial E}{\partial y_k} \frac{\partial y_k}{\partial u_i} \\
&= -t_i(1 - y_i) + \sum_{k \neq i} t_k y_i \\
&= -t_i + y_i \sum_{k=1}^{n} t_k \\
&= y_i - t_i
\end{aligned}
$$

結果的に、$\delta_i = y_i - t_i$となりました。backwardメソッドでは最初にこれを求めたうえで、各勾配を計算します。

以上により、各層をクラスとして実装することができました。次は、これらのクラスを使って簡単なディープラーニングを実装します。

3.5 簡単なディープラーニングの実装

シンプルなニューラルネットワークを構築し、手書き文字が認識できるように訓練します。コード全体を紹介する前に、訓練用の手書き文字画像、およびコードの重要な箇所を解説します。

3.5.1 手書き文字画像の確認

機械学習用フレームワークであるscikit-learnには、いくつかの学習用データセットが用意されており、ここではその中から手書き数字の画像データセットを読み込んで表示してみます。

なお、ディープラーニングの学習に使用できるデータセットについては9.3節で解説していますので、参照してください。

手書き文字データセットを読み込んで表示する

```
import numpy as np
import matplotlib.pyplot as plt
from sklearn import datasets

n_img = 10          # 表示する画像の数
plt.figure(figsize=(10, 4))
for i in range(n_img):
    # 入力画像
    ax = plt.subplot(2, 5, i+1)
    plt.imshow(digits_data.data[i].reshape(8, 8), cmap="Greys_r")
    ax.get_xaxis().set_visible(False)         # 軸を非表示に
    ax.get_yaxis().set_visible(False)
plt.show()

print("データの形状:", digits_data.data.shape)
print("ラベル:", digits_data.target[:n_img])
```

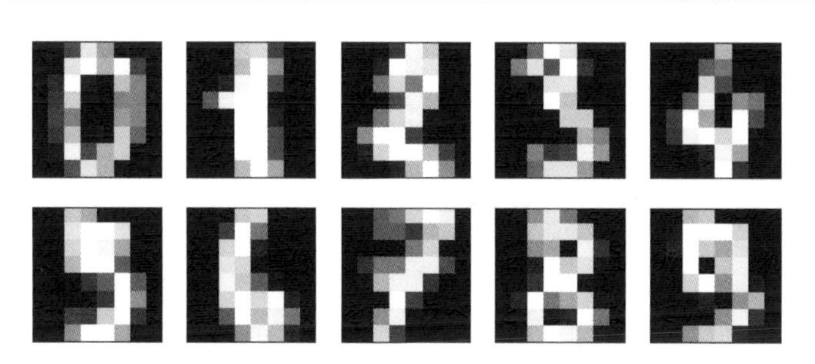

```
形状: (1797, 64)
ラベル: [0 1 2 3 4 5 6 7 8 9]
```

8×8とサイズは小さいですが、0から9までの手書き数字の画像が表示されました。このような手書き数字の画像が、このデータセットには1797枚含まれています。

また、各画像は描かれた数字を表すラベルとペアになっています。

3.5.2 データの前処理

入力、正解データをディープラーニングに適した形に整えます。

データの前処理

```
from sklearn.model_selection import train_test_split

（中略）

# -- 入力データ --
input_data = np.asarray(digits_data.data)
# 平均0、標準偏差1に
input_data = (input_data - np.average(input_data)) / \
             np.std(input_data)

# -- 正解データ --
correct = np.asarray(digits_data.target)
correct_data = np.zeros((len(correct), n_out))
for i in range(len(correct)):
    correct_data[i, correct[i]] = 1    # one-hot表現に

# -- 訓練データとテストデータに分割 --
x_train, x_test, t_train, t_test = \
        train_test_split(input_data, correct_data)
```

データをasarray関数で処理しているのは、GPU対応のためです。scikit-learnのデータセットはGPU対応していないので、GPUを使う場合ここでCuPyの配列に変換します。

入力データは、平均値を引いて標準偏差で割ることにより平均0、標準偏差1にします。

正解データは、ラベルをたとえば以下のようなone-hot表現に変換して作成します。

[0 0 1 0 .... 0 0]

このようなone-hot表現では、1つだけが1で残りは0になります。コードでは、ラベルが示す位置を1にして残りは0にしています。

入力および正解を訓練データとテストデータに分割しますが、これにはscikit-learnのtrain_test_split関数を使います。train_test_splitはデフォルトでランダムな25%をテストデータに、残りを訓練データに選択します。

3.5.3 順伝播と逆伝播

各層を初期化し、リストに格納します。そして、順伝播と逆伝播の関数、およびパラメータ更新用の関数を定義します。

各種関数の定義

```
# -- 各層の初期化 --
layers = [MiddleLayer(img_size*img_size, n_mid),
          MiddleLayer(n_mid, n_mid),
          OutputLayer(n_mid, n_out)]

# -- 順伝播 --
def forward_propagation(x):
    for layer in layers:
        layer.forward(x)
        x = layer.y
    return x

# -- 逆伝播 --
def backpropagation(t):
    grad_y = t
    for layer in reversed(layers):
        layer.backward(grad_y)
        grad_y = layer.grad_x
    return grad_y

# -- パラメータの更新 --
def update_params():
    for layer in layers:
        layer.update(eta)
```

層がリストに格納されていれば、for文によるループで順伝播、逆伝播、パラメータの更新をそれぞれ短いコードで表すことができます。逆伝播では、reversed関数を使ってループの向きを逆にしています。

3.5.4 ミニバッチ法の実装

ランダムにミニバッチを取り出して、順伝播と逆伝播、パラメータの更新を行います。

ミニバッチ法の実装コード

```
n_batch = len(x_train) // batch_size  # 1エポックあたりのバッチ数
for i in range(epochs):

    # -- 学習 --
    index_random = np.arange(len(x_train))
    np.random.shuffle(index_random)  # インデックスをシャッフルする
    for j in range(n_batch):

        # ミニバッチを取り出す
        mb_index = index_random[j*batch_size : (j+1)*batch_size]
        x_mb = x_train[mb_index, :]
        t_mb = t_train[mb_index, :]

        # 順伝播と逆伝播
        forward_propagation(x_mb)
        backpropagation(t_mb)

        # パラメータの更新
        update_params()
```

シャッフルされたインデックスを使って、入力と正解のペアをランダムにバッチサイズ分だけ取り出します。そして、取り出されたミニバッチを使って順伝播と逆伝播を行い、パラメータを更新します。

3.6 全体のコード

以下は全体のコードです。入力、正解データの用意、各層のクラス、順伝播と逆伝播の関数、ミニバッチ法が順次実装されています。

誤差は、各エポックの終了後に測定して表示します。また、学習の終了後に誤差の推移と正解率を表示します。

コード全体と実行結果

```
import numpy as np
# import cupy as np  # GPUの場合
import matplotlib.pyplot as plt
from sklearn import datasets
from sklearn.model_selection import train_test_split

# -- 各設定値 --
img_size = 8  # 画像の高さと幅
n_mid = 16    # 中間層のニューロン数
n_out = 10
eta = 0.001   # 学習係数
epochs = 51
batch_size = 32
interval = 5  # 経過の表示間隔

digits_data = datasets.load_digits()

# -- 入力データ --
input_data = np.asarray(digits_data.data)
# 平均0、標準偏差1に
input_data = (input_data - np.average(input_data)) / \
             np.std(input_data)

# -- 正解データ --
correct = np.asarray(digits_data.target)
correct_data = np.zeros((len(correct), n_out))
for i in range(len(correct)):
    correct_data[i, correct[i]] = 1     # one-hot表現に

# -- 訓練データとテストデータに分割 --
x_train, x_test, t_train, t_test = \
       train_test_split(input_data, correct_data)

# -- 全結合層の継承元 --
class BaseLayer:
    def update(self, eta):
        self.w -= eta * self.grad_w
        self.b -= eta * self.grad_b

# -- 中間層 --
class MiddleLayer(BaseLayer):
```

```
    def __init__(self, n_upper, n):
        # Heの初期値
        self.w = np.random.randn(n_upper, n) * \
                 np.sqrt(2/n_upper)
        self.b = np.zeros(n)

    def forward(self, x):
        self.x = x
        self.u = np.dot(x, self.w) + self.b
        self.y = np.where(self.u <= 0, 0, self.u) # ReLU

    def backward(self, grad_y):
        delta = grad_y * np.where(self.u <= 0, 0, 1)  # ReLUの微分

        self.grad_w = np.dot(self.x.T, delta)
        self.grad_b = np.sum(delta, axis=0)
        self.grad_x = np.dot(delta, self.w.T)

# -- 出力層 --
class OutputLayer(BaseLayer):
    def __init__(self, n_upper, n):
        # Xavierの初期値
        self.w = np.random.randn(n_upper, n) / np.sqrt(n_upper)
        self.b = np.zeros(n)

    def forward(self, x):
        self.x = x
        u = np.dot(x, self.w) + self.b
        # ソフトマックス関数
        self.y = np.exp(u)/np.sum(np.exp(u), axis=1,
                                  keepdims=True)

    def backward(self, t):
        delta = self.y - t

        self.grad_w = np.dot(self.x.T, delta)
        self.grad_b = np.sum(delta, axis=0)
        self.grad_x = np.dot(delta, self.w.T)

# -- 各層の初期化 --
layers = [MiddleLayer(img_size*img_size, n_mid),
          MiddleLayer(n_mid, n_mid),
```

```
          OutputLayer(n_mid, n_out)]

# -- 順伝播 --
def forward_propagation(x):
    for layer in layers:
        layer.forward(x)
        x = layer.y
    return x

# -- 逆伝播 --
def backpropagation(t):
    grad_y = t
    for layer in reversed(layers):
        layer.backward(grad_y)
        grad_y = layer.grad_x
    return grad_y

# -- パラメータの更新 --
def update_params():
    for layer in layers:
        layer.update(eta)

# -- 誤差を測定 --
def get_error(x, t):
    y = forward_propagation(x)
    return -np.sum(t*np.log(y+1e-7)) / len(y)  # 交差エントロピー誤差

# -- 正解率を測定 --
def get_accuracy(x, t):
    y = forward_propagation(x)
    count = np.sum(np.argmax(y, axis=1) == np.argmax(t, axis=1))
    return count / len(y)

# -- 誤差の記録 --
error_record_train = []
error_record_test = []

n_batch = len(x_train) // batch_size  # 1エポックあたりのバッチ数
for i in range(epochs):

    # -- 学習 --
    index_random = np.arange(len(x_train))
```

```
    np.random.shuffle(index_random)  # インデックスをシャッフルする
    for j in range(n_batch):

        # ミニバッチを取り出す
        mb_index = index_random[j*batch_size : (j+1)*batch_size]
        x_mb = x_train[mb_index, :]
        t_mb = t_train[mb_index, :]

        # 順伝播と逆伝播
        forward_propagation(x_mb)
        backpropagation(t_mb)

        # パラメータの更新
        update_params()

    # -- 誤差の計測と記録 --
    error_train = get_error(x_train, t_train)
    error_record_train.append(error_train)
    error_test = get_error(x_test, t_test)
    error_record_test.append(error_test)

    # -- 経過の表示 --
    if i%interval == 0:
        print("Epoch:" + str(i+1) + "/" + str(epochs),
              "Error_train: " + str(error_train),
              "Error_test: " + str(error_test))

# -- 誤差の推移をグラフ表示 --
plt.plot(range(1, len(error_record_train)+1),
               error_record_train, label="Train")
plt.plot(range(1, len(error_record_test)+1),
               error_record_test, label="Test")
plt.legend()

plt.xlabel("Epochs")
plt.ylabel("Error")
plt.show()

# -- 正解率の測定 --
acc_train = get_accuracy(x_train, t_train)
acc_test = get_accuracy(x_test, t_test)
```

```
print("Acc_train: "+str(acc_train*100)+"%",
      "Acc_test: "+str(acc_test*100)+"%")
```

```
Epoch:1/51 Error_train: 1.9557127362154942 Error_test:
1.9616639777925742
Epoch:6/51 Error_train: 0.39750477095347747 Error_test:
0.42065509406100304
Epoch:11/51 Error_train: 0.2021475922141341 Error_test:
0.22013263082508255
Epoch:16/51 Error_train: 0.13181373361488224 Error_test:
0.15281162881936228
Epoch:21/51 Error_train: 0.09269732209123134 Error_test:
0.1341925538949647
Epoch:26/51 Error_train: 0.07635904269031286 Error_test:
0.11677323985598488
Epoch:31/51 Error_train: 0.05918034677406521 Error_test:
0.10931637736021983
Epoch:36/51 Error_train: 0.049214310366199776 Error_test:
0.11052243366543074
Epoch:41/51 Error_train: 0.04221864065152065 Error_test:
0.10294432713221233
Epoch:46/51 Error_train: 0.03956570654913258 Error_test:
0.10686389891029768
Epoch:51/51 Error_train: 0.0313548118405126 Error_test:
0.09755177924967902
```

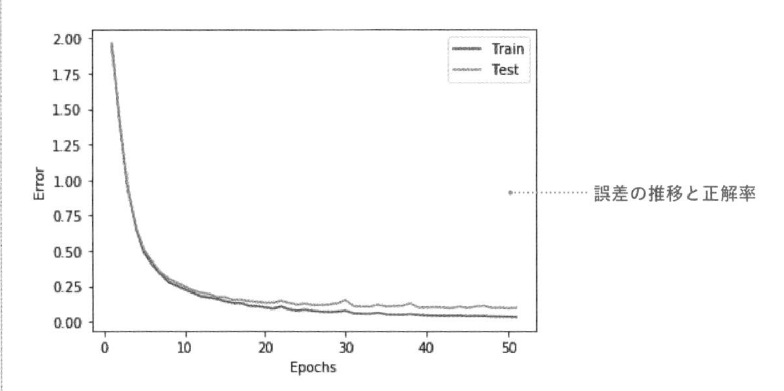


```
Acc_train: 99.62880475129919% Acc_test: 97.77777777777777%
```

訓練用データ、テスト用データの誤差ともになめらかに減少しています。乱数の影響で結果は実行するたびに少々変動しますが､概ね95%以上の正解率となるようです。
簡単なディープラーニングにより、ニューラルネットワークは手書き文字の識別能力を備えるようになりました。

まとめ

本章では、全結合層の順伝播、逆伝播を数式で表し、コードとして実装しました。さらに、全結合層自体をクラスとして実装し、簡単なディープラーニングへとつなげました。
以降の章では、ここまでの内容をベースにRNN、生成モデルなどの発展形を実装していきます。ときには複雑な仕組みを持つ層を扱うこともありますが、層をクラスとして実装する点は共通です。

RNN

この章では、時系列を扱うニューラルネットワークの一種、RNN（再帰型ニューラルネットワーク）を解説します。RNNの全体像の解説をした後に、数式を交えながらシンプルなRNNの実装を行いますので、Pythonのコードと共に、RNNの仕組みを把握していきましょう。

4.1 RNNの概要

本章では、RNN（Reccurent Neural Network、再帰型ニューラルネットワーク）について解説します。

RNNは、次の図に示すように中間層がループする構造をとります。

再帰型ニューラルネットワークの概要

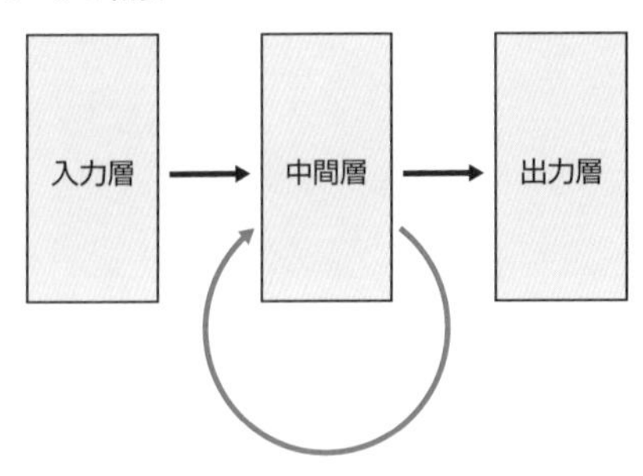

この場合、中間層の出力は次の入力とともに中間層への入力になります。いわば、中間層がループする構造をとります。このような自分自身へのループは、「再帰」と呼ばれます。

RNNでは、中間層が前の時刻の中間層の影響を受けるので、ニューラルネットワークが以前の時刻の影響を受けることになります。すなわち、RNNは過去の記憶を用いて判断を行うことができるのです。

そして、RNNは自然言語のように毎回入力の長さが異なるデータを扱うことができます。このため、RNNは音声や文章、動画などの時間変化するデータ、すなわち時系列データを扱うのに適しています。このような時系列データは、RNNの入力になります。

このRNNのループを展開すると、次ページの図のようになります。

中間層が時系列ですべてつながっており、ある意味深い層のニューラルネットワークになっていることがわかります。RNNはバックプロパゲーションにより学習できますが、誤差の伝播の仕方が通常のニューラルネットワークと異なります。RNNでは誤差は過去に遡っていきますが、ある時刻における誤差出力の勾配は、出力層から遡ってきた出力の勾配と、次の時刻から遡ってきた出力の勾配の和になります。このようにして、全時刻を通して誤差を遡らせて勾配を計算し、重みとバイアスを更新します。

RNNの順伝播と逆伝播

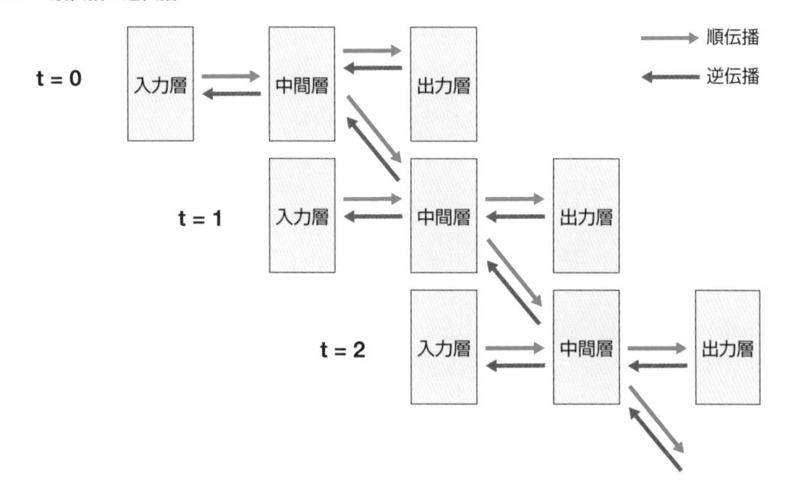

RNNは時系列で深いネットワーク構造をしているのですが、何層にもわたって誤差を伝播させると勾配が消失もしくは発散してしまうという問題があります。RNNの場合、前の時刻から引き継いだデータに繰り返し同じ重みを掛け合わせるため、この問題は通常のニューラルネットワークと比べてより顕著になります。通常のニューラルネットワークには再帰がなく、層ごとに重みが異なるのでこのような問題はRNNと比べれば発生しにくくなっています。このため、RNNは短期の記憶は保持できるのですが、長期の記憶を保持することは難しいです。このようなデータの長期記憶のことを、長期依存性といいます。

例として、RNNで文章を扱うケースを考えてみましょう。「イタリアを訪問し、さまざまな街に滞在し、たくさんの人々と出会い、数々の貴重な体験をした中で、最も印象に残った街は『 』であった。」という文章で、『 』内に入る単語を予測するとき、かなり前に出現したイタリアという単語が予測に大きく影響します。この場合、予測精度を向上させるためには長期依存性を伴うネットワークが必要になります。

このような問題を解決するためにLSTMやGRUなどのゲート付きのRNNが考案されていますが、これらについては次章以降で解説します。

4.2 RNN層の順伝播

ここからは、RNNの仕組みと実装方法について、数式とコードを交えて解説していきます。本章では通常のニューラルネットワークと同様に、「層」を使ってRNNを実装しますが、まずは順伝播について解説します。

4.2.1 順伝播の概要

RNN層における順伝播は、以下の図で表されます。

RNN層における順伝播

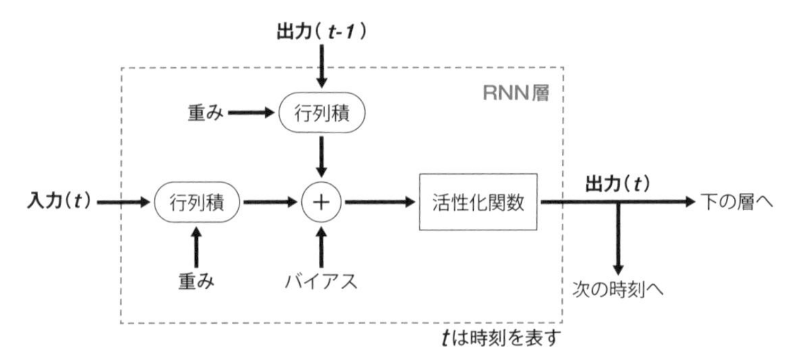

この時刻における入力と重みの行列積に、前の時刻の出力と重みの行列積、およびバイアスを足し合わせ、活性化関数で処理してこの時刻の出力とします。この時刻の出力は、下の層、および次の時刻に伝播します。

さて、全結合層では、以下の行列を使った式で順伝播を表すことができました。

$$U = XW + B$$
$$Y = f(U)$$

一方、RNN層では、上記を発展させた以下の式で順伝播を表すことができます。

$$U^{(t)} = X^{(t)}W + Y^{(t-1)}V + B$$
$$Y^{(t)} = f(U^{(t)})$$

式04-01

ここで、$X^{(t)}$は時刻tにおける入力、Wはそれにかける重みの行列、$Y^{(t-1)}$は1つ前の時刻$t-1$における出力、Vはそれにかける重みの行列、Bはバイアスになります。fは活性化関数です。

VとWは異なる重み行列になりますが、時間には依存しておらず各時刻において共通です。また、上記ではバイアスBを行列として表していますが、実際はベクトルになります。数式の都合上、同じベクトルを複数行並べて行列としています。

4.2.2 順伝播の数式

それでは、**式04-01**の行列の中身を見ていきましょう。まずは活性化関数に入れる前の値$U^{(t)}$ですが、行列の各要素を以下の通りに表します。

$$U^{(t)} = \begin{pmatrix} u_{11}^{(t)} & u_{12}^{(t)} & \dots & u_{1n}^{(t)} \\ u_{21}^{(t)} & u_{22}^{(t)} & \dots & u_{2n}^{(t)} \\ \vdots & \vdots & \ddots & \vdots \\ u_{h1}^{(t)} & u_{h2}^{(t)} & \dots & u_{hn}^{(t)} \end{pmatrix}$$

この行列の各行はバッチ内の各サンプルを、各列はこの層における各ニューロンを表します。たとえば、$u_{12}^{(t)}$は、バッチ内の1つ目のサンプル、層内の2つ目のニューロン、時刻tにおけるスカラー値です。

式04-01を各要素で表すと、以下の通りになります。

$$\begin{aligned} U^{(t)} &= X^{(t)}W + Y^{(t-1)}V + B \\ &= \begin{pmatrix} x_{11}^{(t)} & x_{12}^{(t)} & \dots & x_{1m}^{(t)} \\ x_{21}^{(t)} & x_{22}^{(t)} & \dots & x_{2m}^{(t)} \\ \vdots & \vdots & \ddots & \vdots \\ x_{h1}^{(t)} & x_{h2}^{(t)} & \dots & x_{hm}^{(t)} \end{pmatrix} \begin{pmatrix} w_{11} & w_{12} & \dots & w_{1n} \\ w_{21} & w_{22} & \dots & w_{2n} \\ \vdots & \vdots & \ddots & \vdots \\ w_{m1} & w_{m2} & \dots & w_{mn} \end{pmatrix} \\ &+ \begin{pmatrix} y_{11}^{(t-1)} & y_{12}^{(t-1)} & \dots & y_{1n}^{(t-1)} \\ y_{21}^{(t-1)} & y_{22}^{(t-1)} & \dots & y_{2n}^{(t-1)} \\ \vdots & \vdots & \ddots & \vdots \\ y_{h1}^{(t-1)} & y_{h2}^{(t-1)} & \dots & y_{hn}^{(t-1)} \end{pmatrix} \begin{pmatrix} v_{11} & v_{12} & \dots & v_{1n} \\ v_{21} & v_{22} & \dots & v_{2n} \\ \vdots & \vdots & \ddots & \vdots \\ v_{n1} & v_{n2} & \dots & v_{nn} \end{pmatrix} \\ &+ \begin{pmatrix} b_1 & b_2 & \dots & b_n \\ b_1 & b_2 & \dots & b_n \\ \vdots & \vdots & \ddots & \vdots \\ b_1 & b_2 & \dots & b_n \end{pmatrix} \end{aligned}$$

Vは、前の時刻の出力とこの時刻の出力の数が同じなので正方行列になりますが、Wは正方行列とは限りません。また、Bはすべての行が同じである、横ベクトルを縦に引き伸ばした行列になります。

上記の式は、行列積により以下の形になります。

$$
\begin{aligned}
U^{(t)} &= \begin{pmatrix} u_{11}^{(t)} & u_{12}^{(t)} & \ldots & u_{1n}^{(t)} \\ u_{21}^{(t)} & u_{22}^{(t)} & \ldots & u_{2n}^{(t)} \\ \vdots & \vdots & \ddots & \vdots \\ u_{h1}^{(t)} & u_{h2}^{(t)} & \ldots & u_{hn}^{(t)} \end{pmatrix} \\
&= \begin{pmatrix} \sum_{k=1}^{m} x_{1k}^{(t)} w_{k1} + \sum_{k=1}^{n} y_{1k}^{(t-1)} v_{k1} + b_1 & \sum_{k=1}^{m} x_{1k}^{(t)} w_{k2} + \sum_{k=1}^{n} y_{1k}^{(t-1)} v_{k2} + b_2 & \ldots & \sum_{k=1}^{m} x_{1k}^{(t)} w_{kn} + \sum_{k=1}^{n} y_{1k}^{(t-1)} v_{kn} + b_n \\ \sum_{k=1}^{m} x_{2k}^{(t)} w_{k1} + \sum_{k=1}^{n} y_{2k}^{(t-1)} v_{k1} + b_1 & \sum_{k=1}^{m} x_{2k}^{(t)} w_{k2} + \sum_{k=1}^{n} y_{2k}^{(t-1)} v_{k2} + b_2 & \ldots & \sum_{k=1}^{m} x_{2k}^{(t)} w_{kn} + \sum_{k=1}^{n} y_{2k}^{(t-1)} v_{kn} + b_n \\ \vdots & \vdots & \ddots & \vdots \\ \sum_{k=1}^{m} x_{hk}^{(t)} w_{k1} + \sum_{k=1}^{n} y_{hk}^{(t-1)} v_{k1} + b_1 & \sum_{k=1}^{m} x_{hk}^{(t)} w_{k2} + \sum_{k=1}^{n} y_{hk}^{(t-1)} v_{k2} + b_2 & \ldots & \sum_{k=1}^{m} x_{hk}^{(t)} w_{kn} + \sum_{k=1}^{n} y_{hk}^{(t-1)} v_{kn} + b_n \end{pmatrix}
\end{aligned}
$$

式04-02

このように、各要素は総和の記号Σを使って表すことができます。

そして、上記を活性化関数fに入れると以下の式が得られます。

$$
\begin{aligned}
Y^{(t)} &= f(U^{(t)}) \\
&= \begin{pmatrix} f(u_{11}^{(t)}) & f(u_{12}^{(t)}) & \ldots & f(u_{1n}^{(t)}) \\ f(u_{21}^{(t)}) & f(u_{22}^{(t)}) & \ldots & f(u_{2n}^{(t)}) \\ \vdots & \vdots & \ddots & \vdots \\ f(u_{h1}^{(t)}) & f(u_{h2}^{(t)}) & \ldots & f(u_{hn}^{(t)}) \end{pmatrix}
\end{aligned}
$$

式04-03

Uの各要素を、活性化関数fで処理することになります。

4.2.3 順伝播をコードで実装

行列を使った順伝播の式を、コードで実装します。

$$
\begin{aligned}
U^{(t)} &= X^{(t)}W + Y^{(t-1)}V + B \\
Y^{(t)} &= f(U^{(t)})
\end{aligned}
$$

```
# x:入力 w:重み y_prev:前の時刻の出力 v:重み b:バイアス f:活性化関数
u = np.dot(x, w) + np.dot(y_prev, v) + b
```

```
y = np.tanh(u)
```

各時刻で入力xと前の時刻の出力y_prevを受け取り、それぞれのwとvとの行列積にbを加えてuとします。そして、それを活性化関数であるtanhで処理してこの時刻の出力yとします。

tanhは以下のように表される関数です。

$$y = \frac{\exp(u) - \exp(-u)}{\exp(u) + \exp(-u)}$$

yは-1から1まで変化しますが、関数の形状は0を中心とした対称形となります。tanhは後述する勾配消失の問題が発生しにくいため、RNNの活性化関数としてよく使われます。

4.3 RNN層の逆伝播

4.3.1 逆伝播の数式

RNN層における逆伝播を数式で表します。まずは、**式04-02**、**式04-03**における行列の各要素を、以下の式で表します。

$$u^{(t)} = \sum_{k=1}^{m} x_k^{(t)} w_k + \sum_{k=1}^{n} y_k^{(t-1)} v_k + b$$
$$y^{(t)} = f(u^{(t)})$$

上記では、行列内の位置を表す添字は省略されています。

ここで、入力にかけるある重みw_iの勾配を求めます。各時刻における$u^{(t)}$を挟んだ連鎖律を適用します。

$$\frac{\partial E}{\partial w_i} = \sum_{t=1}^{\tau} \frac{\partial E}{\partial u^{(t)}} \frac{\partial u^{(t)}}{\partial w_i} \qquad \text{式04-04}$$

ここで、$\delta^{(t)}$を次のように設定します。

$$
\begin{aligned}
\delta^{(t)} &= \frac{\partial E}{\partial u^{(t)}} \\
&= \frac{\partial E}{\partial y^{(t)}} \frac{\partial y^{(t)}}{\partial u^{(t)}}
\end{aligned}
$$

上記の$\frac{\partial E}{\partial y^{(t)}}$は前の時刻と出力層からの伝播により、$\frac{\partial y^{(t)}}{\partial u^{(t)}}$は活性化関数の偏微分により求めることができます。

また、**式04-04**右辺の$\frac{\partial u^{(t)}}{\partial w_i}$ですが、以下のように求めることができます。

$$
\begin{aligned}
\frac{\partial u^{(t)}}{\partial w_i} &= \frac{\partial (\sum_{k=1}^{m} x_k^{(t)} w_k + b)}{\partial w_i} \\
&= \frac{\partial}{\partial w_i}(x_1^{(t)} w_1 + x_2^{(t)} w_2 + \cdots + x_i^{(t)} w_i + \cdots + x_m^{(t)} w_m + b) \\
&= x_i^{(t)}
\end{aligned}
$$

従って、**式04-04**は次の形で表すことができます。

$$
\frac{\partial E}{\partial w_i} = \sum_{t=1}^{\tau} x_i^{(t)} \delta^{(t)} \qquad \text{式04-05}
$$

全結合層の式との相違点は、時間で総和をとっている点です。

同様にして、前の時間の出力にかかる重みの勾配を、以下のように求めることができます。

$$
\frac{\partial E}{\partial v_i} = \sum_{t=1}^{\tau} y_i^{(t-1)} \delta^{(t)} \qquad \text{式04-06}
$$

また、同様にしてバイアスも時間で総和をとる形で表すことができます。

$$
\frac{\partial E}{\partial b} = \sum_{t=1}^{\tau} \delta^{(t)} \qquad \text{式04-07}
$$

ある時刻における入力$x_i^{(t)}$の勾配ですが、ニューロンごとの$u_k^{(t)}$を挟んだ連鎖律を使って求めることができます。

$$\frac{\partial E}{\partial x_i^{(t)}} = \sum_{k=1}^{n} \frac{\partial E}{\partial u_k^{(t)}} \frac{\partial u_k^{(t)}}{\partial x_i^{(t)}} \\ = \sum_{k=1}^{n} w_{ik} \delta_k^{(t)}$$

式04-08

これは、RNN層の上に別の層がある際に、その層の各勾配を求めるのに使用します。

前の時刻の出力の勾配ですが、入力の勾配と同様にして次のように求めることができます。

$$\frac{\partial E}{\partial y_i^{(t-1)}} = \sum_{k=1}^{n} \frac{\partial E}{\partial u_k^{(t)}} \frac{\partial u_k^{(t)}}{\partial y_i^{(t-1)}} \\ = \sum_{k=1}^{n} v_{ik} \delta_k^{(t)}$$

式04-09

これは前の時刻に伝播し、その時刻の出力の勾配として使用されます。

4.3.2 逆伝播を行列で表す

コードで実装しやすくするために、逆伝播を行列で表しましょう。各勾配を行列で表します。

まずは、入力にかける重みの行列Wの勾配ですが、次のように転置と行列積によりバッチ内での総和をとり、さらに時間で総和をとることにより求めることができます。

$$\frac{\partial E}{\partial W} = \sum_{t=1}^{\tau} X^{(t)\mathrm{T}} \Delta^{(t)}$$

$$= \sum_{t=1}^{\tau} \begin{pmatrix} x_{11}^{(t)} & x_{21}^{(t)} & \dots & x_{h1}^{(t)} \\ x_{12}^{(t)} & x_{22}^{(t)} & \dots & x_{h2}^{(t)} \\ \vdots & \vdots & \ddots & \vdots \\ x_{1m}^{(t)} & x_{2m}^{(t)} & \dots & x_{hm}^{(t)} \end{pmatrix} \begin{pmatrix} \delta_{11}^{(t)} & \delta_{12}^{(t)} & \dots & \delta_{1n}^{(t)} \\ \delta_{21}^{(t)} & \delta_{22}^{(t)} & \dots & \delta_{2n}^{(t)} \\ \vdots & \vdots & \ddots & \vdots \\ \delta_{h1}^{(t)} & \delta_{h2}^{(t)} & \dots & \delta_{hn}^{(t)} \end{pmatrix}$$

$$= \begin{pmatrix} \sum_{t=1}^{\tau} \sum_{k=1}^{h} x_{k1}^{(t)} \delta_{k1}^{(t)} & \sum_{t=1}^{\tau} \sum_{k=1}^{h} x_{k1}^{(t)} \delta_{k2}^{(t)} & \dots & \sum_{t=1}^{\tau} \sum_{k=1}^{h} x_{k1}^{(t)} \delta_{kn}^{(t)} \\ \sum_{t=1}^{\tau} \sum_{k=1}^{h} x_{k2}^{(t)} \delta_{k1}^{(t)} & \sum_{t=1}^{\tau} \sum_{k=1}^{h} x_{k2}^{(t)} \delta_{k2}^{(t)} & \dots & \sum_{t=1}^{\tau} \sum_{k=1}^{h} x_{k2}^{(t)} \delta_{kn}^{(t)} \\ \vdots & \vdots & \ddots & \vdots \\ \sum_{t=1}^{\tau} \sum_{k=1}^{h} x_{km}^{(t)} \delta_{k1}^{(t)} & \sum_{t=1}^{\tau} \sum_{k=1}^{h} x_{km}^{(t)} \delta_{k2}^{(t)} & \dots & \sum_{t=1}^{\tau} \sum_{k=1}^{h} x_{km}^{(t)} \delta_{kn}^{(t)} \end{pmatrix}$$

hがバッチサイズですが、行列の各要素は、バッチ内と時間とで総和をとったものになっていますね。**式04-05**がバッチ対応されています。ディープラーニングの基礎の章で解説した通り、あるバッチの勾配は各サンプルの勾配の総和により求めることができます。

次に、前の時刻の出力にかける重みの行列Vの勾配ですが、これも先ほどと同様に、転置と行列積によりバッチ内での総和をとり、さらに時間で総和をとることにより求めることができます。

$$
\begin{aligned}
\frac{\partial E}{\partial V} &= \sum_{t=1}^{\tau} Y^{(t-1)\mathrm{T}} \Delta^{(t)} \\
&= \sum_{t=1}^{\tau} \begin{pmatrix} y_{11}^{(t-1)} & y_{21}^{(t-1)} & \cdots & y_{h1}^{(t-1)} \\ y_{12}^{(t-1)} & y_{22}^{(t-1)} & \cdots & y_{h2}^{(t-1)} \\ \vdots & \vdots & \ddots & \vdots \\ y_{1n}^{(t-1)} & y_{2n}^{(t-1)} & \cdots & y_{hn}^{(t-1)} \end{pmatrix} \begin{pmatrix} \delta_{11}^{(t)} & \delta_{12}^{(t)} & \cdots & \delta_{1n}^{(t)} \\ \delta_{21}^{(t)} & \delta_{22}^{(t)} & \cdots & \delta_{2n}^{(t)} \\ \vdots & \vdots & \ddots & \vdots \\ \delta_{h1}^{(t)} & \delta_{h2}^{(t)} & \cdots & \delta_{hn}^{(t)} \end{pmatrix} \\
&= \begin{pmatrix} \sum_{t=1}^{\tau}\sum_{k=1}^{h} y_{k1}^{(t-1)}\delta_{k1}^{(t)} & \sum_{t=1}^{\tau}\sum_{k=1}^{h} y_{k1}^{(t-1)}\delta_{k2}^{(t)} & \cdots & \sum_{t=1}^{\tau}\sum_{k=1}^{h} y_{k1}^{(t-1)}\delta_{kn}^{(t)} \\ \sum_{t=1}^{\tau}\sum_{k=1}^{h} y_{k2}^{(t-1)}\delta_{k1}^{(t)} & \sum_{t=1}^{\tau}\sum_{k=1}^{h} y_{k2}^{(t-1)}\delta_{k2}^{(t)} & \cdots & \sum_{t=1}^{\tau}\sum_{k=1}^{h} y_{k2}^{(t-1)}\delta_{kn}^{(t)} \\ \vdots & \vdots & \ddots & \vdots \\ \sum_{t=1}^{\tau}\sum_{k=1}^{h} y_{kn}^{(t-1)}\delta_{k1}^{(t)} & \sum_{t=1}^{\tau}\sum_{k=1}^{h} y_{kn}^{(t-1)}\delta_{k2}^{(t)} & \cdots & \sum_{t=1}^{\tau}\sum_{k=1}^{h} y_{kn}^{(t-1)}\delta_{kn}^{(t)} \end{pmatrix}
\end{aligned}
$$

行列の各要素は、バッチ内と時間とで総和をとったものになっていることが確認できます。**式04-06**がバッチ対応されていますね。

次に、バイアスの勾配です。これは、δをバッチ内と時間で総和をとることにより求めることができます。

$$
\frac{\partial E}{\partial B} = \begin{pmatrix} \sum_{t=1}^{\tau}\sum_{k=1}^{h} \delta_{k1}^{(t)} & \sum_{t=1}^{\tau}\sum_{k=1}^{h} \delta_{k2}^{(t)} & \cdots & \sum_{t=1}^{\tau}\sum_{k=1}^{h} \delta_{kn}^{(t)} \\ \vdots & \vdots & \ddots & \vdots \\ \sum_{t=1}^{\tau}\sum_{k=1}^{h} \delta_{k1}^{(t)} & \sum_{t=1}^{\tau}\sum_{k=1}^{h} \delta_{k2}^{(t)} & \cdots & \sum_{t=1}^{\tau}\sum_{k=1}^{h} \delta_{kn}^{(t)} \end{pmatrix}
$$

バイアスの勾配は、行がすべて同じ行列になります。

次に、入力の勾配の行列ですが、**式04-08**を各入力、サンプルごとに並べることで表されます。これは、$\delta^{(t)}$の行列$\Delta^{(t)}$と、転置したWの行列積で1度に求めることができます。

$$
\begin{aligned}
\frac{\partial E}{\partial X^{(t)}} &= \Delta^{(t)} W^{\mathrm{T}} \\
&= \begin{pmatrix} \delta_{11}^{(t)} & \delta_{12}^{(t)} & \cdots & \delta_{1n}^{(t)} \\ \delta_{21}^{(t)} & \delta_{22}^{(t)} & \cdots & \delta_{2n}^{(t)} \\ \vdots & \vdots & \ddots & \vdots \\ \delta_{h1}^{(t)} & \delta_{h2}^{(t)} & \cdots & \delta_{hn}^{(t)} \end{pmatrix} \begin{pmatrix} w_{11} & w_{21} & \cdots & w_{m1} \\ w_{12} & w_{22} & \cdots & w_{m2} \\ \vdots & \vdots & \ddots & \vdots \\ w_{1n} & w_{2n} & \cdots & w_{mn} \end{pmatrix} \\
&= \begin{pmatrix} \sum_{k=1}^{n} w_{1k}\delta_{1k}^{(t)} & \sum_{k=1}^{n} w_{2k}\delta_{1k}^{(t)} & \cdots & \sum_{k=1}^{n} w_{mk}\delta_{1k}^{(t)} \\ \sum_{k=1}^{n} w_{1k}\delta_{2k}^{(t)} & \sum_{k=1}^{n} w_{2k}\delta_{2k}^{(t)} & \cdots & \sum_{k=1}^{n} w_{mk}\delta_{2k}^{(t)} \\ \vdots & \vdots & \ddots & \vdots \\ \sum_{k=1}^{n} w_{1k}\delta_{hk}^{(t)} & \sum_{k=1}^{n} w_{2k}\delta_{hk}^{(t)} & \cdots & \sum_{k=1}^{n} w_{mk}\delta_{hk}^{(t)} \end{pmatrix}
\end{aligned}
$$

最後に前の時刻における出力の勾配ですが、**式04-09**を各入力、サンプルごとに並べることで表されます。これは、$\delta^{(t)}$の行列$\Delta^{(t)}$と、転置したVの行列積で1度に求めることができます。

$$
\begin{aligned}
\frac{\partial E}{\partial Y^{(t-1)}} &= \Delta^{(t)} V^{\mathrm{T}} \\
&= \begin{pmatrix} \delta_{11}^{(t)} & \delta_{12}^{(t)} & \cdots & \delta_{1n}^{(t)} \\ \delta_{21}^{(t)} & \delta_{22}^{(t)} & \cdots & \delta_{2n}^{(t)} \\ \vdots & \vdots & \ddots & \vdots \\ \delta_{h1}^{(t)} & \delta_{h2}^{(t)} & \cdots & \delta_{hn}^{(t)} \end{pmatrix} \begin{pmatrix} v_{11} & v_{21} & \cdots & v_{n1} \\ v_{12} & v_{22} & \cdots & v_{n2} \\ \vdots & \vdots & \ddots & \vdots \\ v_{1n} & v_{2n} & \cdots & v_{nn} \end{pmatrix} \\
&= \begin{pmatrix} \sum_{k=1}^{n} v_{1k}\delta_{1k}^{(t)} & \sum_{k=1}^{n} v_{2k}\delta_{1k}^{(t)} & \cdots & \sum_{k=1}^{n} v_{nk}\delta_{1k}^{(t)} \\ \sum_{k=1}^{n} v_{1k}\delta_{2k}^{(t)} & \sum_{k=1}^{n} v_{2k}\delta_{2k}^{(t)} & \cdots & \sum_{k=1}^{n} v_{nk}\delta_{2k}^{(t)} \\ \vdots & \vdots & \ddots & \vdots \\ \sum_{k=1}^{n} v_{1k}\delta_{hk}^{(t)} & \sum_{k=1}^{n} v_{2k}\delta_{hk}^{(t)} & \cdots & \sum_{k=1}^{n} v_{nk}\delta_{hk}^{(t)} \end{pmatrix}
\end{aligned}
$$

各勾配を計算する式を、行列で表すことができました。

4.3.3 逆伝播をコードで実装

以下に、各勾配の行列表記を並べます。

$$\frac{\partial E}{\partial W} = \sum_{t=1}^{\tau} X^{(t)\mathrm{T}} \Delta^{(t)}$$
$$\frac{\partial E}{\partial V} = \sum_{t=1}^{\tau} Y^{(t-1)\mathrm{T}} \Delta^{(t)}$$
$$\frac{\partial E}{\partial B} = \dots$$
$$\frac{\partial E}{\partial X^{(t)}} = \Delta^{(t)} W^{\mathrm{T}}$$
$$\frac{\partial E}{\partial Y^{(t-1)}} = \Delta^{(t)} V^{\mathrm{T}}$$

$\frac{\partial E}{\partial B}$の右辺は、先ほど表記した通りです。これらは、NumPyのdot関数やsum関数を使って、次のようにコードとして実装できます。

```
# x:入力 w:重み y_prev:前の時刻の出力 v:重み delta:δの行列
grad_w += np.dot(x.T, delta)          # wの勾配
grad_v += np.dot(y_prev.T, delta)     # vの勾配
grad_b += np.sum(delta, axis=0)       # bの勾配

grad_x = np.dot(delta, w.T)           # xの勾配
grad_y_prev = np.dot(delta, v.T)      # y_prevの勾配
```

W、V、Bの勾配は時間で総和をとるので、累積させるために+=演算子を使っています。$X^{(t)}$と$Y^{(t-1)}$の勾配に関しては、時間で総和をとる必要はないので=演算子を使っています。

逆伝播に必要な数式を、コードに落とし込むことができました。

4.4 RNN層の実装

全結合層と同様に、RNN層もPythonのクラスとして実装します。

4.4.1 RNN層のクラス

以下は、クラスとして実装されたシンプルなRNN層です。

SimpleRNNLayerクラス

```
# -- RNN層 --
class SimpleRNNLayer:
    def __init__(self, n_upper, n):
        # パラメータの初期値
        self.w = np.random.randn(n_upper, n) / np.sqrt(n_upper)
        self.v = np.random.randn(n, n) / np.sqrt(n)
        self.b = np.zeros(n)

    def forward(self, x, y_prev):  # y_prev: 前の時刻の出力
        u = np.dot(x, self.w) + np.dot(y_prev, self.v) + self.b
        self.y = np.tanh(u)  # 出力

    def backward(self, x, y, y_prev, grad_y):
        delta = grad_y * (1 - y**2)

        # 各勾配
        self.grad_w += np.dot(x.T, delta)
        self.grad_v += np.dot(y_prev.T, delta)
        self.grad_b += np.sum(delta, axis=0)

        self.grad_x = np.dot(delta, self.w.T)
        self.grad_y_prev = np.dot(delta, self.v.T)

    def reset_sum_grad(self):
        self.grad_w = np.zeros_like(self.w)
        self.grad_v = np.zeros_like(self.v)
        self.grad_b = np.zeros_like(self.b)

    def update(self, eta):
        self.w -= eta * self.grad_w
        self.v -= eta * self.grad_v
        self.b -= eta * self.grad_b
```

初期化のための__init__メソッドの他に、順伝播のforwardメソッド、逆伝播のbackwardメソッド、累積された勾配を0にリセットするreset_sum_gradメソッド、パ

ラメータを更新するupdateメソッドが実装されています。

__init__メソッドでは各重みをXavierの初期値で、バイアスを0で初期化しています。

forwardメソッドはこの時刻におけるxとy_prevを引数として受け取りますが、その内部の処理は、本章の順伝播の節で解説した通りです。このメソッドは時系列の数だけ繰り返しますが、yの値は同時刻のbackwardで利用するので外部に保持しておきます。

backwardメソッドは、x、yなどのこの時刻における各値を引数として受け取ります。そして、まずdeltaを求めますが、これは前節で扱った以下の式に基づいています。

$$\begin{aligned}\delta^{(t)} &= \frac{\partial E}{\partial u^{(t)}} \\ &= \frac{\partial E}{\partial y^{(t)}}\frac{\partial y^{(t)}}{\partial u^{(t)}}\end{aligned}$$

ここで$\frac{\partial E}{\partial y^{(t)}}$はコードのgrad_yに対応します。そして、$\frac{\partial y^{(t)}}{\partial u^{(t)}}$は活性化関数であるtanhを偏微分して求めますが、tanhの導関数は以下の通りです。

$$\frac{dy}{du} = (1 - y^2)$$

従って、$\frac{\partial y^{(t)}}{\partial u^{(t)}}$は(1 - y**2)で求めることができて、deltaは次のようになります。

```
delta = grad_y * (1 - y**2)
```

このdeltaを計算したうえで、これを使って各勾配を計算します。

backwardメソッドも時系列の数だけ繰り返すのですが、self.grad_w、self.grad_vとself.grad_bはその間累積します。そのため、逆伝播を開始する前にreset_sum_gradメソッドで累積した勾配をすべて0にリセットする必要があります。

4.5 シンプルなRNNの実装

RNN層を使って、ネットワークを構築します。そして、RNNにノイズ付きのサインカーブを学習させて、時系列データの予測ができることを確認します。コード全体を紹介する前に、訓練用のデータ、およびコードの重要な箇所を解説します。

4.5.1 訓練用データの作成

まずは、サインカーブに乱数でノイズを加えて、RNNに用いる訓練用のデータを作成します。

ノイズ付きのサインカーブを表示する

```
import numpy as np
import matplotlib.pyplot as plt

sin_x = np.linspace(-2*np.pi, 2*np.pi)  # -2πから2πまで
# sin関数に乱数でノイズを加える
sin_y = np.sin(sin_x)  + 0.1*np.random.randn(len(sin_x))
plt.plot(sin_x, sin_y)
plt.show()
```

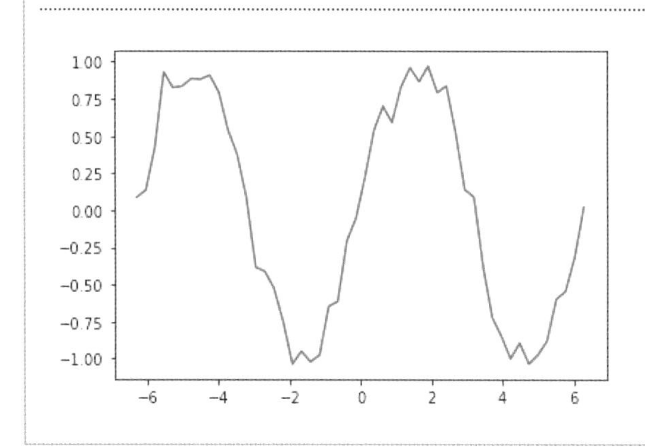

sin_yの一部を切り取って入力の時系列とし、次の値を予測するようにRNNを訓練します。

サインカーブ自体は単純な時系列データですが、これはたとえば空気の振動である「音」を表していると考えることもできます。上記では雑音のないきれいな音にノイズを加えていますが、このようなサインカーブをニューラルネットワークで学習することができれば、たとえば音声認識などに応用することも可能です。また、ノイズが混ざったサインカーブから真のサインカーブを抽出できれば、ノイズの除去が可能です。

このように、今回扱う対象はシンプルですが、現実社会で広く応用が可能することができます。

4.5.2 データの前処理

入力、正解データをRNNに適した形に整えます。時系列から次の値を予測できるように、時系列を入力として、正解はその1つ後の値とします。

データの整形

```
n_sample = len(sin_x)-n_time                    # サンプル数
input_data = np.zeros((n_sample, n_time, n_in))  # 入力
correct_data = np.zeros((n_sample, n_out))       # 正解
for i in range(0, n_sample):
    input_data[i] = sin_y[i:i+n_time].reshape(-1, 1)
    # 正解は入力よりも1つ後
    correct_data[i] = sin_y[i+n_time:i+n_time+1]
```

上記のデータで、n_timeは時系列の数です。

4.5.3 訓練

各層を初期化し、RNNのモデルを訓練します。RNNで逆伝播を行う際は、その前の順伝播時に出力などの時系列データをあらかじめ保持しておく必要があるので、メモリの節約のために訓練と予測は別の関数に分けます。

以下は訓練用のtrain関数ですが、for文によるループによりRNN層の順伝播と逆伝播が時系列の数だけ繰り返されています。時間を遡るので、逆伝播のループは順伝播と逆向きになります。

train関数

```
# -- 各層の初期化 --
rnn_layer = SimpleRNNLayer(n_in, n_mid)
output_layer = OutputLayer(n_mid, n_out)

# -- 訓練 --
def train(x_mb, t_mb):
```

```
    # 順伝播 RNN層
    y_rnn = np.zeros((len(x_mb), n_time+1, n_mid))
    y_prev = y_rnn[:, 0, :]
    for i in range(n_time):
        x = x_mb[:, i, :]
        rnn_layer.forward(x, y_prev)
        y = rnn_layer.y
        y_rnn[:, i+1, :] = y
        y_prev = y

    # 順伝播 出力層
    output_layer.forward(y)

    # 逆伝播 出力層
    output_layer.backward(t_mb)
    grad_y = output_layer.grad_x

    # 逆伝播 RNN層
    rnn_layer.reset_sum_grad()
    for i in reversed(range(n_time)):
        x = x_mb[:, i, :]
        y = y_rnn[:, i+1, :]
        y_prev = y_rnn[:, i, :]
        rnn_layer.backward(x, y, y_prev, grad_y)
        grad_y = rnn_layer.grad_y_prev

    # パラメータの更新
    rnn_layer.update(eta)
    output_layer.update(eta)
```

順伝播では次の時刻に出力yを、逆伝播では前の時刻に出力の勾配grad_yを渡しています。

また、順伝播時に、RNN層の出力yをy_rnnに時系列順に保持しておきます。そして、逆伝播時に、同時刻のyおよび1つ前の時刻のy_prevをbackwardメソッドに渡します。このように、RNN層では逆伝播の際にその時刻周辺の各値が必要になります。

4.5.4 予測

以下は予測に特化したpredict関数です。train関数と同じく内部に順伝播を実装していますが、出力の値を保持する必要がないので軽量になっています。

predict関数

```
def predict(x_mb):
    # 順伝播 RNN層
    y_prev = np.zeros((len(x_mb), n_mid))
    for i in range(n_time):
        x = x_mb[:, i, :]
        rnn_layer.forward(x, y_prev)
        y = rnn_layer.y
        y_prev = y

    # 順伝播 出力層
    output_layer.forward(y)
    return output_layer.y
```

このpredict関数は、誤差の計測やサインカーブの次の値の予測に使用します。

4.5.5 曲線の生成

学習済みのモデルを使って曲線を生成します。以下のコードではpredictedに予測結果を次々と追加しますが、入力の時系列データには直近の予測結果を使います。いわば、RNNによる未来予測になります。

曲線の描画

```
predicted = input_data[0].reshape(-1).tolist() # 最初の入力
for i in range(n_sample):
    # 入力は直近の時系列
    x = np.array(predicted[-n_time:]).reshape(1, n_time, 1)
    y = predict(x)
    predicted.append(float(y[0, 0]))  # 出力をpredictedに追加する

plt.plot(range(len(sin_y)), sin_y.tolist(), label="Correct")
plt.plot(range(len(predicted)), predicted, label="Predicted")
plt.legend()
plt.show()
```

predictedにはあらかじめinput_dataの最初のデータを入れておきますが、matplotlibの都合のためtolistメソッドによりリストに変換しておきます。reshape(-1)は配列を1次元に変換するために使われます。

predicted関数への入力は、バッチと時系列に対応した3次元配列である必要があるので、reshape(1, n_time, 1)により形状を整えます。

サインカーブを予測するようにモデルを訓練するので、学習が順調に進んでいればサインカーブが描かれるはずです。

4.5.6 全体のコード

以下は全体のコードです。訓練用データの用意、各層のクラス、訓練や予測のための関数、ミニバッチ法、経過の表示が順次実装されています。

学習中、一定のエポック間隔ごとに誤差の表示と曲線の生成が行われます。

全体コードと実行結果

```
import numpy as np
# import cupy as np  # GPUの場合
import matplotlib.pyplot as plt

# -- 各設定値 --
n_time = 10     # 時系列の数
n_in = 1        # 入力層のニューロン数
n_mid = 20      # 中間層のニューロン数
n_out = 1       # 出力層のニューロン数

eta = 0.001     # 学習係数
epochs = 51
batch_size = 8
interval = 5    # 経過の表示間隔

# -- 訓練データの作成 --
sin_x = np.linspace(-2*np.pi, 2*np.pi)  # -2πから2πまで
# sin関数に乱数でノイズを加える
sin_y = np.sin(sin_x)  + 0.1*np.random.randn(len(sin_x))

n_sample = len(sin_x)-n_time  # サンプル数
input_data = np.zeros((n_sample, n_time, n_in))  # 入力
correct_data = np.zeros((n_sample, n_out))       # 正解
for i in range(0, n_sample):
```

```
    input_data[i] = sin_y[i:i+n_time].reshape(-1, 1)
    # 正解は入力よりも1つ後
    correct_data[i] = sin_y[i+n_time:i+n_time+1]

# -- RNN層 --
class SimpleRNNLayer:
    def __init__(self, n_upper, n):
        # パラメータの初期値
        # Xavierの初期値
        self.w = np.random.randn(n_upper, n) / np.sqrt(n_upper)
        # Xavierの初期値
        self.v = np.random.randn(n, n) / np.sqrt(n)
        self.b = np.zeros(n)

    def forward(self, x, y_prev):  # y_prev: 前の時刻の出力
        u = np.dot(x, self.w) + np.dot(y_prev, self.v) + self.b
        self.y = np.tanh(u)         # 出力

    def backward(self, x, y, y_prev, grad_y):
        delta = grad_y * (1 - y**2)

        # 各勾配
        self.grad_w += np.dot(x.T, delta)
        self.grad_v += np.dot(y_prev.T, delta)
        self.grad_b += np.sum(delta, axis=0)

        self.grad_x = np.dot(delta, self.w.T)
        self.grad_y_prev = np.dot(delta, self.v.T)

    def reset_sum_grad(self):
        self.grad_w = np.zeros_like(self.w)
        self.grad_v = np.zeros_like(self.v)
        self.grad_b = np.zeros_like(self.b)

    def update(self, eta):
        self.w -= eta * self.grad_w
        self.v -= eta * self.grad_v
        self.b -= eta * self.grad_b

# -- 全結合 出力層 --
class OutputLayer:
    def __init__(self, n_upper, n):
        # Xavierの初期値
```

```
        self.w = np.random.randn(n_upper, n) / np.sqrt(n_upper)
        self.b = np.zeros(n)

    def forward(self, x):
        self.x = x
        u = np.dot(x, self.w) + self.b
        self.y = u  # 恒等関数

    def backward(self, t):
        delta = self.y - t

        self.grad_w = np.dot(self.x.T, delta)
        self.grad_b = np.sum(delta, axis=0)
        self.grad_x = np.dot(delta, self.w.T)

    def update(self, eta):
        self.w -= eta * self.grad_w
        self.b -= eta * self.grad_b

# -- 各層の初期化 --
rnn_layer = SimpleRNNLayer(n_in, n_mid)
output_layer = OutputLayer(n_mid, n_out)

# -- 訓練 --
def train(x_mb, t_mb):
    # 順伝播 RNN層
    y_rnn = np.zeros((len(x_mb), n_time+1, n_mid))
    y_prev = y_rnn[:, 0, :]
    for i in range(n_time):
        x = x_mb[:, i, :]
        rnn_layer.forward(x, y_prev)
        y = rnn_layer.y
        y_rnn[:, i+1, :] = y
        y_prev = y

    # 順伝播 出力層
    output_layer.forward(y)

    # 逆伝播 出力層
    output_layer.backward(t_mb)
    grad_y = output_layer.grad_x

    # 逆伝播 RNN層
```

```
        rnn_layer.reset_sum_grad()
        for i in reversed(range(n_time)):
            x = x_mb[:, i, :]
            y = y_rnn[:, i+1, :]
            y_prev = y_rnn[:, i, :]
            rnn_layer.backward(x, y, y_prev, grad_y)
            grad_y = rnn_layer.grad_y_prev

        # パラメータの更新
        rnn_layer.update(eta)
        output_layer.update(eta)

# -- 予測 --
def predict(x_mb):
    # 順伝播 RNN層
    y_prev = np.zeros((len(x_mb), n_mid))
    for i in range(n_time):
        x = x_mb[:, i, :]
        rnn_layer.forward(x, y_prev)
        y = rnn_layer.y
        y_prev = y

    # 順伝播 出力層
    output_layer.forward(y)
    return output_layer.y

# -- 誤差を計算 --
def get_error(x, t):
    y = predict(x)
    return 1.0/2.0*np.sum(np.square(y - t))  # 二乗和誤差

error_record = []
n_batch = len(input_data) // batch_size  # 1エポックあたりのバッチ数
for i in range(epochs):

    # -- 学習 --
    index_random = np.arange(len(input_data))
    np.random.shuffle(index_random)  # インデックスをシャッフルする
    for j in range(n_batch):

        # ミニバッチを取り出し訓練
        mb_index = index_random[j*batch_size : (j+1)*batch_size]
        x_mb = input_data[mb_index, :]
```

```
        t_mb = correct_data[mb_index, :]
        train(x_mb, t_mb)

    # -- 誤差を求める --
    error = get_error(input_data, correct_data)
    error_record.append(error)

    # -- 経過の表示 --
    if i%interval == 0:
        print("Epoch:"+str(i+1)+"/"+str(epochs),
              "Error:"+str(error))

        predicted = input_data[0].reshape(-1).tolist() # 最初の入力
        for i in range(n_sample):
            x = np.array(predicted[-n_time:]).reshape(1,
                    n_time, 1)
            y = predict(x)
            # 出力をpredictedに追加する
            predicted.append(float(y[0, 0]))

        plt.plot(range(len(sin_y)), sin_y.tolist(),
                 label="Correct")
        plt.plot(range(len(predicted)), predicted,
                 label="Predicted")
        plt.legend()
        plt.show()

plt.plot(range(1, len(error_record)+1), error_record)
plt.xlabel("Epochs")
plt.ylabel("Error")
plt.show()
```

```
Epoch:1/51 Error:14.814158258376683
```

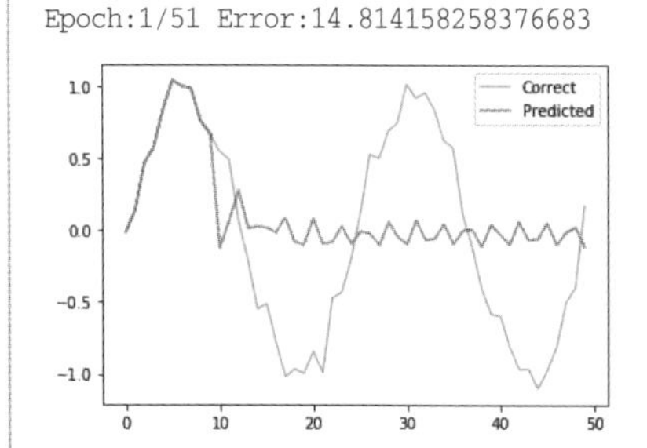


```
Epoch:6/51 Error:2.0758550131387743
```

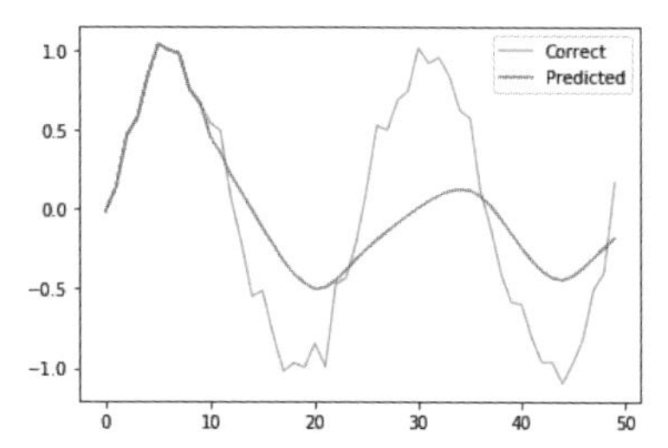

Epoch:11/51 Error:0.8591938014707227

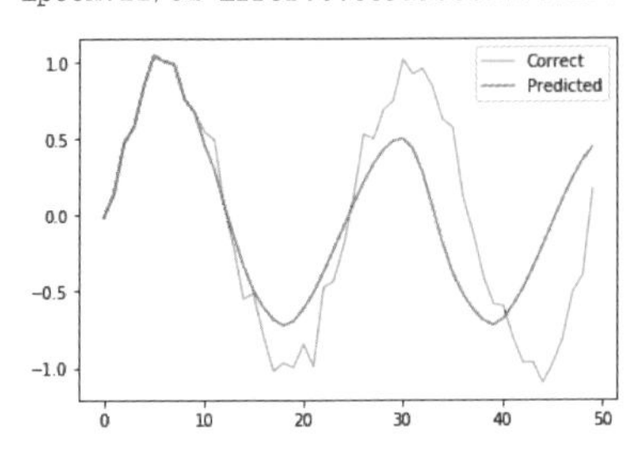

Epoch:16/51 Error:0.4930132957066291

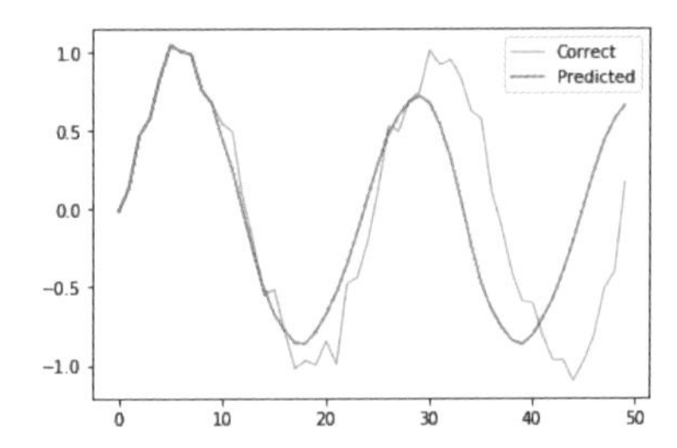

Epoch:21/51 Error:0.3772657862526574

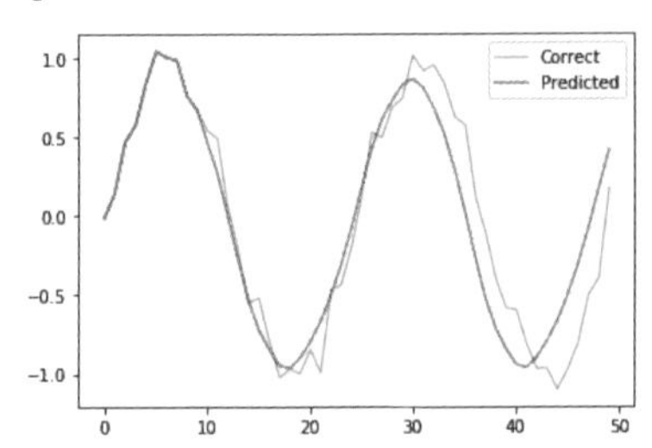

Epoch:26/51 Error:0.3359213605395774

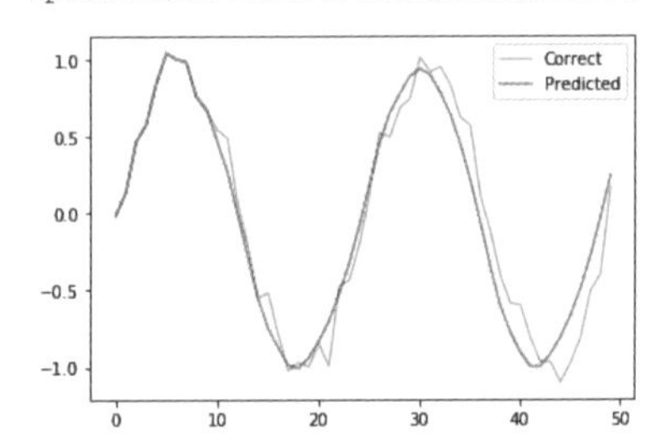

Epoch:31/51 Error:0.3166241913667853

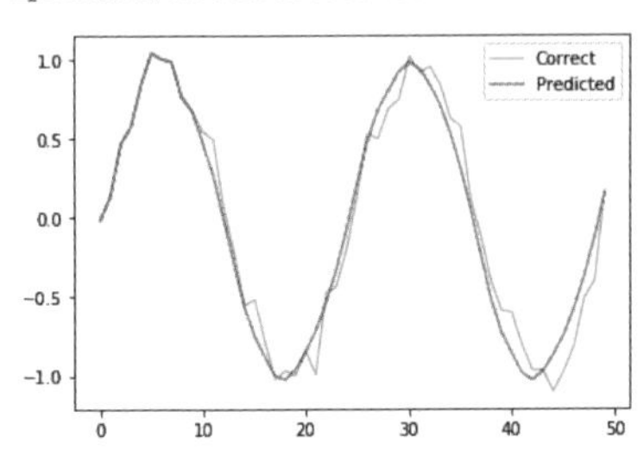

Epoch:36/51 Error:0.30547564083725187

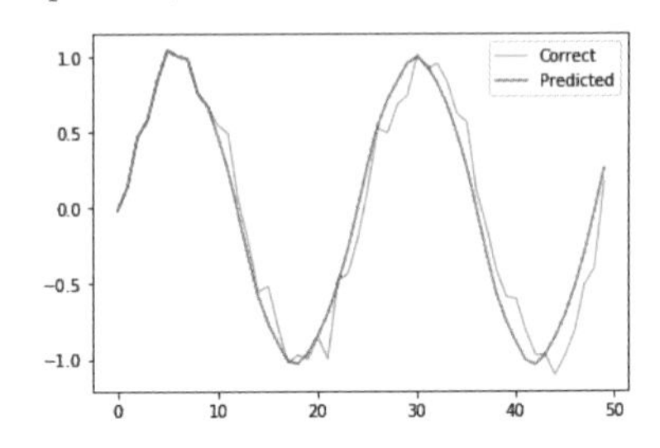

Epoch:41/51 Error:0.29392734732084147

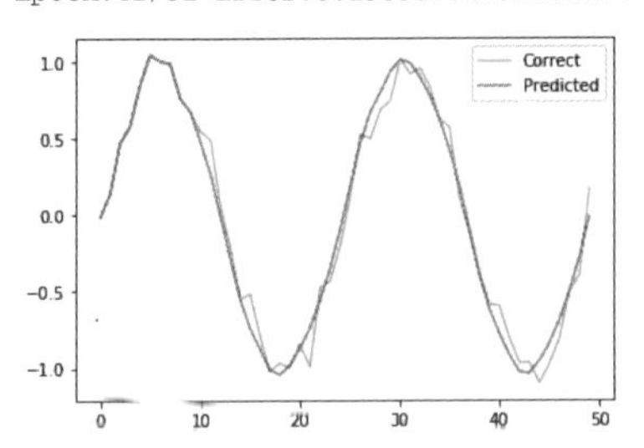

Epoch:46/51 Error:0.2854492534302304

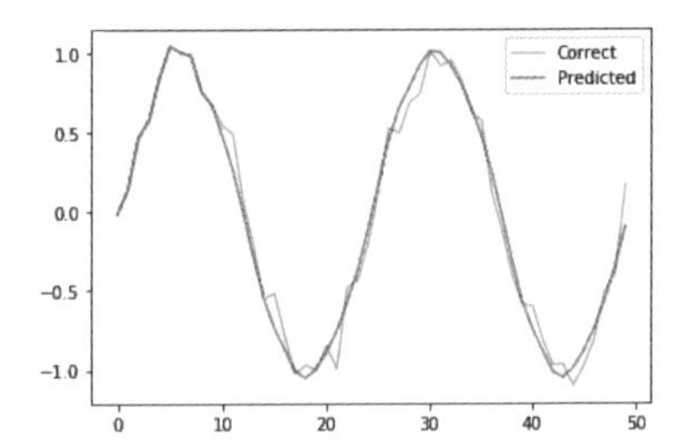

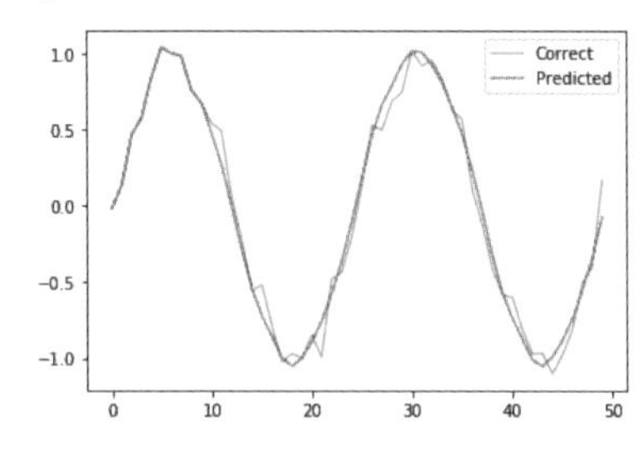

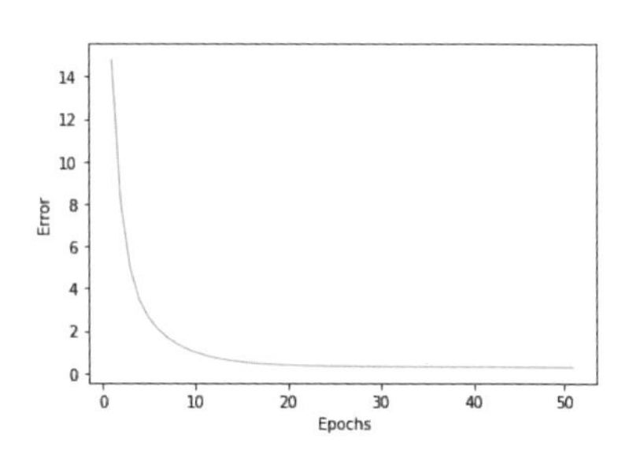

RNNによる予測により生成された曲線は、エポックを重ねるごとに訓練データに近いサインカーブを描くようになりました。また、その間誤差がなめらかに減少することも確認できました。

以上のように、RNNはある意味未来予測に利用することができるのですが、次の章ではこれを応用して文章の生成などを行います。

4.6 2進数の足し算を学習

RNNが機能することを、もう1つのシンプルな例で確認しましょう。2進数同士の足し算を計算できるように、RNNを訓練します。

4.6.1 2進数の足し算

2進数では、数を0か1のどちらかで表します。たとえば我々が普段用いる10進数の「5」は、$5 = 1 \times 2^2 + 0 \times 2^1 + 1 \times 2^0$なので2進数では次のように表されます。

$$101$$

同様に10進数の「36」は、$36 = 1 \times 2^5 + 0 \times 2^4 + 0 \times 2^3 + 1 \times 2^2 + 0 \times 2^1 + 0 \times 2^0$なので、2進数では次のように表されます。

$$100100$$

以下に、2進数の足し算の例を示します。比較のために10進数の足し算を並べます。

2進数 : 10進数

00100111 : 39

+

00001100 : 12

=

00110011 : 51

2進数同士の足し算では、10進数の足し算と同様に「繰り上がり」があるため、ある桁の計算結果は1つ上の桁の計算結果に影響をおよぼします。これを、ある時刻の計算結果は前の時刻の計算結果から影響を受ける、と捉えれば、RNNで扱える対象になります。

前節では最後の時刻の出力のみを使いましたが、今回はすべての時刻の出力を使います。各時刻の出力はそのまま各桁の計算結果になります。そして、正解も時刻ごとに用意します。

今回は2進数を2つ用意し、小さい桁からペアにしていって時系列とし、RNNの入力とします。正解は別途計算した足し算の結果です。このような例を以下に示します。

時刻 : 入力 : 正解

t=0 : [1 0] : [1]

t=1 : [1 0] : [1]

t=2 : [1 1] : [0]

t=3 : [0 1] : [0]

t=4 : [0 0] : [1]

t=5 : [1 0] : [1]

t=6 : [0 0] : [0]

t=7 : [0 0] : [0]

このようなデータを使って訓練を繰り返すことにより、RNNが正しく和を計算できるようになることを確認します。

4.6.2 2進数の用意

以下のコードにより10進数を2進数に変換し、配列binariesに格納します。こうすることで、いつでも簡単に10進数を2進数に変換できるようになります。n_timeは時系列の数ですが、今回は2進数の桁数と等しくなります。

2進数の作成

```
max_num = 2**n_time  # 10進数の上限
# 2進数を格納する配列
binaries = np.zeros((max_num, n_time), dtype=int)
for i in range(max_num):
    num10 = i          # 10進数の数
    for j in range(n_time):
        pow2 = 2 ** (n_time-1-j)  # 2の累乗
        binaries[i, j] = num10 // pow2
        num10 %= pow2
```

10進数を2の累乗で割った値が、2進数におけるその桁の値になります。そして余った値をさらに2の累乗で割ることを繰り返し、2進数への変換が行われます。

以下のコードで、2進数がbinariesに配列の形で格納されていることが確認できます。

作成された2進数

```
print(binaries)
```

```
[[0 0 0 ... 0 0 0]
 [0 0 0 ... 0 0 1]
 [0 0 0 ... 0 1 0]
 ...
 [1 1 1 ... 1 0 1]
 [1 1 1 ... 1 1 0]
 [1 1 1 ... 1 1 1]]
```

4.6.3 出力層

今回はすべての時刻で出力層を使うので、時系列に対応した出力層にする必要があります。以下のクラスRNNOutputLayerでは、backwardメソッドが外部からこの時刻におけるx、y、tを受け取ります。また、backwardメソッドにおいて重みの勾配grad_wとバイアスの勾配grad_bは累積するようになっています。

出力層（RNNOutputLayerクラス）

```
# -- 全結合 出力層 --
class RNNOutputLayer:
    def __init__(self, n_upper, n):
        self.w = np.random.randn(n_upper, n) / \
                 np.sqrt(n_upper)  # Xavierの初期値
        self.b = np.zeros(n)

    def forward(self, x):
        self.x = x
        u = np.dot(x, self.w) + self.b
        self.y = 1/(1+np.exp(-u))  # シグモイド関数

    def backward(self, x, y, t):
        delta = (y-t) * y * (1-y)

        self.grad_w += np.dot(x.T, delta)
        self.grad_b += np.sum(delta, axis=0)
        self.grad_x = np.dot(delta, self.w.T)

    def reset_sum_grad(self):
        self.grad_w = np.zeros_like(self.w)
        self.grad_b = np.zeros_like(self.b)

    def update(self, eta):
        self.w -= eta * self.grad_w
        self.b -= eta * self.grad_b
```

活性化関数には、この桁の値を0から1の範囲で予測するのでシグモイド関数を、誤差関数には二乗和誤差を使います。また、入力の勾配grad_xは、上の層であるRNN層に伝播します。

4.6.4 訓練

各層を初期化し、RNNのモデルを訓練します。以下は訓練用のtrain関数ですが、for文によるループによりRNN層の順伝播と逆伝播が時系列の数だけ繰り返されています。前節との違いは、ループの中にRNN層の処理と出力層の処理が共に入っている点です。

訓練用の関数

```
# -- 各層の初期化 --
rnn_layer = SimpleRNNLayer(n_in, n_mid)
output_layer = RNNOutputLayer(n_mid, n_out)

# -- 訓練 --
def train(x_mb, t_mb):
    # 各出力を格納する配列
    y_rnn = np.zeros((len(x_mb), n_time+1, n_mid))
    y_out = np.zeros((len(x_mb), n_time, n_out))

    # 順伝播
    y_prev = y_rnn[:, 0, :]
    for i in range(n_time):
        # RNN層
        x = x_mb[:, i, :]
        rnn_layer.forward(x, y_prev)
        y = rnn_layer.y
        y_rnn[:, i+1, :] = y
        y_prev = y

        # 出力層
        output_layer.forward(y)
        y_out[:, i, :] = output_layer.y

    # 逆伝播
    output_layer.reset_sum_grad()
    rnn_layer.reset_sum_grad()
    grad_y = 0
    for i in reversed(range(n_time)):
        # 出力層
        x = y_rnn[:, i+1, :]
        y = y_out[:, i, :]
```

```
            t = t_mb[:, i, :]
            output_layer.backward(x, y, t)
            grad_x_out = output_layer.grad_x
            # RNN層
            x = x_mb[:, i, :]
            y = y_rnn[:, i+1, :]
            y_prev = y_rnn[:, i, :]
            rnn_layer.backward(x, y, y_prev, grad_y+grad_x_out)
            grad_y = rnn_layer.grad_y_prev

        # パラメータの更新
        rnn_layer.update(eta)
        output_layer.update(eta)

        return y_out
```

RNN層の逆伝播では、backwardメソッドにgrad_y+grad_x_outを渡します。これは、次の時刻のRNN層に伝播した出力の勾配と、下の層に伝播した出力の勾配の和です。2つの経路から遡ってきた出力の勾配を、ここで足し合わせることになります。

4.6.5 全体のコード

以下は全体のコードです。訓練用データの用意、各層のクラス、訓練のための関数、学習と経過の表示が順次実装されています。今回は、実装を簡単にするためにバッチごとの学習ではなくサンプルごとの学習としています。ランダムに2つの2進数を選び出して入力とし、その和を正解としてRNNを訓練します。

学習中、一定間隔ごとに誤差と計算結果が表示されます。

学習中のRNNによる2進数の和の計算

```
import numpy as np
# import cupy as np  # GPUの場合
import matplotlib.pyplot as plt

# -- 各設定値 --
n_time = 8  # 時系列の数(2進数の桁数)
n_in = 2    # 入力層のニューロン数
n_mid = 32  # 中間層のニューロン数
```

```
n_out = 1   # 出力層のニューロン数

eta = 0.01       # 学習係数
n_learn = 5001  # 学習回数
interval = 500  # 経過の表示間隔

# -- 2進数を作成 --
max_num = 2**n_time  # 10進数の上限
# 2進数を格納する配列
binaries = np.zeros((max_num, n_time), dtype=int)
for i in range(max_num):
    num10 = i  # 10進数の数
    for j in range(n_time):
        pow2 = 2 ** (n_time-1-j)  # 2の累乗
        binaries[i, j] = num10 // pow2
        num10 %= pow2
# print(binaries)

# -- RNN層 --
class SimpleRNNLayer:
    def __init__(self, n_upper, n):
        # パラメータの初期値
        self.w = np.random.randn(n_upper, n) / 
                 np.sqrt(n_upper)  # Xavierの初期値
        self.v = np.random.randn(n, n) / np.sqrt(n)  # Xavierの初期値
        self.b = np.zeros(n)

    def forward(self, x, y_prev):  # y_prev: 前の時刻の出力
        u = np.dot(x, self.w) + np.dot(y_prev, self.v) + self.b
        self.y = np.tanh(u)  # 出力

    def backward(self, x, y, y_prev, grad_y):
        delta = grad_y * (1 - y**2)

        # 各勾配
        self.grad_w += np.dot(x.T, delta)
        self.grad_v += np.dot(y_prev.T, delta)
        self.grad_b += np.sum(delta, axis=0)

        self.grad_x = np.dot(delta, self.w.T)
        self.grad_y_prev = np.dot(delta, self.v.T)
```

```
    def reset_sum_grad(self):
        self.grad_w = np.zeros_like(self.w)
        self.grad_v = np.zeros_like(self.v)
        self.grad_b = np.zeros_like(self.b)

    def update(self, eta):
        self.w -= eta * self.grad_w
        self.v -= eta * self.grad_v
        self.b -= eta * self.grad_b

# -- 全結合 出力層 --
class RNNOutputLayer:
    def __init__(self, n_upper, n):
        self.w = np.random.randn(n_upper, n) / \
                 np.sqrt(n_upper)  # Xavierの初期値
        self.b = np.zeros(n)

    def forward(self, x):
        self.x = x
        u = np.dot(x, self.w) + self.b
        self.y = 1/(1+np.exp(-u))  # シグモイド関数

    def backward(self, x, y, t):
        delta = (y-t) * y * (1-y)

        self.grad_w += np.dot(x.T, delta)
        self.grad_b += np.sum(delta, axis=0)
        self.grad_x = np.dot(delta, self.w.T)

    def reset_sum_grad(self):
        self.grad_w = np.zeros_like(self.w)
        self.grad_b = np.zeros_like(self.b)

    def update(self, eta):
        self.w -= eta * self.grad_w
        self.b -= eta * self.grad_b

# -- 各層の初期化 --
rnn_layer = SimpleRNNLayer(n_in, n_mid)
output_layer = RNNOutputLayer(n_mid, n_out)

# -- 訓練 --
```

```
def train(x_mb, t_mb):
    # 各出力を格納する配列
    y_rnn = np.zeros((len(x_mb), n_time+1, n_mid))
    y_out = np.zeros((len(x_mb), n_time, n_out))

    # 順伝播
    y_prev = y_rnn[:, 0, :]
    for i in range(n_time):
        # RNN層
        x = x_mb[:, i, :]
        rnn_layer.forward(x, y_prev)
        y = rnn_layer.y
        y_rnn[:, i+1, :] = y
        y_prev = y

        # 出力層
        output_layer.forward(y)
        y_out[:, i, :] = output_layer.y

    # 逆伝播
    output_layer.reset_sum_grad()
    rnn_layer.reset_sum_grad()
    grad_y = 0
    for i in reversed(range(n_time)):
        # 出力層
        x = y_rnn[:, i+1, :]
        y = y_out[:, i, :]
        t = t_mb[:, i, :]
        output_layer.backward(x, y, t)
        grad_x_out = output_layer.grad_x

        # RNN層
        x = x_mb[:, i, :]
        y = y_rnn[:, i+1, :]
        y_prev = y_rnn[:, i, :]
        rnn_layer.backward(x, y, y_prev, grad_y+grad_x_out)
        grad_y = rnn_layer.grad_y_prev

    # パラメータの更新
    rnn_layer.update(eta)
    output_layer.update(eta)
```

```
    return y_out

# -- 誤差を計算 --
def get_error(y, t):
    return 1.0/2.0*np.sum(np.square(y - t))  # 二乗和誤差

for i in range(n_learn):
    # -- ランダムな10進数 --
    num1 = np.random.randint(max_num//2)
    num2 = np.random.randint(max_num//2)

    # -- 入力を用意 --
    x1= binaries[num1]
    x2= binaries[num2]
    x_in = np.zeros((1, n_time, n_in))
    x_in[0, :, 0] = x1
    x_in[0, :, 1] = x2
    x_in  = np.flip(x_in, axis=1)  # 桁が小さい方を古い時刻に

    # -- 正解を用意 --
    t = binaries[num1+num2]
    t_in = t.reshape(1, n_time, n_out)
    t_in = np.flip(t_in , axis=1)

    # -- 訓練 --
    y_out = train(x_in, t_in)
    y = np.flip(y_out, axis=1).reshape(-1)

    # -- 誤差を求める --
    error = get_error(y_out, t_in)

    # -- 経過の表示 --
    if i%interval == 0:
        y2 = np.where(y<0.5, 0, 1)    # 2進数の結果
        y10 = 0  # 10進数の結果
        for j in range(len(y)):
            pow2 = 2 ** (n_time-1-j)  # 2の累乗
            y10 += y2[j] * pow2

        print("n_learn:", i)
        print("error:", error)
        print("output :", y2)
```

```
    print("correct:", t)

    c = "\(^_^)/ : " if (y2 == t).all() else "orz : "
    print(c + str(num1) + " + " + str(num2) + " = " + str(y10))
    print("-- -- -- -- -- -- -- -- -- -- -- -- -- -- --")
```

```
n_learn: 0
error: 1.2416417574681637
output : [0 1 1 1 1 1 1 1]
correct: [1 0 0 0 1 1 0 0]
orz : 47 + 93 = 127
-- -- -- -- -- -- -- -- -- -- -- -- -- -- --
n_learn: 500
error: 0.9709590843072086
output : [1 1 0 0 0 1 1 0]
correct: [1 0 1 1 1 1 1 0]
orz : 120 + 70 = 198
-- -- -- -- -- -- -- -- -- -- -- -- -- -- --
n_learn: 1000
error: 0.8198208531327016
output : [0 1 1 1 1 0 1 0]
correct: [0 1 1 1 1 0 0 0]
orz : 41 + 79 = 122
-- -- -- -- -- -- -- -- -- -- -- -- -- -- --
n_learn: 1500
error: 0.8291888841558246
output : [1 0 0 0 0 1 0 1]
correct: [1 0 0 0 0 0 0 1]
orz : 39 + 90 = 133
-- -- -- -- -- -- -- -- -- -- -- -- -- -- --
n_learn: 2000
error: 0.5637099711586588
output : [0 0 0 1 1 0 1 0]
correct: [0 0 1 1 1 0 1 0]
orz : 17 + 41 = 26
-- -- -- -- -- -- -- -- -- -- -- -- -- -- --
n_learn: 2500
error: 0.25663921342502494
output : [1 0 0 1 0 1 0 0]
correct: [1 0 0 1 0 1 0 0]
\(^_^)/ : 26 + 122 = 148
-- -- -- -- -- -- -- -- -- -- -- -- -- -- --
```

```
n_learn: 3000
error: 0.16915948090412747
output : [1 1 0 1 1 0 1 1]
correct: [1 1 0 1 1 0 1 1]
\(^_^)/ : 111 + 108 = 219
-- -- -- -- -- -- -- -- -- -- -- -- -- -- --
n_learn: 3500
error: 0.05642000355367551
output : [1 1 0 0 1 1 1 0]
correct: [1 1 0 0 1 1 1 0]
\(^_^)/ : 87 + 119 = 206
-- -- -- -- -- -- -- -- -- -- -- -- -- -- --
n_learn: 4000
error: 0.058739770766792224
output : [1 0 1 0 0 0 1 1]
correct: [1 0 1 0 0 0 1 1]
\(^_^)/ : 57 + 106 = 163
-- -- -- -- -- -- -- -- -- -- -- -- -- -- --
n_learn: 4500
error: 0.03537878292733035
output : [0 1 0 1 1 1 0 0]
correct: [0 1 0 1 1 1 0 0]
\(^_^)/ : 18 + 74 = 92
-- -- -- -- -- -- -- -- -- -- -- -- -- -- --
n_learn: 5000
error: 0.04870671665372177
output : [1 0 0 0 0 1 0 1]
correct: [1 0 0 0 0 1 0 1]
\(^_^)/ : 91 + 42 = 133
-- -- -- -- -- -- -- -- -- -- -- -- -- -- --
```

学習が進んでいない段階では計算を間違いますが、学習が進むにつれてRNNは正しく2進数の和を計算できるようになります。また、それに伴い誤差は減少します。

2進数の和では、ある桁の計算結果を得るためには前の時刻の計算結果が必要です。従って、正しい計算結果が得られたことはRNNが正しく機能したことを意味します。

今回はRNNのすべての時刻の出力を使用しましたが、最後の時刻の出力しか使用しないRNNと状況に応じて使い分けることが可能です。

4.7 RNNが抱える問題

全結合層では層ごとに異なる重みを使用しますが、RNNではすべての時刻で同じ重みを共有します。逆伝播の際は、前の時刻の出力の勾配を求めるのにこの共有された重みの勾配を使うのですが、繰り返し同じ重みを使うため勾配が偏りやすくなります。

特に、勾配が0に近くなってしまい学習が進まなくなってしまう問題は**勾配消失**と呼ばれ、勾配が増大しすぎて学習が発散する問題は**勾配爆発**と呼ばれます。

勾配消失の問題に対しては、次の章で解説するLSTMやGRUなどが持つ「ゲート」構造が対策になると考えられています。

勾配爆発の問題に対してですが、対策の1つに**勾配クリッピング**と呼ばれるテクニックがあります(→参考文献[10])。勾配クリッピングでは、勾配の大きさに制限をかけることにより勾配爆発を抑制します。

勾配クリッピングでは、勾配のL2ノルム(=二乗の総和の平方根)がしきい値より大きい場合、以下の式により勾配を調整します。

$$\text{勾配} \leftarrow \frac{\text{しきい値}}{L2\text{ノルム}} \times \text{勾配}$$

しきい値を勾配のL2ノルムで割り、勾配をかけたものを新しい勾配にすることにより、勾配全体が一定以上に大きくならないように抑制することができます。

まとめ

時系列に沿った順伝播、逆伝播を数式で表したうえで、RNN層をPythonのクラスとして実装しました。さらに、このクラスを使ってシンプルなRNNを構築し、時系列データから1つ先の未来を予測しました。

RNNにサインカーブの次の値を予測するように訓練したのですが、サインカーブを学習したRNNは元の訓練データに近い曲線を生成するようになりました。

次の章以降では、このようなシンプルなRNNの発展形である、LSTMやGRUを扱っていきます。

Column 脳とディープラーニングの共通点と相違点

ディープラーニングは、領域を限定すればヒトの知能を凌駕することもあります。それでは、このようなディープラーニングと脳で行われている処理は何が違うのでしょうか？ 今回のコラムでは、脳とディープラーニングの共通点と相違点について考察します。

まずはバックプロパゲーションについてです。バックプロパゲーションに相当する現象が脳に存在するかどうかについてはさまざまな議論があります。しかしながら、人工物でない脳が順伝播と逆伝播をスイッチする機構を備え、誤差を定義して入力の勾配を遡らせていると考えるのは難しいのではないでしょうか。バックプロパゲーションは、脳をモデルにしていない人工のアルゴリズムと考えた方が自然に思えます。例えるなら、飛行機が鳥のように羽ばたかなくても飛べるのに似ています。ただ、バックプロパゲーションを参考に、より神経科学的に妥当なアリゴリズムが多数考案されてはいるようです。

次に層構造に関してですが、ディープラーニングに用いるニューラルネットワークは縦に深い層構造をとることが多く、特には100層を超えることもあります。一方脳では、情報の高度な統合、意識、記憶などを担う大脳の表面と、運動の制御、感覚情報の評価などを担う小脳の表面が層構造をとります。大脳を覆う大脳皮質は6層、小脳を覆う小脳皮質は3層構造になります。ディープラーニングに比べて、脳の方が層が少ないですが、脳の場合は同じ層に非常に多くのニューロンを含むという特徴があります。たとえば大脳皮質の場合、6層しかないにも関わらず神経細胞の数は全体で160億に及びます。

ニューラルネットワークで層内のニューロン数が多すぎると、重みの数が上の層のニューロン数との掛け算になるので計算量が膨大になってしまいます。そのため、ディープラーニングは層内のニューロン数を増やすのではなく、層を重ねるようにして進化してきました。一方、大脳皮質の神経細胞は隣接する層の一部の神経細胞としか接続されておらず、ディープラーニングの場合のような計算量の問題は生じません。また、大脳皮質は球面に沿って広く展開し、内部で遠方の領域同士を繋がる戦略を選んだため、少数の広い層に非常に多くの神経細胞を含みます。

コンピュータ上のニューラルネットワークは実際の神経細胞ネットワークをモデルにしています。しかしながら、ディープラーニングは脳と近いようで異なるものです。ディープラーニングのアルゴリズムは、脳を参考にしたり、あるいは距離をおいたりしながら今も進化を続けています。

第5章

LSTM

この章では、RNNの発展形であるLSTMについて解説します。LSTMは、ゲートおよび記憶セル呼ばれる構造を内部に持つのですが、これらが機能することにより勾配消失に対して頑強になり、時間的に離れた因果関係を学習することができるようになります。

5.1 LSTMの概要

5.1.1 LSTMの概要

RNNの、長期の因果関係を学習するのが難しいという問題点を克服したものが、LSTM（Long short-term memory）です。この名前が示す通り、LSTMは長期の記憶も短期の記憶も共に保持することができます。LSTMはRNNの一種ですが、ゲート、および記憶セルと呼ばれる仕組みを導入されています。これにより、過去の記憶を必要に応じて更新しながら次の時刻に引き継ぐことができます。

LSTMの概要

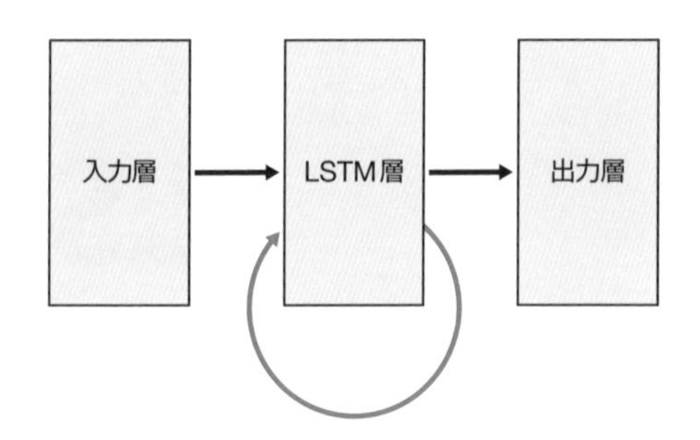

LSTMは通常のRNNと同様に再帰の構造を持っていますが、内部に回路のような複雑な仕組みを持っています。LSTM層の構造を以下の図に示します。

LSTM層の構造

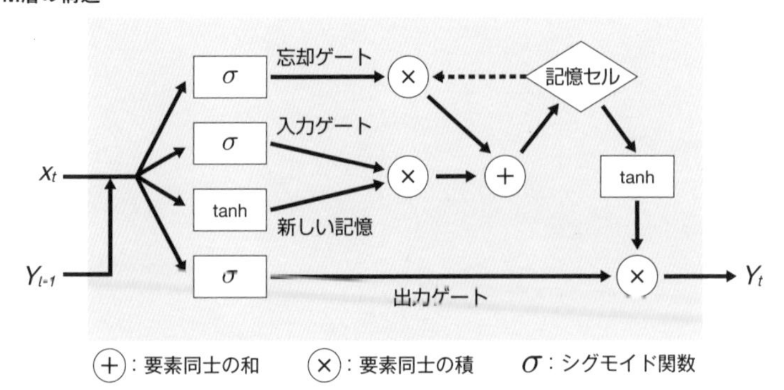

この図において、X_tがこの時刻の層への入力で、Y_tがこの時刻の出力、Y_{t-1}は1つ前の時刻の出力です。

矢印は順伝播におけるデータの流れで、バッチを考慮すると行列になります。点線は1つ前の時刻を表します。丸は要素同士の演算ですが、+が入っているものは要素同士の和、×が入っているものは要素同士の積を表します。また、σはシグモイド関数を表します。

矢印が合流している箇所がありますが、これは経路が同じになるだけなので合流時点で演算が行われているわけではありません。

シンプルなRNN層と比べて複雑で機能的ですね。

LSTMブロックの内部には以下の特徴的な構造があります。記憶セルと3つのゲートです。

- **記憶セル(Memory cell)**：過去の記憶を保持する
- **忘却ゲート(Forget gate)**：過去の記憶を残す割合を調整する
- **入力ゲート(Input gate)**：新しい記憶を追加する割合を調整する
- **出力ゲート(Output gate)**：記憶セルの内容を出力に反映する割合を調整する

例えるなら、記憶セルは「貯水池」のようなもので、各ゲートは「水門」のようなものです。各ゲートが、記憶セル周辺の流量を調整することになります。

3つのゲートはそれぞれ学習するパラメータを持つのですが、これらに加えて、もう1つのtanhを活性関数とした経路も学習するパラメータを持ちます。従って、学習するパラメータは4セット必要になります。

この後、これらの構造を順番に見ていきましょう。

5.1.2 記憶セル

まず、記憶セルを解説します。このセルは、名前の通り過去の記憶を保持します。

記憶セルの周囲の働きを見ていきましょう。以下の図では、記憶セルの周辺がハイライトされています。

■記憶セルの周辺

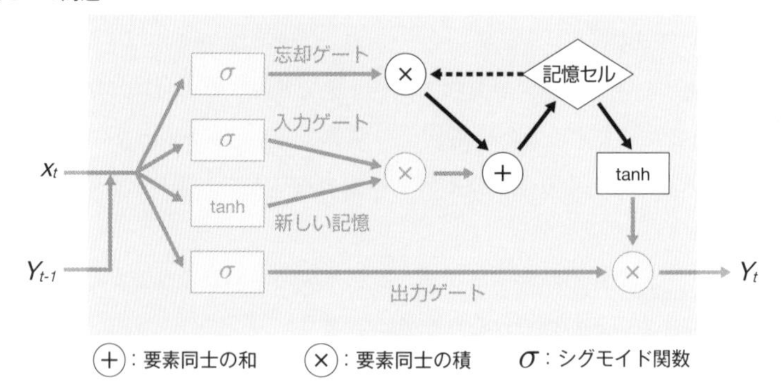

記憶セルに対しては、過去のデータの引き出し、新しいデータの足し合わせ、更新されたデータの引き出しがありますが、これらはこの後解説する複数のゲートと絡みます。記憶セルから出力へとつながる経路にはtanhがありますが、これにより流れる各値の範囲が-1から1の範囲に収められます。

5.1.3 忘却ゲート

忘却ゲートは、記憶セルの内容をどの程度残すかを調整するゲートです。以下の図に忘却ゲートの周辺をハイライトして示します。

■忘却ゲートの周辺

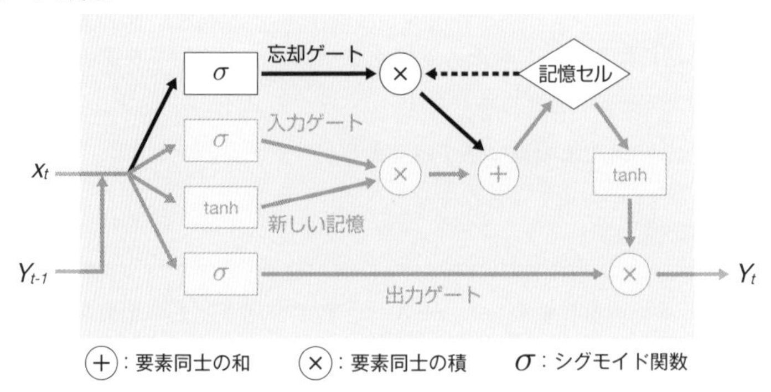

忘却ゲートの経路はシグモイド関数を経ますが、これと記憶セルに保持されている過去のデータと要素ごとの積をとります。シグモイド関数は0から1の値をとるので、過去の記憶をどの程度残すのか、このゲートでは0から1の割合をかけることで調整す

ることになります。

忘却ゲートの活性化関数による処理は、以下の式で表されます。

$$A_0^{(t)} = \sigma(X^{(t)}W_0 + Y^{(t-1)}V_0 + B_0)$$

右上の添字(t)は、時刻tを表します。$A_0^{(t)}$は活性化後の値で、0から1の範囲の値をとります。$X^{(t)}$はこの時刻におけるLSTM層への入力で、$Y^{(t-1)}$は前の時刻の出力です。これらは、それぞれ重み行列W_0、V_0と行列積をとります。B_0はバイアスです。

0という添字は、経路の種類を表します。以降、忘却ゲートでは0という添字を使用します。

W_0、V_0、B_0は学習するパラメータですが、これらが適切に調整されることで適切な割合で記憶セルの内容が忘却されるようになります。

5.1.4　入力ゲートと新しい記憶

入力ゲートは、1つ前の時刻の出力をどの程度記憶セルに反映するかを調整するゲートです。以下の図に、入力ゲートの周辺をハイライトして示します。

入力ゲートの周辺

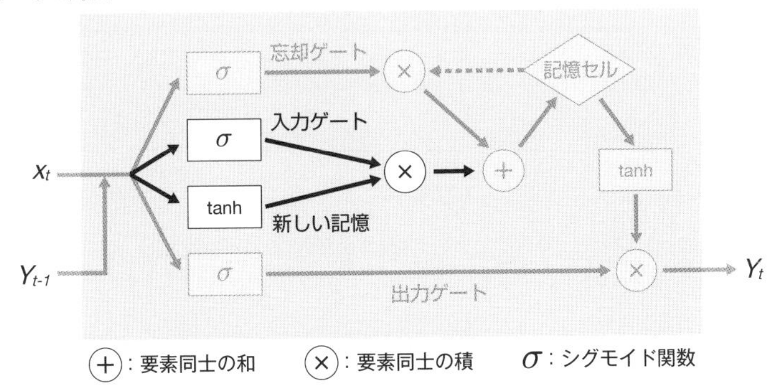

入力ゲートのそばには、tanhを使う経路がありますが、これは記憶セルに追加する新しい記憶になります。以降本書ではこの経路を、「新しい記憶」と呼びます。新しい記憶は入力ゲートと要素ごとの積をとります。入力ゲートではシグモイド関数を使っているので、新しい記憶が記憶セルに追加される割合が0から1の範囲で調整されることになります。

入力ゲートの活性化関数による処理は、以下の式で表されます。

$$A_1^{(t)} = \sigma(X^{(t)}W_1 + Y^{(t-1)}V_1 + B_1)$$

以降、入力ゲートでは1という添字を使用します。

新しい記憶の活性化関数による処理は、以下の式で表されます。

$$A_2^{(t)} = \tanh(X^{(t)}W_2 + Y^{(t-1)}V_2 + B_2)$$

以降、新しい記憶では2という添字を使用します。 tanhを使用しているので、$A_2^{(t)}$の各値は-1から1の範囲になります。このデータは入力ゲートで調整された後に、忘却ゲートの経路とともにメモリセルに足し合わされます。

W_1、V_1、B_1、W_2、V_2、B_2が適切に調整されることで、記憶セルに新しい記憶が適切な割合で足し合わされるようになります。

5.1.5 出力ゲート

出力ゲートは、記憶セルが出力に反映される割合を調整します。以下の図に、出力ゲートの周辺をハイライトして示します。

出力ゲートの周辺

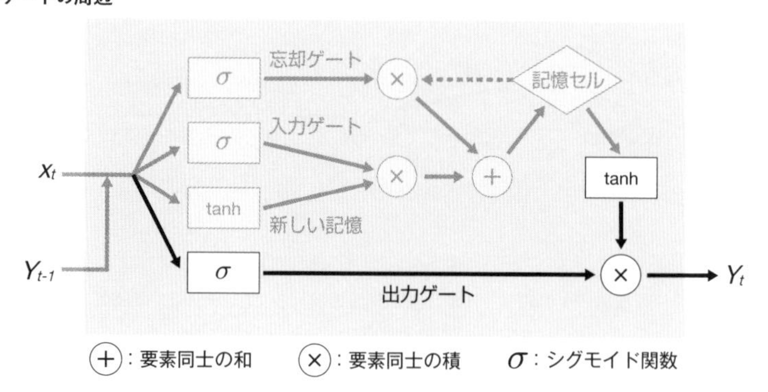

+：要素同士の和　×：要素同士の積　σ：シグモイド関数

出力ゲートの経路はシグモイド関数を経ますが、記憶セルからtanhを経て来たデータと要素ごとの積をとります。シグモイド関数は0から1の値をとるので、最新の記憶セルのデータを出力にどの程度反映するのか、このゲートでは0から1の割合をかけることで調整することになります。

出力ゲートの活性化関数による処理は、以下の式で表されます。

$$A_3^{(t)} = \sigma(X^{(t)}W_3 + Y^{(t-1)}V_3 + B_3)$$

以降、出力ゲートでは3という添字を使用します。

W_3、V_3、B_3が適切に調整されることで、記憶セルの内容が適切な割合で出力に反映されるようになります。

5.2 LSTM層の順伝播

ここからは、LSTMの仕組みと実装方法について、数式とコードを交えて解説していきます。本章では、シンプルなRNNと同様にクラスとしてLSTM層を実装しますが、まずは順伝播について解説します。

5.2.1 LSTMの順伝播

LSTMの順伝播は、以下の式でひとまとめに表されます。

$$\begin{aligned}
U_g^{(t)} &= X^{(t)}W_g + Y^{(t-1)}V_g + B_g \\
A_g^{(t)} &= f_g(U_g^{(t)}) \\
C^{(t)} &= A_0^{(t)} \circ C^{(t-1)} + A_1^{(t)} \circ A_2^{(t)} \\
Y^{(t)} &= A_3^{(t)} \circ \tanh(C^{(t)})
\end{aligned}$$

式05-01

上記で、$g=0$が忘却ゲート、$g=1$が入力ゲート、$g=2$が新しい記憶、$g=3$が出力ゲートです。f_0、f_1、f_3はシグモイド関数で、f_2はtanhになります。$\circ$は要素ごとの積を表します。

$X^{(t)}$は時刻tにおける入力、W_gはそれにかける重みの行列、$Y^{(t-1)}$は1つ前の時刻$t-1$における出力、V_gはそれにかける重みの行列、B_gはバイアス、$C^{(t)}$は時刻tにおける記憶セルになります。

5.2.2 順伝播をコードで実装

LSTMの順伝播の式を、コードで実装します。学習するパラメータのが全部で4セットあるので、今回は以下のように各パラメータをまとめて初期化します。

```
# w:重み v:重み b:バイアス n_upper:上の層のニューロン数
# n:この層のニューロン数
w = np.random.randn(4, n_upper, n) / np.sqrt(n_upper)  # Xavierの初期値
v = np.random.randn(4, n, n) / np.sqrt(n)
b = np.zeros((4, n))
```

入力にかける重みwは、

$$4\times\ n\_upper\times\ n$$

の配列に、前の時刻の出力にかける重みvは、

$$4\times\ n\times\ n$$

の配列になります。両者ともに、同じサイズの行列が4つ格納されています。初期値には、今回もXavierの初期値を使います。

バイアスbは、

$$4\times\ n\times\ n$$

の配列になりますが、バッチ方向にブロードキャストして使います。

これらのパラメータを使って、**式05-01**に基づき以下のように順伝播を実装します。

```
# x:入力 y_prev:前の時刻の出力
u = np.matmul(x, w) + np.matmul(y_prev, v) + b.reshape(4, 1, -1)

a0 = sigmoid(u[0])  # 忘却ゲート
a1 = sigmoid(u[1])  # 入力ゲート
a2 = np.tanh(u[2])  # 新しい記憶
a3 = sigmoid(u[3])  # 出力ゲート

c = a0*c_prev + a1*a2  # 記憶セル
y = a3 * np.tanh(c)    # 出力
```

上記のコードで、行列積を計算するのにNumPyのmatmul関数を使っています。この関数はdot関数と似ていますが、以下の図に示すように複数の行列積をまとめて計算できるのが特徴の1つです。

■ matmulによる複数の行列積の計算

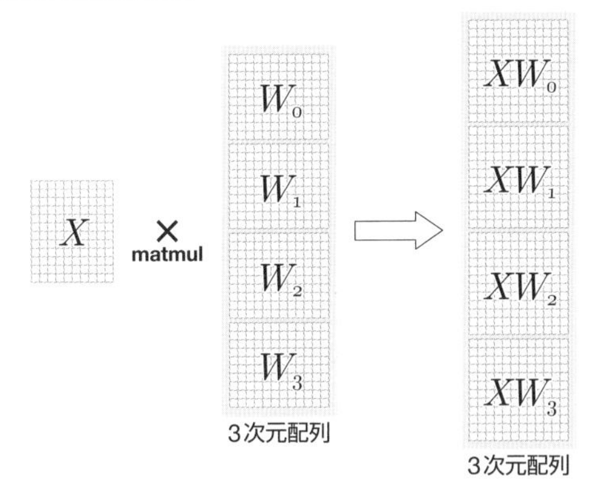

コードにおいてxは行列ですが、wに含まれるそれぞれの行列と行列積が計算されることになります。y_prevとvに関しても同様です。

また、バイアスはreshapeにより次元を合わせたうえで、ブロードキャストにより加算しています。これにより、バッチ内のすべてのサンプルで同じ値が加算されます。

以上により求めたuは、それぞれの経路ごとに異なる活性化関数で処理されます。そして、求めたa_0、a_1 、a_2、a_3を使って記憶セルと出力が計算されます。

LSTMの順伝播は、以上になります。

5.3 LSTM層の逆伝播

LSTM層の逆伝播では、すべての時間を通して以下の勾配を各経路で計算する必要があります。

- 入力にかける重みの勾配　: $\frac{\partial E}{\partial W_g}$
- 前の時刻の出力にかける重みの勾配　: $\frac{\partial E}{\partial V_g}$
- バイアスの勾配　: $\frac{\partial E}{\partial B_g}$

これらは、勾配降下法によるパラメータの更新に必要です。

また、各時刻で以下の勾配を計算する必要があります。

- **入力の勾配** : $\frac{\partial E}{\partial X^{(t)}}$
- **前の時刻の出力の勾配** : $\frac{\partial E}{\partial Y^{(t-1)}}$
- **前の時刻の記憶セルの勾配** : $\frac{\partial E}{\partial C^{(t-1)}}$

入力の勾配は、LSTM層よりも上の層がある場合、その層に伝播します。前の時刻の出力の勾配と、前の時刻の記憶セルの勾配は、前の時刻に伝播します。

それでは、これらの各勾配を求めていきましょう。

5.3.1 逆伝播の数式

LSTM層における逆伝播を数式で表しましょう。まずは、**式05-01**における行列の各要素を、以下の式で表します。

$$
\begin{aligned}
u_g^{(t)} &= \sum_{k=1}^{l} x_k^{(t)} w_{g,k} + \sum_{k=1}^{m} y_k^{(t-1)} v_{g,k} + b_g \\
a_g^{(t)} &= f_g(u_g^{(t)}) \\
c^{(t)} &= a_0^{(t)} c^{(t-1)} + a_1^{(t)} a_2^{(t)} \\
y^{(t)} &= a_3^{(t)} \tan(c^{(t)})
\end{aligned}
$$

上記では、行列内の位置を表す添字は省略されています。gは層内の経路を表す添字です。

ここで、入力にかけるある重み$w_{g,i}$の勾配を求めます。各時刻における$u_g^{(t)}$を挟んだ連鎖律を適用します。

$$
\frac{\partial E}{\partial w_{g,i}} = \sum_{t=1}^{\tau} \frac{\partial E}{\partial u_g^{(t)}} \frac{\partial u_g^{(t)}}{\partial w_{g,i}} \qquad \text{式05-02}
$$

ここで、右辺のΣ内における$\frac{\partial u_g^{(t)}}{\partial w_{g,i}}$は、次のように求めることができます。

$$
\frac{\partial u_g^{(t)}}{\partial w_{g,i}} = x_i^{(t)}
$$

ここで、

$$\delta_g^{(t)} = \frac{\partial E}{\partial u_g^{(t)}}$$

とおくと、**式05-02**は次の形になります。

$$\frac{\partial E}{\partial w_{g,i}} = \sum_{t=1}^{\tau} x_i^{(t)} \delta_g^{(t)}$$

同様にして、以下のように$y_i^{(t-1)}$とb_gを表すことができます。

$$\frac{\partial E}{\partial v_{g,i}} = \sum_{t=1}^{\tau} y_i^{(t-1)} \delta_g^{(t)}$$

$$\frac{\partial E}{\partial b_g} = \sum_{t=1}^{\tau} \delta_g^{(t)}$$

次に、ある時刻における入力の勾配です。これは、ある時刻における層内のすべての$u_g^{(t)}$を挟んだ連鎖律により求めることができます。

$$\begin{aligned}\frac{\partial E}{\partial x_i^{(t)}} &= \sum_{g=0}^{3} \sum_{k=1}^{n} \frac{\partial E}{\partial u_{g,k}^{(t)}} \frac{\partial u_{g,k}^{(t)}}{\partial x_i^{(t)}} \\ &= \sum_{g=0}^{3} \sum_{k=1}^{n} w_{g,i} \delta_{g,k}^{(t)}\end{aligned}$$

ここで、nは層内のニューロン数です。

同様にして、前の時刻における出力の勾配を以下のように求めることができます。

$$\begin{aligned}\frac{\partial E}{\partial y_i^{(t-1)}} &= \sum_{g=0}^{3} \sum_{k=1}^{n} \frac{\partial E}{\partial u_{g,k}^{(t)}} \frac{\partial u_{g,k}^{(t)}}{\partial y_i^{(t-1)}} \\ &= \sum_{g=0}^{3} \sum_{k=1}^{n} v_{g,i} \delta_{g,k}^{(t)}\end{aligned}$$

また、前の時刻における記憶セルの勾配は、この時刻の記憶セル$c_i^{(t)}$と出力$y^{(t)}$を挟んだ連鎖律により求めることができます。

$$\begin{aligned}\frac{\partial E}{\partial c_i^{(t-1)}} &= \frac{\partial E}{\partial c_i^{(t)}}\frac{\partial c_i^{(t)}}{\partial c_i^{(t-1)}} + \frac{\partial E}{\partial y^{(t)}}\frac{\partial y^{(t)}}{\partial c_i^{(t-1)}} \\ &= \frac{\partial E}{\partial c_i^{(t)}}\frac{\partial c_i^{(t)}}{\partial c_i^{(t-1)}} + \frac{\partial E}{\partial y^{(t)}}\frac{\partial y^{(t)}}{\partial c_i^{(t)}}\frac{\partial c_i^{(t)}}{\partial c_i^{(t-1)}} \\ &= (\frac{\partial E}{\partial c^{(t)}} + \frac{\partial E}{\partial y^{(t)}}\frac{\partial y^{(t)}}{\partial c^{(t)}})\frac{\partial c^{(t)}}{\partial c_i^{(t-1)}} \\ &= (\frac{\partial E}{\partial c^{(t)}} + \frac{\partial E}{\partial y^{(t)}}a_3\left(1-\tanh^2(c^{(t)})\right))a_0^{(t)}\end{aligned}$$

ここで、以下のように$r^{(t)}$をおきます。$r^{(t)}$は、1つ後の時刻から伝播してきた記憶セルの勾配と出力の勾配を使って求めることができます。

$$r^{(t)} = \left(\frac{\partial E}{\partial c^{(t)}} + \frac{\partial E}{\partial y^{(t)}}a_3\left(1-\tanh^2(c^{(t)})\right)\right)$$

$r^{(t)}$は後ほど再利用します。この$r^{(t)}$を使って、前の時刻における記憶セルの勾配を以下のように表すことができます。

$$\frac{\partial E}{\partial c_i^{(t-1)}} = r^{(t)}a_0^{(t)}$$

後は$\delta_g^{(t)}$さえ求めることができれば、各勾配を計算することが可能になります。$\delta_g^{(t)}$は次のようにして求めます。

$$\begin{aligned}\delta_g^{(t)} &= \frac{\partial E}{\partial u_g^{(t)}} \\ &= \frac{\partial E}{\partial a_g^{(t)}}\frac{\partial a_g^{(t)}}{\partial u_g^{(t)}}\end{aligned}$$

式05-03

ここで、右辺の$\frac{\partial a_g^{(t)}}{\partial u_g^{(t)}}$は活性化関数の偏微分により求めることができますが、$\frac{\partial E}{\partial a_g^{(t)}}$は経路ごとに求め方が異なります。

経路ごとの求め方については、次以降で解説します。

5.3.2 忘却ゲート

忘却ゲートで$\frac{\partial E}{\partial a_0^{(t)}}$を求めます。$c_i^{(t)}$と$y^{(t)}$を挟んだ連鎖律を適用し、先ほど求めた$r^{(t)}$を使用します。

$$
\begin{aligned}
\frac{\partial E}{\partial a_0^{(t)}} &= \frac{\partial E}{\partial c^{(t)}}\frac{\partial c^{(t)}}{\partial a_0^{(t)}} + \frac{\partial E}{\partial y^{(t)}}\frac{\partial y^{(t)}}{\partial a_0^{(t)}} \\
&= \frac{\partial E}{\partial c^{(t)}}\frac{\partial c^{(t)}}{\partial a_0^{(t)}} + \frac{\partial E}{\partial y^{(t)}}\frac{\partial y^{(t)}}{\partial c^{(t)}}\frac{\partial c^{(t)}}{\partial a_0^{(t)}} \\
&= (\frac{\partial E}{\partial c^{(t)}} + \frac{\partial E}{\partial y^{(t)}}\frac{\partial y^{(t)}}{\partial c^{(t)}})\frac{\partial c^{(t)}}{\partial a_0^{(t)}} \\
&= \left(\frac{\partial E}{\partial c^{(t)}} + \frac{\partial E}{\partial y^{(t)}} a_3 \left(1 - \tanh^2(c^{(t)})\right)\right) c^{(t-1)} \\
&= r^{(t)} c^{(t-1)}
\end{aligned}
$$

また、この経路の活性化関数はシグモイド関数なので、$\frac{\partial a_0^{(t)}}{\partial u_0^{(t)}}$は以下のようにシグモイド関数の導関数となります。

$$
\frac{\partial a_0^{(t)}}{\partial u_0^{(t)}} = a_0^{(t)}(1 - a_0^{(t)})
$$

以上を**式05-03**に代入することにより、$\delta_0^{(t)}$を以下の通りに求めることができます。

$$
\delta_0^{(t)} = r^{(t)} c^{(t-1)} a_0^{(t)} (1 - a_0^{(t)})
$$

忘却ゲートにおいて、$\delta_0^{(t)}$を求めることができました。

5.3.3 入力ゲート

忘却ゲートと同様にして、$\frac{\partial E}{\partial a_1^{(t)}}$を求めることができます。

$$
\begin{aligned}
\frac{\partial E}{\partial a_1^{(t)}} &= (\frac{\partial E}{\partial c^{(t)}} + \frac{\partial E}{\partial y^{(t)}}\frac{\partial y^{(t)}}{\partial c^{(t)}})\frac{\partial c^{(t)}}{\partial a_1^{(t)}} \\
&= \left(\frac{\partial E}{\partial c^{(t)}} + \frac{\partial E}{\partial y^{(t)}} a_3 \left(1 - \tanh^2(c^{(t)})\right)\right) a_2^{(t)} \\
&= r^{(t)} a_2^{(t)}
\end{aligned}
$$

この経路の活性化関数はシグモイド関数なので、$\frac{\partial a_1^{(t)}}{\partial u_1^{(t)}}$は以下のようにシグモイド関数の導関数となります。

$$\frac{\partial a_1^{(t)}}{\partial u_1^{(t)}} = a_1^{(t)}(1 - a_1^{(t)})$$

以上を**式05-03**に代入することにより、$\delta_1^{(t)}$を以下の通りに求めることができます。

$$\delta_1^{(t)} = r^{(t)} a_2^{(t)} a_1^{(t)} (1 - a_1^{(t)})$$

5.3.4 新しい記憶

入力ゲートと同様にして、$\frac{\partial E}{\partial a_2^{(t)}}$を求めることができます。

$$\begin{aligned}\frac{\partial E}{\partial a_2^{(t)}} &= (\frac{\partial E}{\partial c^{(t)}} + \frac{\partial E}{\partial y^{(t)}}\frac{\partial y^{(t)}}{\partial c^{(t)}})\frac{\partial c^{(t)}}{\partial a_2^{(t)}} \\ &= \left(\frac{\partial E}{\partial c^{(t)}} + \frac{\partial E}{\partial y^{(t)}} a_3 \left(1 - \tanh^2(c^{(t)})\right)\right) a_1^{(t)} \\ &= r^{(t)} a_1^{(t)}\end{aligned}$$

この経路の活性化関数はtanhなので、$\frac{\partial a_2^{(t)}}{\partial u_2^{(t)}}$は以下のようにtanhの導関数となります。

$$\frac{\partial a_2^{(t)}}{\partial u_2^{(t)}} = 1 - a_2^{(t)2}$$

以上を**式05-03**に代入することにより、$\delta_2^{(t)}$を以下の通りに求めることができます。

$$\delta_2^{(t)} = r^{(t)} a_1^{(t)} (1 - a_2^{(t)2})$$

5.3.5 出力ゲート

忘却ゲートで$\frac{\partial E}{\partial a_3^{(t)}}$を求めます。$y^{(t)}$を挟んだ連鎖律を適用し、先ほど求めた$r^{(t)}$を使用します。

$$
\begin{aligned}
\frac{\partial E}{\partial a_3^{(t)}} &= \frac{\partial E}{\partial y^{(t)}} \frac{\partial y^{(t)}}{\partial a_3^{(t)}} \\
&= \frac{\partial E}{\partial y^{(t)}} \tanh(c^{(t)})
\end{aligned}
$$

この経路の活性化関数はシグモイド関数なので、$\frac{\partial a_3^{(t)}}{\partial u_3^{(t)}}$は以下のようにシグモイド関数の導関数となります。

$$
\frac{\partial a_3^{(t)}}{\partial u_3^{(t)}} = a_3^{(t)}(1 - a_3^{(t)})
$$

以上を**式05-03**に代入することにより、$\delta_3^{(t)}$を以下の通りに求めることができます。

$$
\delta_3^{(t)} = \frac{\partial E}{\partial y^{(t)}} \tanh(c^{(t)}) a_3^{(t)}(1 - a_3^{(t)})
$$

5.3.6 行列による表現

コードで実装しやすくするために、逆伝播を行列で表します。まずは$r^{(t)}$を行列$R^{(t)}$で表します。

$$
R^{(t)} = \left(\frac{\partial E}{\partial C^{(t)}} + \frac{\partial E}{\partial Y^{(t)}} \circ A_3 \circ \left(1 - \tanh^2(C^{(t)})\right) \right)
$$

$\tanh^2(C^{(t)})$は要素ごとに2乗します。また、上記の「1−」はスカラーからの引き算に見えますが、ここでは要素がすべて1の行列からの、要素ごとの引き算を表すことにします。

次に、各経路における$\delta_g^{(t)}$の行列$\Delta_g^{(t)}$を以下の通りに表します。

$$
\begin{aligned}
\Delta_0^{(t)} &= R^{(t)} \circ C^{(t-1)} \circ A_0^{(t)} \circ (1 - A_0^{(t)}) \\
\Delta_1^{(t)} &= R^{(t)} \circ A_2^{(t)} \circ A_1^{(t)} \circ (1 - A_1^{(t)}) \\
\Delta_2^{(t)} &= R^{(t)} \circ A_1^{(t)} \circ (1 - A_2^{(t)2}) \\
\Delta_3^{(t)} &= \frac{\partial E}{\partial Y^{(t)}} \circ \tanh(C^{(t)}) \circ A_3^{(t)} \circ (1 - A_3^{(t)})
\end{aligned}
$$

ここで、2乗の表記はすべて要素ごとの2乗になります。

以上を使って、以下の通りに各重みの勾配を行列で表すことができます。

$$\frac{\partial E}{\partial W_g} = \sum_{t=1}^{\tau} X^{(t)\mathrm{T}} \Delta_g^{(t)}$$

$$\frac{\partial E}{\partial V_g} = \sum_{t=1}^{\tau} Y^{(t-1)\mathrm{T}} \Delta_g^{(t)}$$

$\sum$の内部は行列積ですが、これによりバッチ対応が行われています。

次に、バイアスの勾配を行列で表します。各要素はバッチ内で総和をとる形になります。

$$\frac{\partial E}{\partial B_g} = \begin{pmatrix} \sum_{t=1}^{\tau}\sum_{k=1}^{h}\delta_{g,k1}^{(t)} & \sum_{t=1}^{\tau}\sum_{k=1}^{h}\delta_{g,k2}^{(t)} & \cdots & \sum_{t=1}^{\tau}\sum_{k=1}^{h}\delta_{g,kn}^{(t)} \\ \vdots & \vdots & \ddots & \vdots \\ \sum_{t=1}^{\tau}\sum_{k=1}^{h}\delta_{g,k1}^{(t)} & \sum_{t=1}^{\tau}\sum_{k=1}^{h}\delta_{g,k2}^{(t)} & \cdots & \sum_{t=1}^{\tau}\sum_{k=1}^{h}\delta_{g,kn}^{(t)} \end{pmatrix}$$

この行列は、行がすべて同じになります。

次に、入力の勾配、前の時刻における出力の勾配、前の時刻における記憶セルの勾配を行列で表します。

$$\frac{\partial E}{\partial X^{(t)}} = \sum_{g=0}^{3} \Delta_g^{(t)} W_g^{\mathrm{T}}$$

$$\frac{\partial E}{\partial Y^{(t-1)}} = \sum_{g=0}^{3} \Delta_g^{(t)} V_g^{\mathrm{T}}$$

$$\frac{\partial E}{\partial C^{(t-1)}} = R^{(t)} \circ A_0^{(t)}$$

上記で$\sum$の内部は行列積ですが、これにより層内のすべてのニューロンで総和がとられます。

5.3.7 逆伝播をコードで実装

行列表記をベースに、以下のように逆伝播を実装することができます。

```
# a0:忘却ゲート a1:入力ゲート a2:新しい記憶 a3:出力ゲート
# x:入力 y_prev:前の時刻の出力 c:記憶セル
# grad_y:出力の勾配 grad_c:記憶セルの勾配
# w, v:重み(4つの行列を含む配列)

tanh_c = np.tanh(c)
r = grad_c + (grad_y*a3) * (1-tanh_c**2)

# 各delta
delta_a0 = r * c_prev * a0 * (1-a0)
delta_a1 = r * a2 * a1 * (1-a1)
delta_a2 = r * a1 * (1 - a2**2)
delta_a3 = grad_y * tanh_c * a3 * (1 - a3)

deltas = np.stack((delta_a0, delta_a1, delta_a2, delta_a3))

# 各パラメータの勾配
grad_w += np.matmul(x.T, deltas)
grad_v += np.matmul(y_prev.T, deltas)
grad_b += np.sum(deltas, axis=1)

# xの勾配
grad_x = np.matmul(deltas, w.transpose(0, 2, 1))
grad_x = np.sum(grad_x, axis=0)

# y_prevの勾配
grad_y_prev = np.matmul(deltas, v.transpose(0, 2, 1))
grad_y_prev = np.sum(grad_y_prev, axis=0)

# c_prevの勾配
grad_c_prev = r * a0
```

実装は基本的に行列表記の通りです。

各deltaはNumPyのstack関数によりまとめてdeltasという配列されていますが、これはmatmulでまとめて行列演算を行うためです。

各パラメータの勾配では、すべての時刻で総和をとるために+=の演算子を使っています。

また、入力の勾配などを求める際に行列の転置が必要になりますが、wは内部に複数の行列を含む配列であるためtranspose(0, 2, 1)により内部の行列の軸を入れ替えて転置します。そして、sum(grad_x, axis=0)によりすべての経路の総和をとります。

5.4 LSTM層の実装

LSTM層をクラスとして実装します。

5.4.1 LSTM層のクラス

以下は、クラスとして実装されたLSTM層です。シンプルなRNN層と同様に、時系列の数だけforwardメソッドを繰り返した後、同じ数だけbackwardメソッドを繰り返します。

LSTMLayerクラス

```
class LSTMLayer:
    def __init__(self, n_upper, n):
        # 各パラメータの初期値
        self.w = np.random.randn(4, n_upper, n) / \
                 np.sqrt(n_upper)
        self.v = np.random.randn(4, n, n) / np.sqrt(n)
        self.b = np.zeros((4, n))

    def forward(self, x, y_prev, c_prev):
        # y_prev,c_prev: 前の時刻の出力と記憶セル
        u = np.matmul(x, self.w) + np.matmul(y_prev, self.v) + \
            self.b.reshape(4, 1, -1)

        a0 = sigmoid(u[0])  # 忘却ゲート
        a1 = sigmoid(u[1])  # 入力ゲート
        a2 = np.tanh(u[2])  # 新しい記憶
        a3 = sigmoid(u[3])  # 出力ゲート
        self.gates = np.stack((a0, a1, a2, a3))
        self.c = a0*c_prev + a1*a2      # 記憶セル

        self.y = a3 * np.tanh(self.c)  # 出力
```

```
    def backward(self, x, y, c, y_prev, c_prev, gates,
                 grad_y, grad_c):
        a0, a1, a2, a3 = gates
        tanh_c = np.tanh(c)
        r = grad_c + (grad_y*a3) * (1-tanh_c**2)

        # 各delta
        delta_a0 = r * c_prev * a0 * (1-a0)
        delta_a1 = r * a2 * a1 * (1-a1)
        delta_a2 = r * a1 * (1 - a2**2)
        delta_a3 = grad_y * tanh_c * a3 * (1 - a3)

        deltas = np.stack((delta_a0, delta_a1, delta_a2,
                           delta_a3))

        # 各パラメータの勾配
        self.grad_w += np.matmul(x.T, deltas)
        self.grad_v += np.matmul(y_prev.T, deltas)
        self.grad_b += np.sum(deltas, axis=1)

        # xの勾配
        grad_x = np.matmul(deltas, self.w.transpose(0, 2, 1))
        self.grad_x = np.sum(grad_x, axis=0)

        # y_prevの勾配
        grad_y_prev = np.matmul(deltas,
                    self.v.transpose(0, 2, 1))
        self.grad_y_prev = np.sum(grad_y_prev, axis=0)

        # c_prevの勾配
        self.grad_c_prev = r * a0

    def reset_sum_grad(self):
        self.grad_w = np.zeros_like(self.w)
        self.grad_v = np.zeros_like(self.v)
        self.grad_b = np.zeros_like(self.b)

    def update(self, eta):
        self.w -= eta * self.grad_w
        self.v -= eta * self.grad_v
        self.b -= eta * self.grad_b
```

初期化のための__init__メソッドの他に、順伝播のforwardメソッド、逆伝播のbackwardメソッド、累積された勾配を0にリセットするreset_sum_gradメソッド、パラメータを更新するupdateメソッドが実装されています。

forwardメソッドの内部の処理については以前の節でほぼ解説しましたが、以下のコードを加えることで各経路の値が外部からアクセス可能になっています。

```
        self.gates = np.stack((a0, a1, a2, a3))
```

また、出力と記憶セルの値も外部からアクセス可能にしています。これらの値は同時刻のbackwardで利用するので、外部に保持しておきます。

backwardメソッドは、x、y、cなどのこの時刻における各値を引数として受け取りますが、内部の処理は前節で解説した通りです。

5.5 シンプルなLSTMの実装

LSTM層を使ってネットワークを構築します。そして、前章と同じくノイズ付きのサインカーブを学習させて、時系列データの予測ができることを確認します。

コード全体を紹介する前に、LSTMの訓練について解説します。

5.5.1 LSTMの訓練

訓練用の関数を定義します。シンプルなRNNと同様に、順伝播時には逆伝播を見越して出力などの時系列データを保持しておく必要があります。

train関数

```
# -- 各層の初期化 --
lstm_layer = LSTMLayer(n_in, n_mid)
output_layer = OutputLayer(n_mid, n_out)

# -- 訓練 --
def train(x_mb, t_mb):
    # 順伝播 LSTM層
```

```
y_rnn = np.zeros((len(x_mb), n_time+1, n_mid))
c_rnn = np.zeros((len(x_mb), n_time+1, n_mid))
gates_rnn = np.zeros((4, len(x_mb), n_time, n_mid))
y_prev = y_rnn[:, 0, :]
c_prev = c_rnn[:, 0, :]
for i in range(n_time):
    x = x_mb[:, i, :]
    lstm_layer.forward(x, y_prev, c_prev)

    y = lstm_layer.y
    y_rnn[:, i+1, :] = y
    y_prev = y

    c = lstm_layer.c
    c_rnn[:, i+1, :] = c
    c_prev = c

    gates = lstm_layer.gates
    gates_rnn[:, :, i, :] = gates

# 順伝播 出力層
output_layer.forward(y)

# 逆伝播 出力層
output_layer.backward(t_mb)
grad_y = output_layer.grad_x
grad_c = np.zeros_like(lstm_layer.c)

# 逆伝播 LSTM層
lstm_layer.reset_sum_grad()
for i in reversed(range(n_time)):
    x = x_mb[:, i, :]
    y = y_rnn[:, i+1, :]
    c = c_rnn[:, i+1, :]
    y_prev = y_rnn[:, i, :]
    c_prev = c_rnn[:, i, :]
    gates = gates_rnn[:, :, i, :]

    lstm_layer.backward(x, y, c, y_prev, c_prev,
                        gates, grad_y, grad_c)
    grad_y = lstm_layer.grad_y_prev
    grad_c = lstm_layer.grad_c_prev
```

```
    # パラメータの更新
    lstm_layer.update(eta)
    output_layer.update(eta)
```

順伝播では出力yと記憶セルcが次の時刻に、逆伝播では出力の勾配grad_yと記憶セルの勾配grad_cが前の時刻に渡されます。

また、y_rnnには出力が、c_rnnには記憶セルが、gates_rnnには各経路における活性化後の値がそれぞれ順伝播時に時系列で格納されます。逆伝播の際に、これらの中の各時刻の値がLSTM層のbackwardメソッドに渡されます。

5.5.2 全体のコード

以下は全体のコードです。訓練用データの用意、各層のクラス、訓練や予測のための関数、ミニバッチ法、経過の表示が順次実装されています。

学習中、一定のエポック間隔ごとに誤差の表示と曲線の生成が行われます。

全体コードと実行結果

```
import numpy as np
# import cupy as np  # GPUの場合
import matplotlib.pyplot as plt

# -- 各設定値 --
n_time = 10     # 時系列の数
n_in = 1        # 入力層のニューロン数
n_mid = 20      # 中間層のニューロン数
n_out = 1       # 出力層のニューロン数

eta = 0.01      # 学習係数
epochs = 101
batch_size = 8
interval = 10  # 経過の表示間隔

def sigmoid(x):
    return 1/(1+np.exp(-x))

# -- 訓練データの作成 --
sin_x = np.linspace(-2*np.pi, 2*np.pi)  # -2πから2πまで
```

```
# sin関数に乱数でノイズを加える
sin_y = np.sin(sin_x) + 0.1*np.random.randn(len(sin_x))
n_sample = len(sin_x)-n_time  # サンプル数
input_data = np.zeros((n_sample, n_time, n_in))  # 入力
correct_data = np.zeros((n_sample, n_out))       # 正解
for i in range(0, n_sample):
    input_data[i] = sin_y[i:i+n_time].reshape(-1, 1)
    # 正解は入力よりも1つ後
    correct_data[i] = sin_y[i+n_time:i+n_time+1]

# -- LSTM層 --
class LSTMLayer:
    def __init__(self, n_upper, n):
        # 各パラメータの初期値
        self.w = np.random.randn(4, n_upper, n) / \
                 np.sqrt(n_upper)
        self.v = np.random.randn(4, n, n) / np.sqrt(n)
        self.b = np.zeros((4, n))

    # y_prev, c_prev: 前の時刻の出力と記憶セル
    def forward(self, x, y_prev, c_prev):
        u = np.matmul(x, self.w) + np.matmul(y_prev,
                self.v) + self.b.reshape(4, 1, -1)

        a0 = sigmoid(u[0])    # 忘却ゲート
        a1 = sigmoid(u[1])    # 入力ゲート
        a2 = np.tanh(u[2])    # 新しい記憶
        a3 = sigmoid(u[3])    # 出力ゲート
        self.gates = np.stack((a0, a1, a2, a3))

        self.c = a0*c_prev + a1*a2      # 記憶セル
        self.y = a3 * np.tanh(self.c)  # 出力

    def backward(self, x, y, c, y_prev, c_prev, gates,
                 grad_y, grad_c):
        a0, a1, a2, a3 = gates
        tanh_c = np.tanh(c)
        r = grad_c + (grad_y*a3) * (1-tanh_c**2)

        # 各delta
        delta_a0 = r * c_prev * a0 * (1-a0)
        delta_a1 = r * a2 * a1 * (1-a1)
```

```
        delta_a2 = r * a1 * (1 - a2**2)
        delta_a3 = grad_y * tanh_c * a3 * (1 - a3)

        deltas = np.stack((delta_a0, delta_a1, delta_a2,
                           delta_a3))

        # 各パラメータの勾配
        self.grad_w += np.matmul(x.T, deltas)
        self.grad_v += np.matmul(y_prev.T, deltas)
        self.grad_b += np.sum(deltas, axis=1)

        # xの勾配
        grad_x = np.matmul(deltas, self.w.transpose(0, 2, 1))
        self.grad_x = np.sum(grad_x, axis=0)

        # y_prevの勾配
        grad_y_prev = np.matmul(deltas,
                                self.v.transpose(0, 2, 1))
        self.grad_y_prev = np.sum(grad_y_prev, axis=0)

        # c_prevの勾配
        self.grad_c_prev = r * a0

    def reset_sum_grad(self):
        self.grad_w = np.zeros_like(self.w)
        self.grad_v = np.zeros_like(self.v)
        self.grad_b = np.zeros_like(self.b)

    def update(self, eta):
        self.w -= eta * self.grad_w
        self.v -= eta * self.grad_v
        self.b -= eta * self.grad_b

# -- 全結合 出力層 --
class OutputLayer:
    def __init__(self, n_upper, n):
        # Xavierの初期値
        self.w = np.random.randn(n_upper, n) / \
                 np.sqrt(n_upper)
        self.b = np.zeros(n)

    def forward(self, x):
```

```
        self.x = x
        u = np.dot(x, self.w) + self.b
        self.y = u  # 恒等関数

    def backward(self, t):
        delta = self.y - t

        self.grad_w = np.dot(self.x.T, delta)
        self.grad_b = np.sum(delta, axis=0)
        self.grad_x = np.dot(delta, self.w.T)

    def update(self, eta):
        self.w -= eta * self.grad_w
        self.b -= eta * self.grad_b

# -- 各層の初期化 --
lstm_layer = LSTMLayer(n_in, n_mid)
output_layer = OutputLayer(n_mid, n_out)

# -- 訓練 --
def train(x_mb, t_mb):
    # 順伝播 LSTM層
    y_rnn = np.zeros((len(x_mb), n_time+1, n_mid))
    c_rnn = np.zeros((len(x_mb), n_time+1, n_mid))
    gates_rnn = np.zeros((4, len(x_mb), n_time, n_mid))
    y_prev = y_rnn[:, 0, :]
    c_prev = c_rnn[:, 0, :]
    for i in range(n_time):
        x = x_mb[:, i, :]
        lstm_layer.forward(x, y_prev, c_prev)

        y = lstm_layer.y
        y_rnn[:, i+1, :] = y
        y_prev = y

        c = lstm_layer.c
        c_rnn[:, i+1, :] = c
        c_prev = c

        gates = lstm_layer.gates
        gates_rnn[:, :, i, :] = gates
```

```
    # 順伝播 出力層
    output_layer.forward(y)

    # 逆伝播 出力層
    output_layer.backward(t_mb)
    grad_y = output_layer.grad_x
    grad_c = np.zeros_like(lstm_layer.c)

    # 逆伝播 LSTM層
    lstm_layer.reset_sum_grad()
    for i in reversed(range(n_time)):
        x = x_mb[:, i, :]
        y = y_rnn[:, i+1, :]
        c = c_rnn[:, i+1, :]
        y_prev = y_rnn[:, i, :]
        c_prev = c_rnn[:, i, :]
        gates = gates_rnn[:, :, i, :]

        lstm_layer.backward(x, y, c, y_prev, c_prev,
                            gates, grad_y, grad_c)
        grad_y = lstm_layer.grad_y_prev
        grad_c = lstm_layer.grad_c_prev

    # パラメータの更新
    lstm_layer.update(eta)
    output_layer.update(eta)

# -- 予測 --
def predict(x_mb):
    # 順伝播 LSTM層
    y_prev = np.zeros((len(x_mb), n_mid))
    c_prev = np.zeros((len(x_mb), n_mid))
    for i in range(n_time):
        x = x_mb[:, i, :]
        lstm_layer.forward(x, y_prev, c_prev)
        y = lstm_layer.y
        y_prev = y
        c = lstm_layer.c
        c_prev = c

    # 順伝播 出力層
    output_layer.forward(y)
```

```
    return output_layer.y

# -- 誤差を計算 --
def get_error(x, t):
    y = predict(x)
    return 1.0/2.0*np.sum(np.square(y - t))  # 二乗和誤差

error_record = []
n_batch = len(input_data) // batch_size  # 1エポックあたりのバッチ数
for i in range(epochs):

    # -- 学習 --
    index_random = np.arange(len(input_data))
    np.random.shuffle(index_random)  # インデックスをシャッフルする
    for j in range(n_batch):

        # ミニバッチを取り出す
        mb_index = index_random[j*batch_size : (j+1)*batch_size]
        x_mb = input_data[mb_index, :]
        t_mb = correct_data[mb_index, :]
        train(x_mb, t_mb)

    # -- 誤差を求める --
    error = get_error(input_data, correct_data)
    error_record.append(error)

    # -- 経過の表示 --
    if i%interval == 0:
        print("Epoch:"+str(i+1)+"/"+str(epochs),
              "Error:"+str(error))

        predicted = input_data[0].reshape(-1).tolist() # 最初の入力
        for i in range(n_sample):
            x = np.array(predicted[-n_time:]).reshape(1,
                    n_time, 1)
            y = predict(x)
            # 出力をpredictedに追加する
            predicted.append(float(y[0, 0]))

        plt.plot(range(len(sin_y)), sin_y.tolist(),
                 label="Correct")
        plt.plot(range(len(predicted)), predicted,
```

```
                label="Predicted")
        plt.legend()
        plt.show()

plt.plot(range(1, len(error_record)+1), error_record)
plt.xlabel("Epochs")
plt.ylabel("Error")
plt.show()
```

Epoch:1/101 Error:3.469222426146122

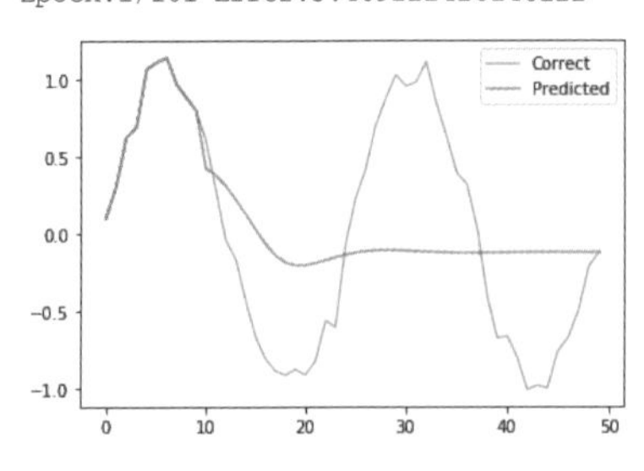

Epoch:11/101 Error:0.9557699295167906

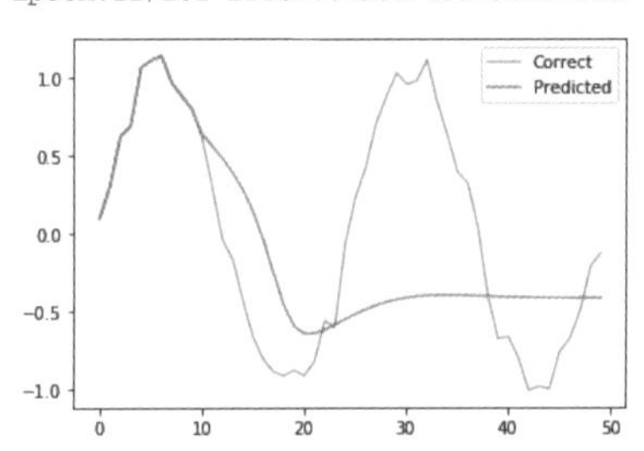

Epoch:21/101 Error:0.5517543966960345

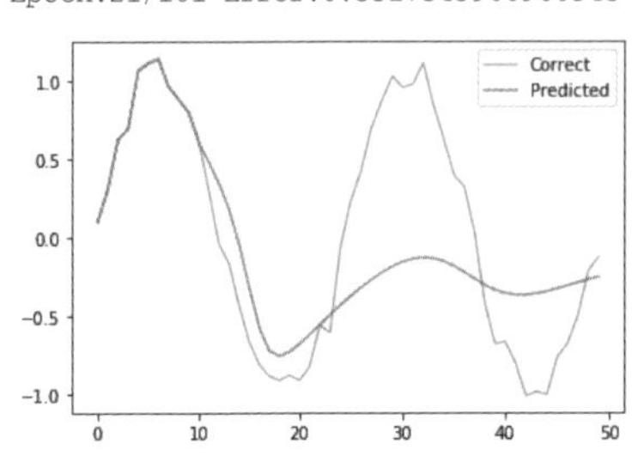

Epoch:31/101 Error:0.41865809304522733

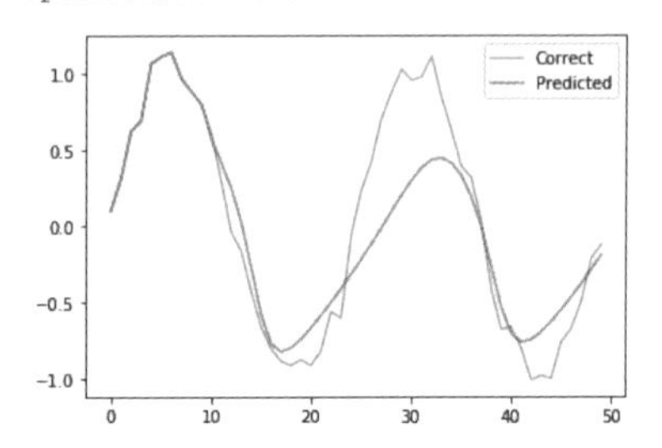

Epoch:41/101 Error:0.36573434497886326

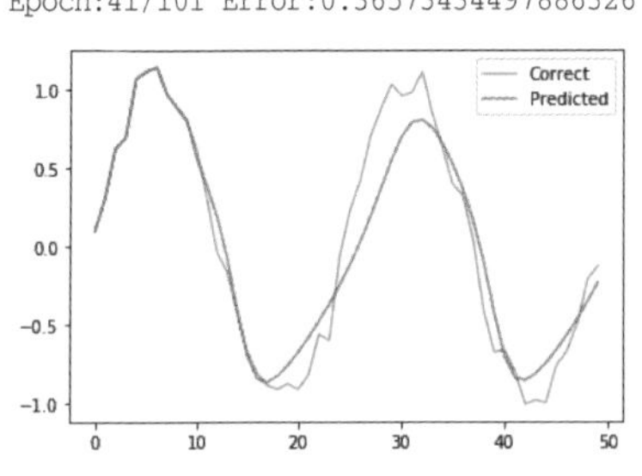

Epoch:51/101 Error:0.3336785120296595

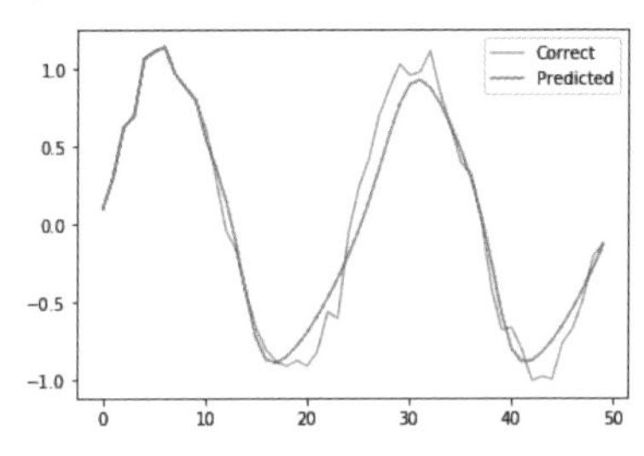

Epoch:61/101 Error:0.30914016173189585

Epoch:71/101 Error:0.2897422728888056

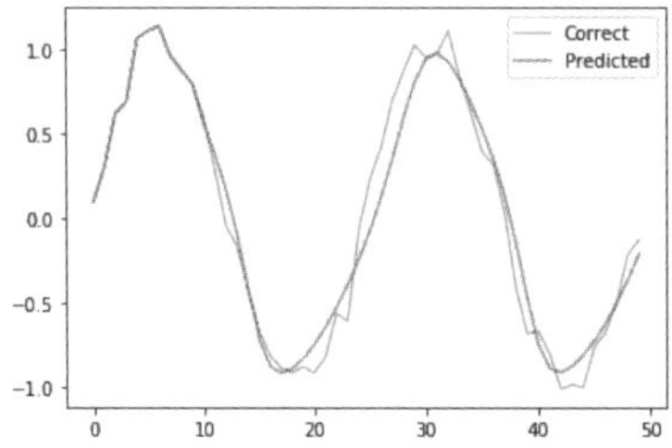

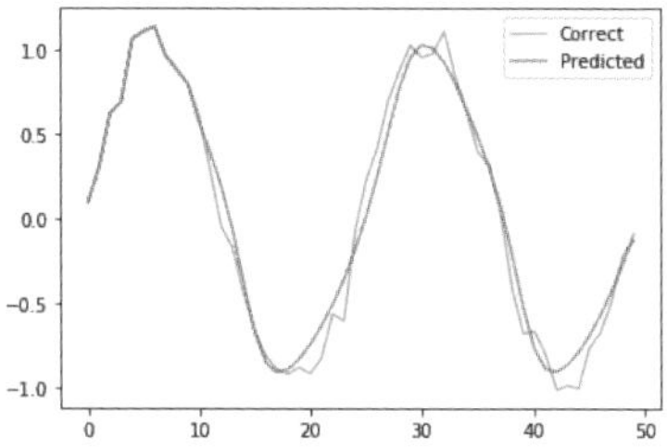

```
Epoch:81/101 Error:0.274530902574759      Epoch:91/101 Error:0.26212055465341133
```

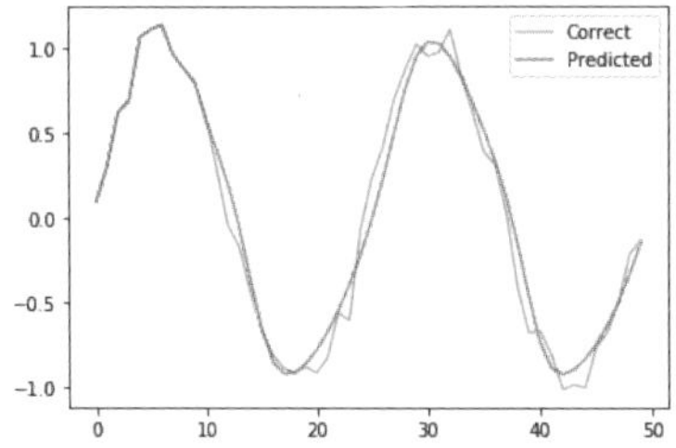

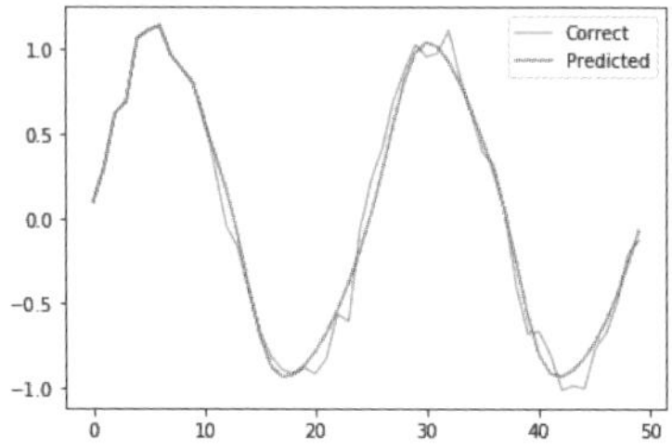

```
Epoch:101/101 Error:0.2522093064782482
```

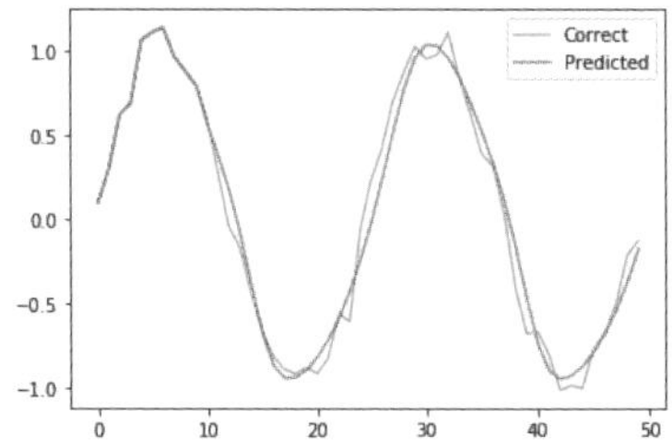

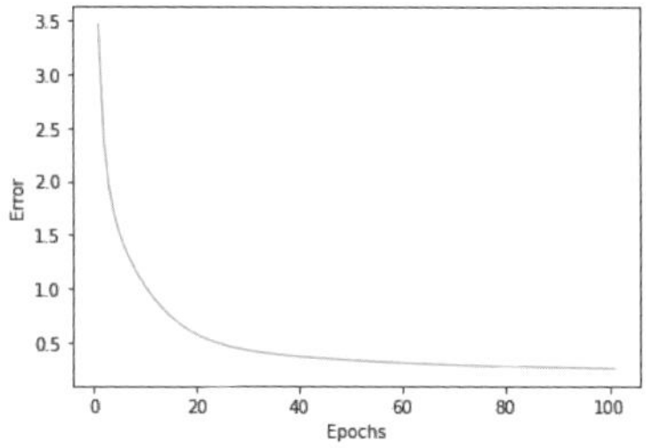

LSTMによる予測により生成された曲線は、エポックを重ねるごとに訓練データに近いサインカーブを描くようになりました。また、その間誤差はなめらかに減少しています。シンプルなRNNと同じように、LSTMも時系列からの予測能力を持つことが確認できました。

今回の例からはLSTMのメリットはあまりわかりませんが、文脈が大事な自然言語処理などで、LSTMはその真価を発揮します。

5.6 LSTMによる文章の自動生成

LSTMを使って、文章の自動作成を行います。今回は、江戸川乱歩の「怪人二十面相」を学習データに使い、乱歩風のテキストを自動生成します。文章における文字の並びを時系列データと捉えて、次の文字を予測するようにRNNを訓練します。

コード全体を紹介する前に、重要な箇所をいくつか解説します。なお、本節における文章生成の仕組みは、参考文献[11]を参考にしています。

5.6.1 テキストデータの読み込み

テキストデータを読み込みます。ダウンロード可能なデータのこの章のフォルダに「怪人二十面相」のテキストデータ"kaijin20.txt"がありますので、パスを指定して読み込みます。

テキストファイルを読み込む

```
# -- 訓練用の文章 --
with open("kaijin20.txt", mode="r", encoding="utf-8") as f:
    text = f.read()
print("文字数:", len(text))  # len() で文字列の文字数も取得可能
```

環境がGoogle Colaboratoryの場合は、外部ファイルの扱い方が独特ですのでご注意ください。

このテキストデータは、青空文庫の文章から不要な記号などを取り除いたものです。以下は、このテキストデータの最初の200文字です。

読み込まれたデータの一部

```
そのころ、東京中の町という町、家という家では、ふたり以上の人が顔をあわせさえ
すれば、まるでお天気のあいさつでもするように、怪人二十面相のうわさをしていま
した。
二十面相というのは、毎日毎日、新聞記事をにぎわしている、ふしぎな盗賊のあだ名
です。その賊は二十のまったくちがった顔を持っているといわれていました。つまり、
変装がとびきりじょうずなのです。
どんなに明るい場所で、どんなに近よってながめても、少しも
```

5.6.2 文字とインデックスの関連付け

setを使ってすべての文字の重複をなくし、使用されている文字の一覧をリストchars_listにまとめます。

そして、文字がキーでインデックスが値の辞書と、インデックスがキーで文字が値の辞書を作っておきます。これらの辞書は、この後いくつかの用途で使います。

辞書の作成

```
# -- 文字とインデックスの関連付け --
chars_list = sorted(list(set(text)))  # setで文字の重複をなくす
n_chars = len(chars_list)
print("文字数(重複無し):", n_chars)

char_to_index = {}  # 文字がキーでインデックスが値の辞書
index_to_char = {}  # インデックスがキーで文字が値の辞書
for i, char in enumerate(chars_list):
    char_to_index[char] = i
    index_to_char[i] = char
```

5.6.3 文字のベクトル化

各文字をone-hot表現で表します。極端な例ですが、たとえば文章に「あいうえお」の5文字しか使われていない場合、「い」は以下のようなone-hot表現で表します。

$$(0\ 1\ 0\ 0\ 0)$$

このようなベクトルの要素数は、使用されている文字種の数になります。"kaijin20.txt"では、漢字や、記号などを含めて1247の文字が使われてるので、ベクトルの要素数は1247種類になります。

以下のコードは、文字の時系列をこのようなone-hot表現の時系列に変換し、入力とします。また、時系列の次の文字もone-hot表現に変換し、正解とします。

文字の時系列をone-hot表現に

```
# -- 時系列に並んだ文字とその次の文字 --
seq_chars = []
next_chars = []
for i in range(0, len(text) - n_time):
    seq_chars.append(text[i: i + n_time])
    next_chars.append(text[i + n_time])

# -- 入力と正解のone-hot表現 --
input_data = np.zeros((len(seq_chars), n_time, n_chars),
                      dtype=np.bool)
correct_data = np.zeros((len(seq_chars), n_chars),
                        dtype=np.bool)
for i, chars in enumerate(seq_chars):
    # 正解をone-hot表現で表す
    correct_data[i, char_to_index[next_chars[i]]] = 1
    for j, char in enumerate(chars):
        # 入力をone-hot表現で表す
        input_data[i, j, char_to_index[char]] = 1
```

これにより、入力が格納される配列input_dataは以下の形状になります。

(サンプル数, 時系列の数, 使用される文字の数)

正解correct_dataは以下の形状になります。

(サンプル数, 使用される文字の数)

5.6.4 出力の意味

出力層ではソフトマックス関数を使うので、出力は確率分布を表すと解釈することができます。これを以下の図に示します。横軸の各文字は出力層の各ニューロンに対応し、縦軸は次の文字がその文字である確率を表しています。

■次の文字の確率分布

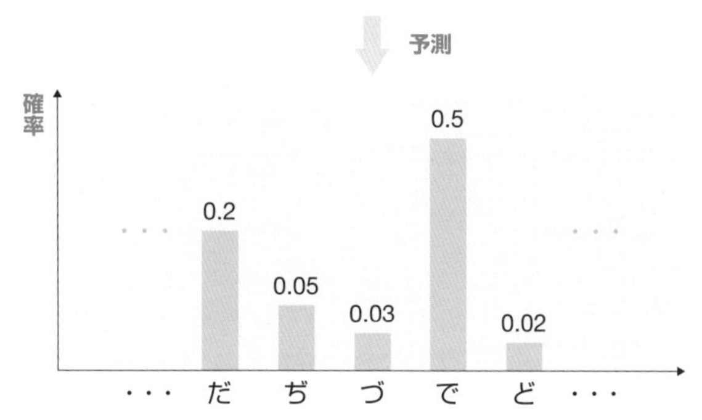

この例では、「そのころ、東京中の町という町、家という家」という文字の並びの次の文字は「で」である確率が最も高いと予測しています。このように、文章を文字が並んだ時系列と捉えれば、次の文字を確率的に予測することができます。

5.6.5 テキスト生成用の関数

テキストを生成するための関数を定義します。最初の何文字かをシードにして、ここから次々と次の文字を予測して文章に追加していきます。入力には常に最新の時系列を使います。

予測結果を時系列に加えていくという考え方は、以前に解説したRNNによるサインカーブの生成と基本的に同じです。

create_text関数

```
def create_text():
    prev_text = text[0:n_time]  # 入力
    created_text = prev_text    # 生成されるテキスト
    print("Seed:", created_text)
    for i in range(200):        # 200文字の文章を生成
        x = np.zeros((1, n_time, n_chars)) # 入力をone-hot表現に
        for j, char in enumerate(prev_text):
            x[0, j, char_to_index[char]] = 1

        # 予測を行い、次の文字を得る
        y = predict(x)
```

```
        p = y[0] ** beta   # 確率分布の調整
        p = p / np.sum(p)  # pの合計を1に
        next_index = np.random.choice(len(p), size=1, p=p)
        next_char = index_to_char[int(next_index[0])]
        created_text += next_char
        prev_text = prev_text[1:] + next_char

    print(created_text)
```

出力層の活性化関数にはソフトマックス関数を使うので、出力層における各ニューロンの出力は対応する文字が次に来る確率と解釈できます。

この確率を調整する定数がbetaですが、この調整があった方がより自然な文章になります。betaが小さいと次に来る文字の選択肢が広くなり、betaが大きいと次に来る文字の選択肢が狭くなります。

5.6.6 勾配クリッピング

勾配爆発を防ぐために、勾配クリッピングを導入します。勾配クリッピングは以下の式で表されます。

$$\text{勾配} \leftarrow \frac{\text{しきい値}}{L2\text{ノルム}} \times \text{勾配}$$

勾配全体の大きさをL2ノルム(=二乗の総和の平方根)で評価するのですが、このL2ノルムがしきい値を超えないように、各勾配が調整されることになります。

勾配クリッピングは、以下のようなコードで実装することができます。

勾配クリッピングの実装

```
def clip_grad(grads, max_norm):
    norm = np.sqrt(np.sum(grads*grads))
    r = max_norm / norm
    if r < 1:
        clipped_grads = grads * r
    else:
        clipped_grads = grads
    return clipped_grads
```

各パラメータを更新する前に、この関数により勾配に制限をかけておきます。

5.6.7 全体のコード

LSTM層を使い、時系列データである文章を学習します。そして、学習したモデルを使って文章を生成します。LSTM層クラスには勾配クリッピングのためのメソッドが追加されています。

文章の生成は、各エポックの終了後に行います。学習が進むとともに、文章がどのように変化するのかを確認しましょう。なお、CPUだと実行に時間がかかるので、なるべくGPU環境で実行しましょう。

全体のコード

```
import numpy as np
# import cupy as np  # GPUの場合
import matplotlib.pyplot as plt

# -- 各設定値 --
n_time = 20   # 時系列の数
n_mid = 128   # 中間層のニューロン数

eta = 0.01    # 学習係数
clip_const = 0.02  # ノルムの最大値を決める定数
beta = 2           # 確率分布の狭さ(次の文字の確定時に使用)
epoch = 50
batch_size = 128

def sigmoid(x):
    return 1/(1+np.exp(-x))

def clip_grad(grads, max_norm):
    norm = np.sqrt(np.sum(grads*grads))
    r = max_norm / norm
    if r < 1:
        clipped_grads = grads * r
    else:
        clipped_grads = grads
    return clipped_grads

# -- 訓練用の文章 --
```

```
with open("kaijin20.txt", mode="r", encoding="utf-8") as f:
    text = f.read()
print("文字数:", len(text))  # len() で文字列の文字数も取得可能

# -- 文字とインデックスの関連付け --
chars_list = sorted(list(set(text)))  # setで文字の重複をなくす
n_chars = len(chars_list)
print("文字数(重複無し):", n_chars)

char_to_index = {}  # 文字がキーでインデックスが値の辞書
index_to_char = {}  # インデックスがキーで文字が値の辞書
for i, char in enumerate(chars_list):
    char_to_index[char] = i
    index_to_char[i] = char

# -- 時系列に並んだ文字と、その次の文字 --
seq_chars = []
next_chars = []
for i in range(0, len(text) - n_time):
    seq_chars.append(text[i: i + n_time])
    next_chars.append(text[i + n_time])

# -- 入力と正解のone-hot表現 --
input_data = np.zeros((len(seq_chars), n_time, n_chars),
                      dtype=np.bool)
correct_data = np.zeros((len(seq_chars), n_chars),
                        dtype=np.bool)
for i, chars in enumerate(seq_chars):
    # 正解をone-hot表現で表す
    correct_data[i, char_to_index[next_chars[i]]] = 1
    for j, char in enumerate(chars):
        # 入力をone-hot表現で表す
        input_data[i, j, char_to_index[char]] = 1

# -- LSTM層 --
class LSTMLayer:
    def __init__(self, n_upper, n):
        # 各パラメータの初期値
        self.w = np.random.randn(4, n_upper, n) / \
                 np.sqrt(n_upper)
        self.v = np.random.randn(4, n, n) / np.sqrt(n)
        self.b = np.zeros((4, n))
```

```
    # y_prev, c_prev: 前の時刻の出力と記憶セル
    def forward(self, x, y_prev, c_prev):
        u = np.matmul(x, self.w) + np.matmul(y_prev, self.v) + \
            self.b.reshape(4, 1, -1)

        a0 = sigmoid(u[0])  # 忘却ゲート
        a1 = sigmoid(u[1])  # 入力ゲート
        a2 = np.tanh(u[2])  # 新しい記憶
        a3 = sigmoid(u[3])  # 出力ゲート
        self.gates = np.stack((a0, a1, a2, a3))

        self.c = a0*c_prev + a1*a2      # 記憶セル
        self.y = a3 * np.tanh(self.c)  # 出力

    def backward(self, x, y, c, y_prev, c_prev, gates,
                 grad_y, grad_c, ):
        a0, a1, a2, a3 = gates
        tanh_c = np.tanh(c)
        r = grad_c + (grad_y*a3) * (1-tanh_c**2)

        # 各delta
        delta_a0 = r * c_prev * a0 * (1-a0)
        delta_a1 = r * a2 * a1 * (1-a1)
        delta_a2 = r * a1 * (1 - a2**2)
        delta_a3 = grad_y * tanh_c * a3 * (1 - a3)

        deltas = np.stack((delta_a0, delta_a1, delta_a2,
                           delta_a3))

        # 各パラメータの勾配
        self.grad_w += np.matmul(x.T, deltas)
        self.grad_v += np.matmul(y_prev.T, deltas)
        self.grad_b += np.sum(deltas, axis=1)

        # xの勾配
        grad_x = np.matmul(deltas, self.w.transpose(0, 2, 1))
        self.grad_x = np.sum(grad_x, axis=0)

        # y_prevの勾配
        grad_y_prev = np.matmul(deltas,
                  self.v.transpose(0, 2, 1))
```

```
        self.grad_y_prev = np.sum(grad_y_prev, axis=0)

        # c_prevの勾配
        self.grad_c_prev = r * a0

    def reset_sum_grad(self):
        self.grad_w = np.zeros_like(self.w)
        self.grad_v = np.zeros_like(self.v)
        self.grad_b = np.zeros_like(self.b)

    def update(self, eta):
        self.w -= eta * self.grad_w
        self.v -= eta * self.grad_v
        self.b -= eta * self.grad_b

    def clip_grads(self, clip_const):
        self.grad_w = clip_grad(self.grad_w,
                clip_const*np.sqrt(self.grad_w.size))
        self.grad_v = clip_grad(self.grad_v,
                clip_const*np.sqrt(self.grad_v.size))

# -- 全結合 出力層 --
class OutputLayer:
    def __init__(self, n_upper, n):
        # Xavierの初期値
        self.w = np.random.randn(n_upper, n) / np.sqrt(n_upper)
        self.b = np.zeros(n)

    def forward(self, x):
        self.x = x
        u = np.dot(x, self.w) + self.b
        self.y = np.exp(u)/np.sum(np.exp(u),
                axis=1).reshape(-1, 1)      # ソフトマックス関数

    def backward(self, t):
        delta = self.y - t

        self.grad_w = np.dot(self.x.T, delta)
        self.grad_b = np.sum(delta, axis=0)
        self.grad_x = np.dot(delta, self.w.T)

    def update(self, eta):
```

```
        self.w -= eta * self.grad_w
        self.b -= eta * self.grad_b

# -- 各層の初期化 --
lstm_layer = LSTMLayer(n_chars, n_mid)
output_layer = OutputLayer(n_mid, n_chars)

# -- 訓練 --
def train(x_mb, t_mb):
    # 順伝播 LSTM層
    y_rnn = np.zeros((len(x_mb), n_time+1, n_mid))
    c_rnn = np.zeros((len(x_mb), n_time+1, n_mid))
    gates_rnn = np.zeros((4, len(x_mb), n_time, n_mid))
    y_prev = y_rnn[:, 0, :]
    c_prev = c_rnn[:, 0, :]
    for i in range(n_time):
        x = x_mb[:, i, :]
        lstm_layer.forward(x, y_prev, c_prev)

        y = lstm_layer.y
        y_rnn[:, i+1, :] = y
        y_prev = y

        c = lstm_layer.c
        c_rnn[:, i+1, :] = c
        c_prev = c

        gates = lstm_layer.gates
        gates_rnn[:, :, i, :] = gates

    # 順伝播 出力層
    output_layer.forward(y)

    # 逆伝播 出力層
    output_layer.backward(t_mb)
    grad_y = output_layer.grad_x
    grad_c = np.zeros_like(lstm_layer.c)

    # 逆伝播 LSTM層
    lstm_layer.reset_sum_grad()
    for i in reversed(range(n_time)):
        x = x_mb[:, i, :]
```

```
            y = y_rnn[:, i+1, :]
            c = c_rnn[:, i+1, :]
            y_prev = y_rnn[:, i, :]
            c_prev = c_rnn[:, i, :]
            gates = gates_rnn[:, :, i, :]

            lstm_layer.backward(x, y, c, y_prev, c_prev,
                                gates, grad_y, grad_c)
            grad_y = lstm_layer.grad_y_prev
            grad_c = lstm_layer.grad_c_prev

        # パラメータの更新
        lstm_layer.clip_grads(clip_const)
        lstm_layer.update(eta)
        output_layer.update(eta)

# -- 予測 --
def predict(x_mb):
    # 順伝播 LSTM層
    y_prev = np.zeros((len(x_mb), n_mid))
    c_prev = np.zeros((len(x_mb), n_mid))
    for i in range(n_time):
        x = x_mb[:, i, :]
        lstm_layer.forward(x, y_prev, c_prev)
        y = lstm_layer.y
        y_prev = y
        c = lstm_layer.c
        c_prev = c

    # 順伝播 出力層
    output_layer.forward(y)
    return output_layer.y

# -- 誤差を計算 --
def get_error(x, t):
    limit = 1000
    if len(x) > limit:  # 測定サンプル数の上限を設定
        index_random = np.arange(len(x))
        np.random.shuffle(index_random)
        x = x[index_random[:limit], :]
        t = t[index_random[:limit], :]
    y = predict(x)
```

```
    # 交差エントロピー誤差
    return -np.sum(t*np.log(y+1e-7))/batch_size

def create_text():
    prev_text = text[0:n_time]    # 入力
    created_text = prev_text      # 生成されるテキスト
    print("Seed:", created_text)

    for i in range(200):          # 200文字の文章を生成
        # 入力をone-hot表現に
        x = np.zeros((1, n_time, n_chars))
        for j, char in enumerate(prev_text):
            x[0, j, char_to_index[char]] = 1

        # 予測を行い、次の文字を得る
        y = predict(x)
        p = y[0] ** beta     # 確率分布の調整
        p = p / np.sum(p)    # pの合計を1に
        next_index = np.random.choice(len(p), size=1, p=p)
        next_char = index_to_char[int(next_index[0])]
        created_text += next_char
        prev_text = prev_text[1:] + next_char

    print(created_text)
    print()  # 改行

error_record = []
n_batch = len(input_data) // batch_size  # 1エポックあたりのバッチ数
for i in range(epoch):

    # -- 学習 --
    index_random = np.arange(len(input_data))
    np.random.shuffle(index_random) # インデックスをシャッフルする
    for j in range(n_batch):

        # ミニバッチを取り出す
        mb_index = index_random[j*batch_size : (j+1)*batch_size]
        x_mb = input_data[mb_index, :]
        t_mb = correct_data[mb_index, :]
        train(x_mb, t_mb)

        # -- 経過の表示 --
```

```
            print("\rEpoch: " + str(i+1) + "/"+str(epoch) + \
                  "  "+str(j+1) + "/" + str(n_batch), end="")

        # -- 誤差を求める --
        error = get_error(input_data, correct_data)
        error_record.append(error)
        print("  Error: "+str(error))

        # -- 経過の表示 --
        create_text()

    plt.plot(range(1, len(error_record)+1), error_record,
             label="error")
    plt.xlabel("Epochs")
    plt.ylabel("Error")
    plt.legend()
    plt.show()
```

5.6.8 結果の確認

以下は、上記のコードで1エポック学習したモデルにより生成された文章です。

1エポック学習後（LSTM）

```
Epoch: 1/50  852/852  Error: 33.06076954771193
Seed: そのころ、東京中の町という町、家という家
そのころ、東京中の町という町、家という家ないて、レしたのです。
明それは、それだったからけて、こうに、このです。
二十十面相君一、ッめと、おありですか。
とりりなした。
ぼした、賊が、それは、こと、人から、それて、ないって、くのを、力し偵のです。
したは、それれ、きったのです。

わくは、そうのと、ぼのですよう、おしたが、ようにな、そのなことかに、わわれて、
おったのです。
そん知、ありは、こをかけて、行くて、むも、あっと、ことし、あれ
```

ところどころに文章らしさが散見されるものの、まだ文章の体をなしていないですね。文字の予測精度が、まだあまり高くないようです。

それでは、50エポック学習後に生成された文章を以下にいくつか掲載します。

50エポック学習後（LSTM）

```
Epoch: 50/50  852/852  Error: 13.46243783981813
Seed: そのころ、東京中の町という町、家という家
そのころ、東京中の町という町、家という家では、賊のほうへ出てはいました。
ああ、そうです。こいつものだよ。いったい、どうしたんです。この二十面相の親分
にあるまま、食事でした。
そして、そのほどにひとりの警官の人が、とびおりおりますと、賊の身はなになりま
せんか。
そのとき、明智小五郎が、その中の中へ電話をかけていました。
その男は、いったいどのはべを、どうして知れたんだな。
あの部屋があるのでね。
え、きみ、、ぼくは小林らのぼくの陳列室へ
```

```
Epoch: 50/50  852/852  Error: 14.083956334044487
Seed: そのころ、東京中の町という町、家という家
そのころ、東京中の町という町、家という家だったではありませんか。
明智はまた、きみの前へはいるんだ。
その二十面相は、まっかくなことをしているのです。
ここではありません。
で、ぼくの少年探偵は、どうしてこんなになって、するどくだったのですか。
ところが、その男の名画の中に、いつのまでもなく、こんな顔をしているのです。
ここでほどの男は、あいつを見つめているのですか。
そうです。そのとき、あの子どもはなれて。
と、しばんくんでいたし、そ
```

```
Epoch: 50/50  852/852  Error: 14.409937725300804
Seed: そのころ、東京中の町という町、家という家
そのころ、東京中の町という町、家という家をつかまると、たずねますと、先生の人
です。
これがいったい、おい、いさい。早くたちがわからありません。
壮太郎氏は、なんだから、そんな用意をあけて、それをかけがわないたいには、美術
品の親分に、そんなことをいいだすようにいいです。
そうですから、大さい、くすみのようすを、両手のにぎりつけたのです。
それから、その男は、この男の部屋へ、きみをにぎりだけて、いったいいつに、きみ
の中から、その中の二階へか
```

エポックを多く重ねることで、文章がより自然なりました。「明智小五郎」、「二十面相」などの単語が形成されていることも確認できます。また、句読点や改行が適切なタイミングで挿入されているため、文章の体をなしています。そして、文体から乱歩らしさを感じることもできます。

しかしながら、確率的にサンプリングされた文字を並べているだけである点にはご注意ください。実際に、文章と文章が関係性を持ち、全体としてストーリーを形成するところまでは至っていません。また、よくわからない単語がときどき生成されているようです。

それでは、LSTM層の代わりにシンプルなRNN層を使ったらどうなるのでしょうか。以下は、前章で解説したシンプルなRNN層を使って、上記と同じ条件で50エポック学習した結果です。

シンプルなRNNを使った場合

```
Epoch: 50/50  852/852  Error: 18.687007498064386
Seed: そのころ、東京中の町という町、家という家
そのころ、東京中の町という町、家という家の宝石のようにしたびとが、から、1通の顔にちゅうに見ているのです。
明智は、いいから、おやしい人物が、きっとのあるのでしょう。
このピストルが、二十面相の部下のものが、その前に、チッチラと見えると、うしいで、かわったのでしょう。
さい、またく、壮二君でもころどくなっているのです。
壮太郎氏は、わしは、賊の部下のほうへうちがいないではありませんか。
すると、それを見まわしました。
さあ、はわったので
```

```
Epoch: 50/50  852/852  Error: 18.822724413512265
Seed: そのころ、東京中の町という町、家という家
そのころ、東京中の町という町、家という家ではありません。
それに、壮二君の人物の一隅のうんだ。
どうして、明智のうたしが、きみは、すぐにいたことがあっているのです。
ああ、それは受けとばっているのです。
そのうしろみ、そうじつはいっているのです。
とうすっこへ、あったんだ。そういうい。
あ、窓の外、そうしいていて、いるほどもあるのです。
いくれたいう。それに、1台の自動車をとりする。いいやいた。そういうわれるんだ。
新聞いていきます。
```

```
Epoch: 50/50 852/852 Error: 19.063023040589293
Seed: そのころ、東京中の町という町、家という家
そのころ、東京中の町という町、家という家のことが、あることに、かつけてあるた
だが、この二十面相のことですからね。
壮一君、その時に、十分かたくて、明智探偵は、このことが、この賊をおいて、けっ
けたのです。
ああ、は、一枚のほかには、この二十面相のことばかり、その男は、それから、あい
つのことは、こんないでは、この二十面相が、賊のことに、このまわりさえたちかから、
このまわりを知ってきました。
それから、あいつは、賊のほかには、外務省の辻野氏に
```

印象にすぎませんが、LSTMと比較して文章の自然さが少し劣るように見えます。シンプルなRNNは長期記憶の保持が難しいため、ばらばらな単語の寄せ集めになっているようです。

ただ、学習時間に関しては、モデルがシンプルであるぶんシンプルなRNNの方がLSTMよりもずっと短くなります。

さらに質の高い文章を生成するためアプローチはいくつか考えられますが、1つは訓練データのサイズを大きくしてモデルの汎化性能を向上させることです。乱歩の他の小説を訓練データに加えてもいいかもしれません。

もう1つのアプローチは、入力に工夫を加えることです。今回は文字単位で入力としましたが、単語単位で入力にすることも可能です。その際には単語同士の関係性を考慮して単語をベクトル化する、word2vec（→参考文献[12]）などの技術が役に立つでしょう。

また、GRUなどの他の仕組みも、LSTMの代わりに試す価値があります。GRUについては次の章で解説しますが、GRU層を使った文書の生成結果はそこで紹介します。

今回はRNNを使った未来予測により文章を生成しましたが、この技術はたとえば作曲、市場価格の予測などにも応用可能です。

まとめ

本章では、記憶セルやゲートなどの複雑な構造を内部に持つLSTMについて解説しました。

LSTM層の順伝播、逆伝播を数式で表し、クラスとして実装しました。そして、このクラスを使ってLSTMのモデルを構築し、サインカーブを生成するように訓練しました。さらに、文章の文字の並びから次の文字を予測するようにLSTMのモデルを訓練し、文章の生成を行いました。

シンプルなRNNと比較してLSTMは複雑な構造をしていますが、そのぶん勾配消失に対して頑強になり表現力が向上します。

次の章では、このLSTMをもう少しシンプルにしたGRUを扱います。

第6章 GRU

この章では、LSTMをシンプルにしたGRUについて解説します。GRUはLSTMと同じくゲートを持つのですが、記憶セルは持ちません。

GRUはLSTMと比較して計算量が少なく、タスクによってはLSTMより良い性能を発揮することもあります。

6.1 GRUの概要

6.1.1 GRUの概要

GRU (Gated recurrent unit) はLSTMを改良したもので、2014年にChoらにより提案されました(→参考文献[13])。GRUでは入力ゲートと忘却ゲートが統合され、**更新ゲート** (Update gate)」になっています。記憶セルと出力ゲートはありませんが、**リセットゲート** (Reset gate)」という過去から引き継がれたデータを取捨選択するためのゲートがあります。これらのゲートが機能することにより、GRU層はLSTMと同様、長期にわたって記憶を受け継ぐことが可能です。

以下の図にGRU層の構造を示しますが、LSTMと比較して全体的にシンプルな構造になっており、使い勝手が向上しています。

GRU層の構造

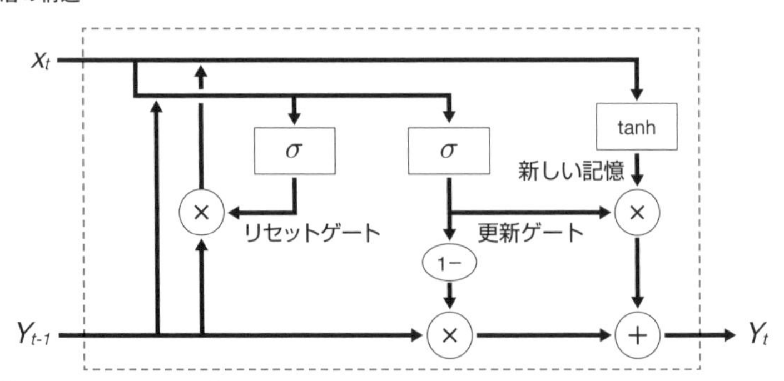

この図において、X_tがこの時刻の層への入力で、Y_tがこの時刻の出力、Y_{t-1}は1つ前の時刻の出力です。

矢印は順伝播におけるデータの流れで、バッチを考慮すると行列になります。丸は要素同士の演算ですが、+が入っているものは要素同士の和、×が入っているものは要素同士の積を表します。また、σはシグモイド関数を表します。

矢印が合流している箇所がありますが、これは経路が同じになるだけなので合流時点で演算が行われているわけではありません。

LSTM層と比べて大幅にシンプルになっていますね。記憶セルがありませんが、過去の記憶はY_tに含まれます。

2つのゲートはそれぞれ学習するパラメータを持つのですが、これらに加えて、もう1つのtanhを活性関数とした経路も学習するパラメータを持ちます。従って、学習するパラメータは3セット必要になります。

それでは、GRU内の各経路を順番に見ていきましょう。

6.1.2 リセットゲート

過去から引き継がれた値にリセットゲートの値をかけることで、過去の記憶をどの程度取り入れるかを調整します。

以下の図にリセットゲートの周辺をハイライトして示します。

リセットゲートの周辺

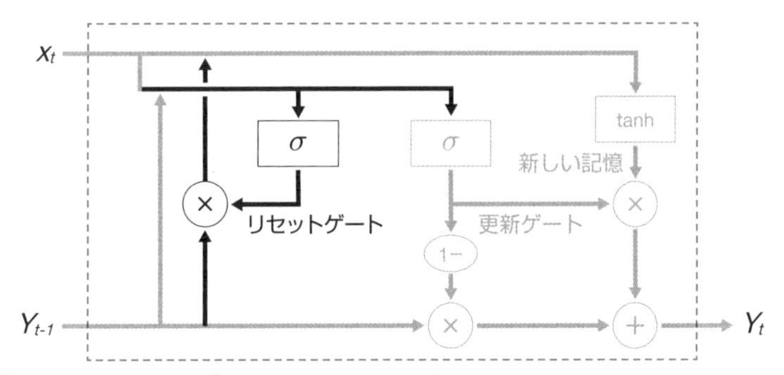

リセットゲートの経路はシグモイド関数を経ますが、これと過去から引き継がれたデータとの間で要素ごとの積をとります。シグモイド関数は0から1の値をとるので、過去の記憶をどの程度取り入れるすのか、このゲートでは0から1の割合をかけることで調整することになります。

リセットゲートの活性化関数による処理は、以下の式で表されます。

$$A_1^{(t)} = \sigma(X^{(t)}W_1 + Y^{(t-1)}V_1 + B_1)$$

右上の添字(t)は、時刻tを表します。$A_1^{(t)}$は活性化後の値で、0から1の範囲の値をとります。$X^{(t)}$はこの時刻におけるGRU層への入力で、$Y^{(t-1)}$は前の時刻の出力です。これらは、それぞれ重み行列W_1、V_1と行列積をとります。B_1はバイアスで、σはシグモイド関数です。

1という添字は、経路の種類を表します。以降、リセットゲートでは1という添字を使用します。

6.1.3　新しい記憶

GRUには活性化関数としてtanhを使う経路がありますが、これはこの時刻で追加される新しい記憶と解釈できます。以降本書ではこの経路を、「新しい記憶」と呼びます。以下の図に、新しい記憶の周辺をハイライトして示します。

新しい記憶の周辺

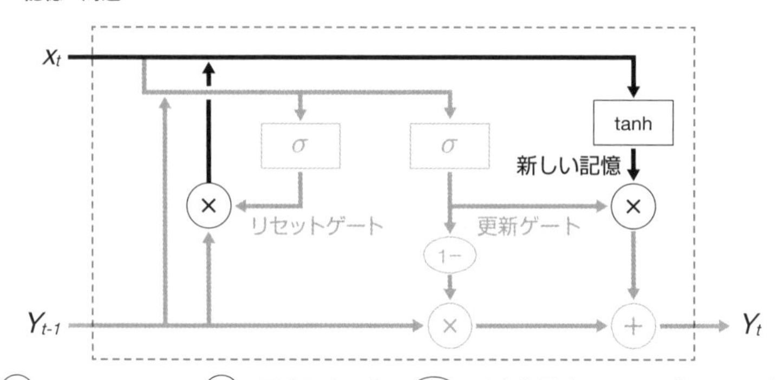

この経路の活性化関数による処理は、以下の式で表されます。

$$A_2^{(t)} = \tanh(X^{(t)}W_2 + (A_1^{(t)} \circ Y^{(t-1)})V_2 + B_2)$$

以降、「新しい記憶」では2という添字を使用します。

上記の式では、リセットゲート$A_1^{(t)}$と前の時刻の出力$Y^{(t-1)}$で要素ごとの積をとっています。これにより、過去の記憶が取捨選択されたうえで新しい記憶の形成に絡むことになります。

6.1.4　更新ゲート

以下の図に、更新ゲートの周辺をハイライトして示します。

■ 更新ゲートの周辺

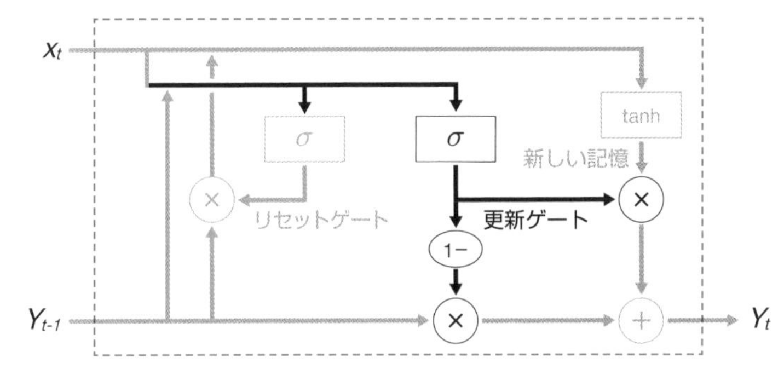

+ : 要素同士の和　× : 要素同士の積　1− : 1から引く　σ : シグモイド関数

新しい記憶には更新ゲートの値をかけて、過去の記憶には更新ゲートの値から1から引いたものをかけて足し合わせます。これにより、新しい記憶と過去の記憶の割合が調整され、この時刻の出力となります。

更新ゲートの活性化関数による処理は、以下の式で表されます。

$$A_0^{(t)} = \sigma(X^{(t)}W_0 + Y^{(t-1)}V_0 + B_0)$$

以降、更新ゲートでは0という添字を使用します。

6.2 GRU層の順伝播

ここからは、GRUの仕組みと実装方法について、数式とコードを交えて解説していきます。本章ではクラスとしてGRU層を実装しますが、まずは順伝播について解説します。

6.2.1 GRUの順伝播

GRUの順伝播を、行列を使った数式で表します。

更新ゲート

$$U_0^{(t)} = X^{(t)}W_0 + Y^{(t-1)}V_0 + B_0$$
$$A_0^{(t)} = \sigma(U_0^{(t)})$$
式06-01

リセットゲート

$$U_1^{(t)} = X^{(t)}W_1 + Y^{(t-1)}V_1 + B_1$$
$$A_1^{(t)} = \sigma(U_1^{(t)})$$
式06-02

新しい記憶

$$U_2^{(t)} = X^{(t)}W_2 + (A_1^{(t)} \circ Y^{(t-1)})V_2 + B_2$$
$$A_2^{(t)} = \tanh(U_2^{(t)})$$
式06-03

出力

$$Y^{(t)} = (1 - A_0^{(t)}) \circ Y^{(t-1)} + A_0^{(t)} \circ A_2^{(t)}$$
式06-04

新しい記憶の経路にはリセットゲートが必要で、出力の経路には更新ゲートと新しい記憶が必要になります。

6.2.2 順伝播をコードで実装

GRUの順伝播の式を、コードで実装します。学習するパラメータのが全部で3セットあるので、今回は以下のように各パラメータをまとめて初期化します。

```
# w:重み v:重み n_upper:上の層のニューロン数 n:この層のニューロン数
w = np.random.randn(3, n_upper, n) / np.sqrt(n_upper)
v = np.random.randn(3, n, n) / np.sqrt(n)
```

なるべく実装をシンプルにするため、影響力の小さいバイアスは今回省きます。

入力にかける重みwは、

$$3 \times \ n\_upper \times \ n$$

の配列に、前の時刻の出力にかける重みvは、

$$3\times\ n\times\ n$$

の配列になります。両者ともに、同じサイズの行列が3つ格納されます。初期値には、今回もXavierの初期値を使います。

これらの重みを使って、**式06-01**、**式06-02**、**式06-03**、**式06-04**に基づき以下のように順伝播を実装します。

```
# x:入力 y_prev:前の時刻の出力
a0 = sigmoid(np.dot(x, w[0]) + np.dot(y_prev, v[0]))  # 更新ゲート
a1 = sigmoid(np.dot(x, w[1]) + np.dot(y_prev, v[1]))  # リセットゲート
a2 = np.tanh(np.dot(x, w[2]) + np.dot(a1*y_prev, v[2]))  # tanh

y = (1-a0)*y_prev + a0*a2  # 出力
```

経路ごとに異なる活性化関数で求めたa_0、a_1 、a_2、a_3を使って、出力yが計算されます。GRUの順伝播は、以上になります。

6.3 GRU層の逆伝播

GRU層の逆伝播では、すべての時間を通して以下の勾配を各経路で計算する必要があります。これらは、勾配降下法によるパラメータの更新に必要です。

- **入力にかける重みの勾配**：$\frac{\partial E}{\partial W_g}$
- **前の時刻の出力にかける重みの勾配**：$\frac{\partial E}{\partial V_g}$
- **バイアスの勾配**：$\frac{\partial E}{\partial B_g}$

また、各時刻で以下の勾配を計算する必要があります。

- **入力の勾配**：$\frac{\partial E}{\partial X^{(t)}}$
- **前の時刻の出力の勾配**：$\frac{\partial E}{\partial Y^{(t-1)}}$

入力の勾配は、GRU層よりも上の層がある場合、その層に伝播します。前の時刻の出力の勾配は、前の時刻に伝播します。それでは、これらの各勾配を求めていきましょう。

6.3.1 新しい記憶

最初に、新しい記憶に関係する各パラメータの勾配を求めます。新しい記憶に関係する順伝播の**式06-03**、**式06-04**の行列の各要素を、以下の式で表します。

$$
\begin{aligned}
u_2^{(t)} &= \sum_{k=1}^{m} x_k^{(t)} w_{2,k} + \sum_{k=1}^{n} a_{1,k}^{(t)} y_k^{(t-1)} v_{2,k} + b_2 \\
a_2^{(t)} &= \tanh(u_2^{(t)}) \\
y^{(t)} &= (1 - a_0^{(t)}) y^{(t-1)} + a_0^{(t)} a_2^{(t)}
\end{aligned}
$$

上記では、行列内の位置を表す添字は省略されています。

ここで、入力にかけるある重み$w_{2,i}$の勾配を求めます。各時刻の$u_2^{(t)}$を挟んだ連鎖律を適用することで、以下の式が導かれます。

$$
\begin{aligned}
\frac{\partial E}{\partial w_{2,i}} &= \sum_{t=1}^{\tau} \frac{\partial E}{\partial u_2^{(t)}} \frac{\partial u_2^{(t)}}{\partial w_{2,i}} \\
&= \sum_{t=1}^{\tau} x_i^{(t)} \delta_2^{(t)}
\end{aligned}
$$

$v_{2,i}$とb_2の勾配も、同様にして求めることができます。

$$
\begin{aligned}
\frac{\partial E}{\partial v_{2,i}} &= \sum_{t=1}^{\tau} a_{1,i}^{(t)} y_i^{(t-1)} \delta_2^{(t)} \\
\frac{\partial E}{\partial b_2} &= \sum_{t=1}^{\tau} \delta_2^{(t)}
\end{aligned}
$$

上記の$\delta_2^{(t)}$ですが、以下のように連鎖律を適用して求めることができます。

$$
\begin{aligned}
\delta_2^{(t)} &= \frac{\partial E}{\partial u_2^{(t)}} \\
&= \frac{\partial E}{\partial a_2^{(t)}} \frac{\partial a_2^{(t)}}{\partial u_2^{(t)}} \\
&= \frac{\partial E}{\partial y^{(t)}} \frac{\partial y^{(t)}}{\partial a_2^{(t)}} \frac{\partial a_2^{(t)}}{\partial u_2^{(t)}} \\
&= \frac{\partial E}{\partial y^{(t)}} a_0^{(t)} \left(1 - a_2^{(t)2}\right)
\end{aligned}
$$

6.3.2 更新ゲート

更新ゲートに関係する各パラメータの勾配を求めます。更新ゲートに関係する順伝播の**式06-01**、**式06-04**の行列の各要素を、以下の式で表します。

$$
\begin{aligned}
u_0^{(t)} &= \sum_{k=1}^{m} x_k^{(t)} w_{0,k} + \sum_{k=1}^{n} y_k^{(t-1)} v_{0,k} + b_0 \\
a_0^{(t)} &= \sigma(u_0^{(t)}) \\
y^{(t)} &= (1 - a_0^{(t)}) y^{(t-1)} + a_0^{(t)} a_2^{(t)}
\end{aligned}
$$

ここで、入力にかけるある重み$w_{0,i}$の勾配を求めます。各時刻の$u_0^{(t)}$を挟んだ連鎖律を適用することで、以下の式が導かれます。

$$
\begin{aligned}
\frac{\partial E}{\partial w_{0,i}} &= \sum_{t=1}^{\tau} \frac{\partial E}{\partial u_0^{(t)}} \frac{\partial u_0^{(t)}}{\partial w_{0,i}} \\
&= \sum_{t=1}^{\tau} x_i^{(t)} \delta_0^{(t)}
\end{aligned}
$$

$v_{0,i}$とb_0の勾配も、同様にして求めることができます。

$$
\begin{aligned}
\frac{\partial E}{\partial v_{0,i}} &= \sum_{t=1}^{\tau} y_i^{(t-1)} \delta_0^{(t)} \\
\frac{\partial E}{\partial b_0} &= \sum_{t=1}^{\tau} \delta_0^{(t)}
\end{aligned}
$$

上記の$\delta_0^{(t)}$ですが、以下のように連鎖律を適用して求めることができます。

$$
\begin{aligned}
\delta_0^{(t)} &= \frac{\partial E}{\partial u_0^{(t)}} \\
&= \frac{\partial E}{\partial a_0^{(t)}} \frac{\partial a_0^{(t)}}{\partial u_0^{(t)}} \\
&= \frac{\partial E}{\partial y^{(t)}} \frac{\partial y^{(t)}}{\partial a_0^{(t)}} \frac{\partial a_0^{(t)}}{\partial u_0^{(t)}} \\
&= \frac{\partial E}{\partial y^{(t)}} (a_2^{(t)} - y^{(t-1)}) a_0^{(t)} (1 - a_0^{(t)})
\end{aligned}
$$

6.3.3　リセットゲート

リセットゲートに関係する各パラメータの勾配を求めます。リセットゲートに関係する順伝播の**式06-02**、**式06-03**の行列の各要素を、以下の式で表します。

$$
\begin{aligned}
u_1^{(t)} &= \sum_{k=1}^{m} x_k^{(t)} w_{1,k} + \sum_{k=1}^{n} y_k^{(t-1)} v_{1,k} + b_1 \\
a_1^{(t)} &= \sigma(u_1^{(t)}) \\
u_2^{(t)} &= \sum_{k=1}^{m} x_k^{(t)} w_{2,k} + \sum_{k=1}^{n} a_{1,k}^{(t)} y_k^{(t-1)} v_{2,k} + b_2
\end{aligned}
$$

式06-05

ここで、入力にかけるある重み$w_{1,i}$の勾配を求めます。各時刻の$u_1^{(t)}$を挟んだ連鎖律を適用することで、以下の式が導かれます。

$$
\begin{aligned}
\frac{\partial E}{\partial w_{1,i}} &= \sum_{t=1}^{\tau} \frac{\partial E}{\partial u_1^{(t)}} \frac{\partial u_1^{(t)}}{\partial w_{1,i}} \\
&= \sum_{t=1}^{\tau} x_i^{(t)} \delta_1^{(t)}
\end{aligned}
$$

$v_{1,i}$とb_1の勾配も、同様にして求めることができます。

$$\frac{\partial E}{\partial v_{1,i}} = \sum_{t=1}^{\tau} y_i^{(t-1)} \delta_1^{(t)}$$

$$\frac{\partial E}{\partial b_1} = \sum_{t=1}^{\tau} \delta_1^{(t)}$$

上記の$\delta_1^{(t)}$ですが、求め方はこれまでと比べて少々複雑になります。まずは以下のように連鎖律を適用します。

$$\begin{aligned}\delta_1^{(t)} &= \frac{\partial E}{\partial u_1^{(t)}} \\ &= \frac{\partial E}{\partial a_1^{(t)}} \frac{\partial a_1^{(t)}}{\partial u_1^{(t)}}\end{aligned}$$

$a_1^{(t)}$は**式06-05**により、この時刻におけるすべてのニューロンの$u_2^{(t)}$に影響を与えます。従って、$\frac{\partial E}{\partial a_1^{(t)}}$には層内のすべてのニューロンを考慮した連鎖律を適用します。

$$\delta_1^{(t)} = \left(\sum_{j=1}^{n} \frac{\partial E}{\partial u_{2,j}^{(t)}} \frac{\partial u_{2,j}^{(t)}}{\partial a_1^{(t)}} \right) \frac{\partial a_1^{(t)}}{\partial u_1^{(t)}} \qquad \text{式06-06}$$

nは層内のニューロン数で、添字のjはニューロンのインデックスです。ここで$u_{2,j}^{(t)}$は、**式06-05**にこれまで省略されていたニューロンのインデックスjを明記することで次のように表されます。

$$u_{2,j}^{(t)} = \sum_{k=1}^{m} x_k^{(t)} w_{2,kj} + \sum_{k=1}^{n} a_{1,k}^{(t)} y_k^{(t-1)} v_{2,kj} + b_{2,j}$$

これを、$a_{1,p}^{(t)}$で偏微分します。添字pの範囲は$1 \leq p \leq n$とします。

$$\frac{\partial u_{2,j}^{(t)}}{\partial a_{1,p}^{(t)}} = y_p^{(t-1)} v_{2,pj}$$

これの添字pを省略し、**式06-06**に代入することで、以下の式を得ることができます。

$$
\begin{aligned}
\delta_1^{(t)} &= \left(\sum_{j=1}^{n} \delta_{2,j}^{(t)} y^{(t-1)} v_{2,j} \right) a_1^{(t)}(1 - a_1^{(t)}) \\
&= \left(\sum_{j=1}^{n} v_{2,j} \delta_{2,j}^{(t)} \right) y^{(t-1)} a_1^{(t)}(1 - a_1^{(t)})
\end{aligned}
$$

ここで、( )内を$s^{(t)}$とおきます。$s^{(t)}$は後で再利用します。

$$
s^{(t)} = \sum_{j=1}^{n} v_{2,j} \delta_{2,j}^{(t)}
$$

これを使って、結果的に$\delta_1^{(t)}$は次のように表されます。

$$
\delta_1^{(t)} = s^{(t)} y^{(t-1)} a_1^{(t)}(1 - a_1^{(t)})
$$

6.3.4 入力の勾配

ある時刻における入力の勾配は、層内のすべての$u_g^{(t)}$を挟んだ連鎖律により求めることができます。gは経路を表す添字です。

$$
\begin{aligned}
\frac{\partial E}{\partial x_i^{(t)}} &= \sum_{g=0}^{2} \sum_{k=1}^{n} \frac{\partial E}{\partial u_{g,k}^{(t)}} \frac{\partial u_{g,k}^{(t)}}{\partial x_i^{(t)}} \\
&= \sum_{g=0}^{2} \sum_{k=1}^{n} w_{g,i} \delta_{g,k}^{(t)}
\end{aligned}
$$

6.3.5 前の時刻の出力の勾配

前の時刻の出力の勾配を求めるには、**式06-04**を要素で表した以下の式が直接$y^{(t-1)}$の影響を受けることも考慮して、連鎖律を適用する必要があります。

$$
y^{(t)} = (1 - a_0^{(t)}) y^{(t-1)} + a_0^{(t)} a_2^{(t)}
$$

これを踏まえて、前の時刻における出力の勾配は以下の通りに求めることができます。

$$
\begin{aligned}
\frac{\partial E}{\partial y_i^{(t-1)}} &= \sum_{k=1}^{n} \frac{\partial E}{\partial u_{0,k}^{(t)}} \frac{\partial u_{0,k}^{(t)}}{\partial y_i^{(t-1)}} + \sum_{k=1}^{n} \frac{\partial E}{\partial u_{1,k}^{(t)}} \frac{\partial u_{1,k}^{(t)}}{\partial y_i^{(t-1)}} + \sum_{k=1}^{n} \frac{\partial E}{\partial u_{2,k}^{(t)}} \frac{\partial u_{2,k}^{(t)}}{\partial y_i^{(t-1)}} + \frac{\partial E}{\partial y_i^{(t)}} \frac{\partial y_i^{(t)}}{\partial y_i^{(t-1)}} \\
&= \sum_{k=1}^{n} v_{0,i}\delta_{0,k}^{(t)} + \sum_{k=1}^{n} v_{1,i}\delta_{1,k}^{(t)} + a_1^{(t)} \sum_{k=1}^{n} v_{2,i}\delta_{2,k}^{(t)} + \frac{\partial E}{\partial y_i^{(t)}}(1 - a_0^{(t)}) \\
&= \sum_{k=1}^{n} v_{0,i}\delta_{0,k}^{(t)} + \sum_{k=1}^{n} v_{1,i}\delta_{1,k}^{(t)} + a_1^{(t)} s^{(t)} + \frac{\partial E}{\partial y_i^{(t)}}(1 - a_0^{(t)})
\end{aligned}
$$

6.3.6 行列による表現

コードで実装しやすくするために、各勾配を行列式で表します。まずは$s^{(t)}$を行列$S^{(t)}$で表します。

$$
\begin{aligned}
S^{(t)} &= \Delta_2^{(t)} V_2^T \\
&= \begin{pmatrix} \delta_{2,11}^{(t)} & \delta_{2,12}^{(t)} & \cdots & \delta_{2,1n}^{(t)} \\ \delta_{2,21}^{(t)} & \delta_{2,22}^{(t)} & \cdots & \delta_{2,2n}^{(t)} \\ \vdots & \vdots & \ddots & \vdots \\ \delta_{2,h1}^{(t)} & \delta_{2,h2}^{(t)} & \cdots & \delta_{2,hn}^{(t)} \end{pmatrix}
\begin{pmatrix} v_{2,11} & v_{2,21} & \cdots & v_{2,n1} \\ v_{2,12} & v_{2,22} & \cdots & v_{2,n2} \\ \vdots & \vdots & \ddots & \vdots \\ v_{2,1n} & v_{2,2n} & \cdots & v_{2,nn} \end{pmatrix} \\
&= \begin{pmatrix} \sum_{k=1}^{n} v_{2,1k}\delta_{2,1k}^{(t)} & \sum_{k=1}^{n} v_{2,2k}\delta_{2,1k}^{(t)} & \cdots & \sum_{k=1}^{n} v_{2,nk}\delta_{2,1k}^{(t)} \\ \sum_{k=1}^{n} v_{2,1k}\delta_{2,2k}^{(t)} & \sum_{k=1}^{n} v_{2,2k}\delta_{2,2k}^{(t)} & \cdots & \sum_{k=1}^{n} v_{2,nk}\delta_{2,2k}^{(t)} \\ \vdots & \vdots & \ddots & \vdots \\ \sum_{k=1}^{n} v_{2,1k}\delta_{2,hk}^{(t)} & \sum_{k=1}^{n} v_{2,2k}\delta_{2,hk}^{(t)} & \cdots & \sum_{k=1}^{n} v_{2,nk}\delta_{2,hk}^{(t)} \end{pmatrix}
\end{aligned}
$$

$\Delta_2^{(t)}$とV_2^Tの行列積にすることで、要素ごとにすべてのニューロンで総和をとることになります。

次に、各経路における$\delta_g^{(t)}$の行列$\Delta_g^{(t)}$を以下の通りに表します。ここで、2乗の表記は要素ごとの2乗になります。

$$
\begin{aligned}
\Delta_0^{(t)} &= \frac{\partial E}{\partial Y^{(t)}} \circ (A_2^{(t)} - Y^{(t-1)}) \circ A_0^{(t)} \circ (1 - A_0^{(t)}) \\
\Delta_1^{(t)} &= S^{(t)} \circ Y^{(t-1)} \circ A_1^{(t)} \circ (1 - A_1^{(t)}) \\
\Delta_2^{(t)} &= \frac{\partial E}{\partial Y^{(t)}} \circ A_0^{(t)} \circ \left(1 - A_2^{(t)2}\right)
\end{aligned}
$$

以上を使って、以下の通りに各重みの勾配を行列で表すことができます。

$$\frac{\partial E}{\partial W_g} = \sum_{t=1}^{\tau} X^{(t)\mathrm{T}} \Delta_g^{(t)}$$

$$\frac{\partial E}{\partial V_g} = \sum_{t=1}^{\tau} Y^{(t-1)\mathrm{T}} \Delta_g^{(t)}$$

$\sum$の内部は行列積ですが、これによりバッチ対応が行われます。

バイアスの勾配の行列は、要素ごとにバッチ内で総和をとる形になります。この行列は、行がすべて同じになります。

$$\frac{\partial E}{\partial B_g} = \begin{pmatrix} \sum_{t=1}^{\tau}\sum_{k=1}^{h} \delta_{g,k1}^{(t)} & \sum_{t=1}^{\tau}\sum_{k=1}^{h} \delta_{g,k2}^{(t)} & \cdots & \sum_{t=1}^{\tau}\sum_{k=1}^{h} \delta_{g,kn}^{(t)} \\ \vdots & \vdots & \ddots & \vdots \\ \sum_{t=1}^{\tau}\sum_{k=1}^{h} \delta_{g,k1}^{(t)} & \sum_{t=1}^{\tau}\sum_{k=1}^{h} \delta_{g,k2}^{(t)} & \cdots & \sum_{t=1}^{\tau}\sum_{k=1}^{h} \delta_{g,kn}^{(t)} \end{pmatrix}$$

最後に、入力の勾配、前の時刻における出力の勾配を行列で表します。

$$\frac{\partial E}{\partial X^{(t)}} = \sum_{g=0}^{2} \Delta_g^{(t)} W_g^{\mathrm{T}}$$

$$\frac{\partial E}{\partial Y^{(t-1)}} = \Delta_0^{(t)} V_0^{\mathrm{T}} + \Delta_1^{(t)} V_1^{\mathrm{T}} + A_1^{(t)} \circ S^{(t)} + \frac{\partial E}{\partial Y^{(t)}} \circ (1 - A_0^{(t)})$$

6.3.7 逆伝播をコードで実装

行列表記から、以下のように逆伝播を実装することができます。

```
# a0:更新ゲート a1:リセットゲート a2:新しい記憶
# x:入力 y_prev:前の時刻の出力 grad_y:出力の勾配
# w, v:重み(3つの行列を含む配列)

# 新しい記憶
delta_a2 = grad_y * a0 * (1-a2**2)
grad_w[2] += np.dot(x.T, delta_a2)
grad_v[2] += np.dot((a1*y_prev).T, delta_a2)
```

```
# 更新ゲート
delta_a0 = grad_y * (a2-y_prev) * a0 * (1-a0)
grad_w[0] += np.dot(x.T, delta_a0)
grad_v[0] += np.dot(y_prev.T, delta_a0)

# リセットゲート
s = np.dot(delta_a2, v[2].T)
delta_a1 = s * y_prev * a1 * (1-a1)
grad_w[1] += np.dot(x.T, delta_a1)
grad_v[1] += np.dot(y_prev.T, delta_a1)

# xの勾配
grad_x =  np.dot(delta_a0, w[0].T)
+ np.dot(delta_a1, w[1].T)
+ np.dot(delta_a2, w[2].T)

# y_prevの勾配
grad_y_prev = np.dot(delta_a0, v[0].T)
+ np.dot(delta_a1, v[1].T)
+ a1*s + grad_y*(1-a0)
```

各経路のパラメータの勾配、入力の勾配、前の時刻の出力の勾配を順番に計算することになります。

6.4 GRU層の実装

GRU層をクラスとして実装します。

6.4.1 GRU層のクラス

以下は、クラスとして実装されたGRU層です。シンプルなRNN層やLSTM層と同様に、時系列の数だけforwardメソッドを繰り返した後、同じ数だけbackwardメソッドを繰り返します。

GRULayerクラス

```
class GRULayer:
    def __init__(self, n_upper, n):
        # パラメータの初期値
        self.w = np.random.randn(3, n_upper, n) / np.sqrt(n_upper)
        self.v = np.random.randn(3, n, n) / np.sqrt(n)

    def forward(self, x, y_prev):
        a0 = sigmoid(np.dot(x, self.w[0]) + \
                     np.dot(y_prev, self.v[0]))  # 更新ゲート
        a1 = sigmoid(np.dot(x, self.w[1]) + \
                     np.dot(y_prev, self.v[1]))  # リセットゲート
        a2 = np.tanh(np.dot(x, self.w[2]) + \
                     np.dot(a1*y_prev, self.v[2]))  # 新しい記憶
        self.gates = np.stack((a0, a1, a2))

        self.y = (1-a0)*y_prev + a0*a2  # 出力

    def backward(self, x, y, y_prev, gates, grad_y):
        a0, a1, a2 = gates

        # 新しい記憶
        delta_a2 = grad_y * a0 * (1-a2**2)
        self.grad_w[2] += np.dot(x.T, delta_a2)
        self.grad_v[2] += np.dot((a1*y_prev).T, delta_a2)

        # 更新ゲート
        delta_a0 = grad_y * (a2-y_prev) * a0 * (1-a0)
        self.grad_w[0] += np.dot(x.T, delta_a0)
        self.grad_v[0] += np.dot(y_prev.T, delta_a0)

        # リセットゲート
        s = np.dot(delta_a2, self.v[2].T)
        delta_a1 = s * y_prev * a1 * (1-a1)
        self.grad_w[1] += np.dot(x.T, delta_a1)
        self.grad_v[1] += np.dot(y_prev.T, delta_a1)

        # xの勾配
        self.grad_x = np.dot(delta_a0, self.w[0].T)
        + np.dot(delta_a1, self.w[1].T)
        + np.dot(delta_a2, self.w[2].T)
```

```
        # y_prevの勾配
        self.grad_y_prev = np.dot(delta_a0, self.v[0].T)
        + np.dot(delta_a1, self.v[1].T)
        + a1*s + grad_y*(1-a0)

    def reset_sum_grad(self):
        self.grad_w = np.zeros_like(self.w)
        self.grad_v = np.zeros_like(self.v)

    def update(self, eta):
        self.w -= eta * self.grad_w
        self.v -= eta * self.grad_v
```

初期化のための__init__メソッドの他に、順伝播のforwardメソッド、逆伝播のbackwardメソッド、累積された勾配を0にリセットするreset_sum_gradメソッド、パラメータを更新するupdateメソッドが実装されています。

forwardメソッドの内部の処理については以前の節でほぼ解説しましたが、以下のコードを加えることで各経路の値が外部からアクセス可能になっています。

```
self.gates = np.stack((a0, a1, a2))
```

また、出力の値も外部からアクセス可能にしています。これらの値は同時刻のbackwardで利用するので、外部に保持しておきます。

backwardメソッドは、x、y、y_prevなどのこの時刻における各値を引数として受け取りますが、内部の処理は前節で解説した通りです。

6.5 GRUの実装

GRU層を使ってネットワークを構築します。そして、前章までと同じくノイズ付きのサインカーブを学習させて、時系列データの予測ができることを確認します。

6.5.1 全体のコード

以下は全体のコードです。訓練用データの用意、各層のクラス、訓練や予測のための関数、ミニバッチ法、経過の表示が順次実装されています。

学習中、一定のエポック間隔ごとに誤差の表示と曲線の生成が行われます。

全体コードと実行結果

```
import numpy as np
# import cupy as np  # GPUの場合
import matplotlib.pyplot as plt

# -- 各設定値 --
n_time = 10     # 時系列の数
n_in = 1        # 入力層のニューロン数
n_mid = 20      # 中間層のニューロン数
n_out = 1       # 出力層のニューロン数

eta = 0.01      # 学習係数
epochs = 101
batch_size = 8
interval = 10  # 経過の表示間隔

def sigmoid(x):
    return 1/(1+np.exp(-x))

# -- 訓練データの作成 --
sin_x = np.linspace(-2*np.pi, 2*np.pi)  # -2πから2πまで
# sin関数に乱数でノイズを加える
sin_y = np.sin(sin_x)  + 0.1*np.random.randn(len(sin_x))
n_sample = len(sin_x)-n_time  # サンプル数
input_data = np.zeros((n_sample, n_time, n_in))  # 入力
correct_data = np.zeros((n_sample, n_out))       # 正解
for i in range(0, n_sample):
    input_data[i] = sin_y[i:i+n_time].reshape(-1, 1)
    correct_data[i] = sin_y[i+n_time:i+n_time+1]
    # 正解は入力よりも1つ後

# -- GRU層 --
class GRULayer:
    def __init__(self, n_upper, n):
        # パラメータの初期値
```

```
        self.w = np.random.randn(3, n_upper, n) / \
                 np.sqrt(n_upper)
        self.v = np.random.randn(3, n, n) / np.sqrt(n)

    def forward(self, x, y_prev):
        # 更新ゲート
        a0 = sigmoid(np.dot(x, self.w[0]) + np.dot(y_prev,
                     self.v[0]))
        # リセットゲート
        a1 = sigmoid(np.dot(x, self.w[1]) + np.dot(y_prev,
                     self.v[1]))
        # 新しい記憶
        a2 = np.tanh(np.dot(x, self.w[2]) + np.dot(a1*y_prev,
                     self.v[2]))
        self.gates = np.stack((a0, a1, a2))

        self.y = (1-a0)*y_prev + a0*a2  # 出力

    def backward(self, x, y, y_prev, gates, grad_y):
        a0, a1, a2 = gates

        # 新しい記憶
        delta_a2 = grad_y * a0 * (1-a2**2)
        self.grad_w[2] += np.dot(x.T, delta_a2)
        self.grad_v[2] += np.dot((a1*y_prev).T, delta_a2)

        # 更新ゲート
        delta_a0 = grad_y * (a2-y_prev) * a0 * (1-a0)
        self.grad_w[0] += np.dot(x.T, delta_a0)
        self.grad_v[0] += np.dot(y_prev.T, delta_a0)

        # リセットゲート
        s = np.dot(delta_a2, self.v[2].T)
        delta_a1 = s * y_prev * a1 * (1-a1)
        self.grad_w[1] += np.dot(x.T, delta_a1)
        self.grad_v[1] += np.dot(y_prev.T, delta_a1)

        # xの勾配
        self.grad_x =  np.dot(delta_a0, self.w[0].T)
        + np.dot(delta_a1, self.w[1].T)
        + np.dot(delta_a2, self.w[2].T)
```

```
        # y_prevの勾配
        self.grad_y_prev = np.dot(delta_a0, self.v[0].T)
        + np.dot(delta_a1, self.v[1].T)
        + a1*s + grad_y*(1-a0)

    def reset_sum_grad(self):
        self.grad_w = np.zeros_like(self.w)
        self.grad_v = np.zeros_like(self.v)

    def update(self, eta):
        self.w -= eta * self.grad_w
        self.v -= eta * self.grad_v

# -- 全結合 出力層 --
class OutputLayer:
    def __init__(self, n_upper, n):
        # Xavierの初期値
        self.w = np.random.randn(n_upper, n) / np.sqrt(n_upper)
        self.b = np.zeros(n)

    def forward(self, x):
        self.x = x
        u = np.dot(x, self.w) + self.b
        self.y = u  # 恒等関数

    def backward(self, t):
        delta = self.y - t

        self.grad_w = np.dot(self.x.T, delta)
        self.grad_b = np.sum(delta, axis=0)
        self.grad_x = np.dot(delta, self.w.T)

    def update(self, eta):
        self.w -= eta * self.grad_w
        self.b -= eta * self.grad_b

# -- 各層の初期化 --
gru_layer = GRULayer(n_in, n_mid)
output_layer = OutputLayer(n_mid, n_out)

# -- 訓練 --
def train(x_mb, t_mb):
```

```
    # 順伝播 GRU層
    y_rnn = np.zeros((len(x_mb), n_time+1, n_mid))
    gates_rnn = np.zeros((3, len(x_mb), n_time, n_mid))
    y_prev = y_rnn[:, 0, :]
    for i in range(n_time):
        x = x_mb[:, i, :]
        gru_layer.forward(x, y_prev)

        y = gru_layer.y
        y_rnn[:, i+1, :] = y
        y_prev = y

        gates = gru_layer.gates
        gates_rnn[:, :, i, :] = gates

    # 順伝播 出力層
    output_layer.forward(y)

    # 逆伝播 出力層
    output_layer.backward(t_mb)
    grad_y = output_layer.grad_x

    # 逆伝播 GRU層
    gru_layer.reset_sum_grad()
    for i in reversed(range(n_time)):
        x = x_mb[:, i, :]
        y = y_rnn[:, i+1, :]
        y_prev = y_rnn[:, i, :]
        gates = gates_rnn[:, :, i, :]

        gru_layer.backward(x, y, y_prev, gates, grad_y)
        grad_y = gru_layer.grad_y_prev

    # パラメータの更新
    gru_layer.update(eta)
    output_layer.update(eta)

# -- 予測 --
def predict(x_mb):
    # 順伝播 GRU層
    y_prev = np.zeros((len(x_mb), n_mid))
    for i in range(n_time):
```

```
            x = x_mb[:, i, :]
            gru_layer.forward(x, y_prev)
            y = gru_layer.y
            y_prev = y

        # 順伝播 出力層
        output_layer.forward(y)
        return output_layer.y

# -- 誤差を計算 --
def get_error(x, t):
    y = predict(x)
    return 1.0/2.0*np.sum(np.square(y - t))  # 二乗和誤差

error_record = []
n_batch = len(input_data) // batch_size  # 1エポックあたりのバッチ数
for i in range(epochs):

    # -- 学習 --
    index_random = np.arange(len(input_data))
    np.random.shuffle(index_random)  # インデックスをシャッフルする
    for j in range(n_batch):

        # ミニバッチを取り出す
        mb_index = index_random[j*batch_size : (j+1)*batch_size]
        x_mb = input_data[mb_index, :]
        t_mb = correct_data[mb_index, :]
        train(x_mb, t_mb)

    # -- 誤差を求める --
    error = get_error(input_data, correct_data)
    error_record.append(error)

    # -- 経過の表示 --
    if i%interval == 0:
        print("Epoch:"+str(i+1)+"/"+str(epochs),
              "Error:"+str(error))

        # 最初の入力
        predicted = input_data[0].reshape(-1).tolist()
        for i in range(n_sample):
            x = np.array(predicted[-n_time:]).reshape(1,
```

```
                    n_time, 1)
            y = predict(x)
            # 出力をpredictedに追加する
            predicted.append(float(y[0, 0]))

        plt.plot(range(len(sin_y)), sin_y.tolist(),
                 label="Correct")
        plt.plot(range(len(predicted)), predicted,
                 label="Predicted")
        plt.legend()
        plt.show()

plt.plot(range(1, len(error_record)+1), error_record)
plt.xlabel("Epochs")
plt.ylabel("Error")
plt.show()
```

Epoch:1/101 Error:3.139451280120297

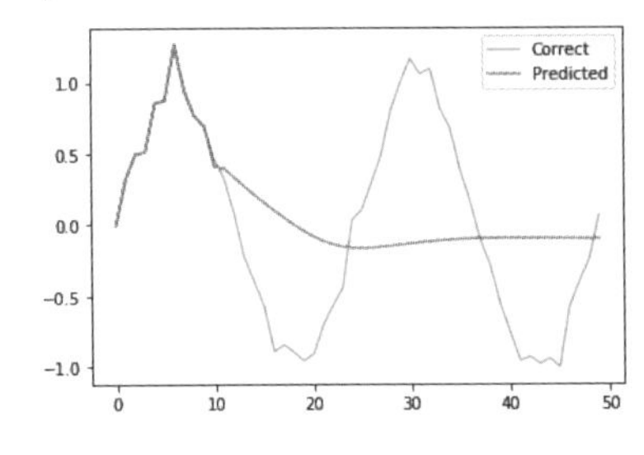

Epoch:11/101 Error:0.7777930975507641

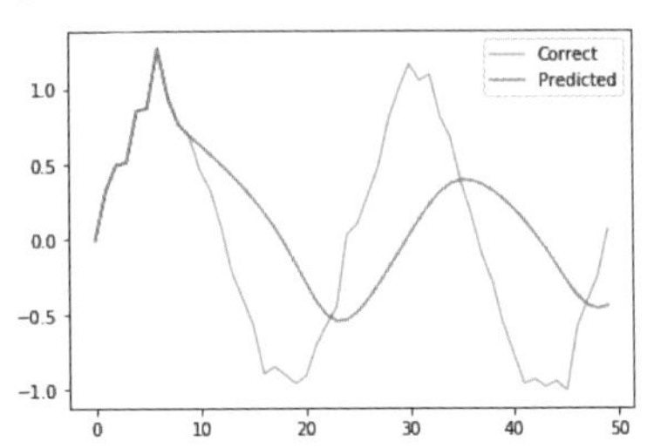

Epoch:21/101 Error:0.43117883005427154

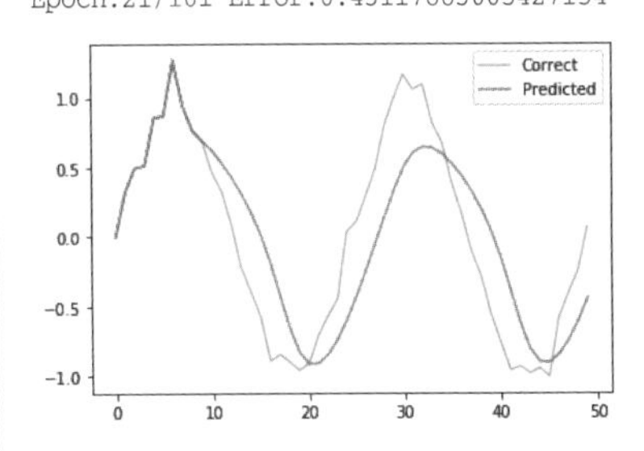

Epoch:31/101 Error:0.3340047865956213

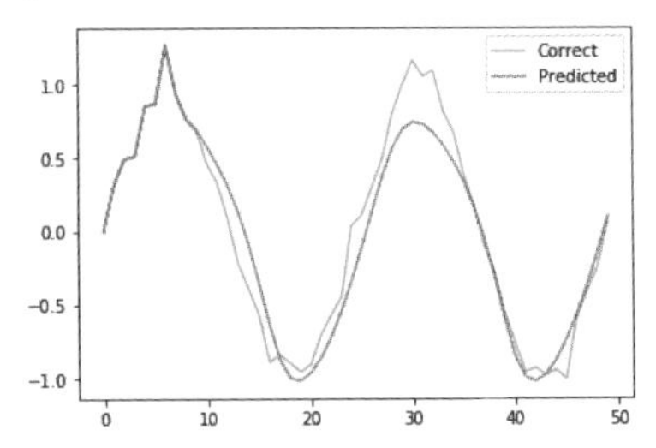

Epoch:41/101 Error:0.2940502996428576

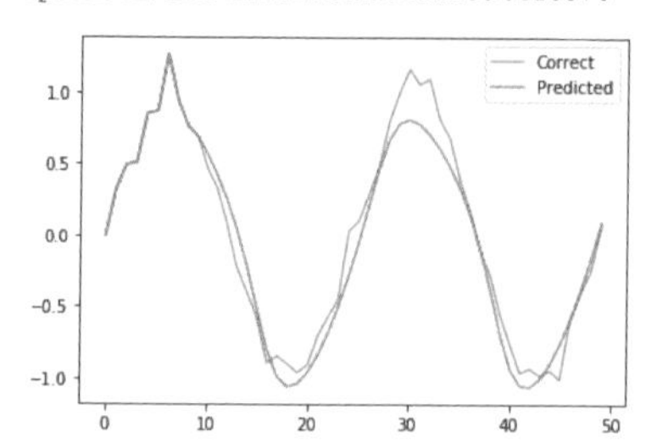

Epoch:51/101 Error:0.27032212223310176

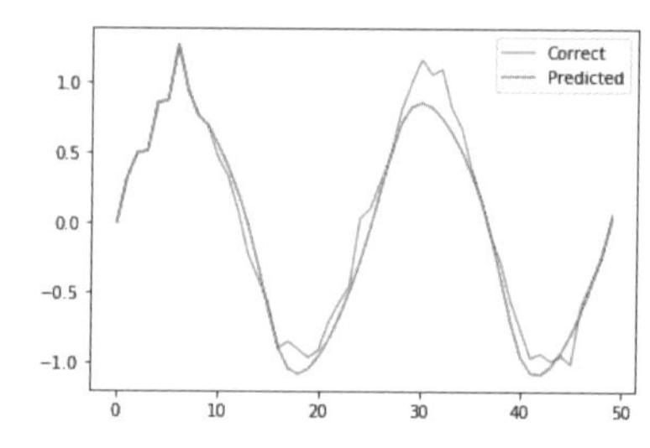

Epoch:61/101 Error:0.25689141392012543

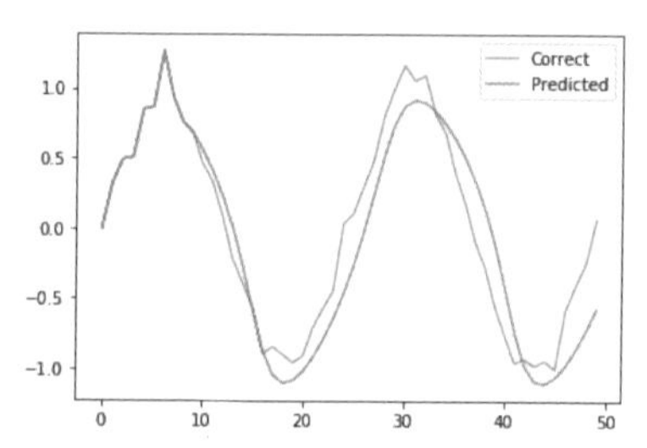

Epoch:71/101 Error:0.24364385240168568

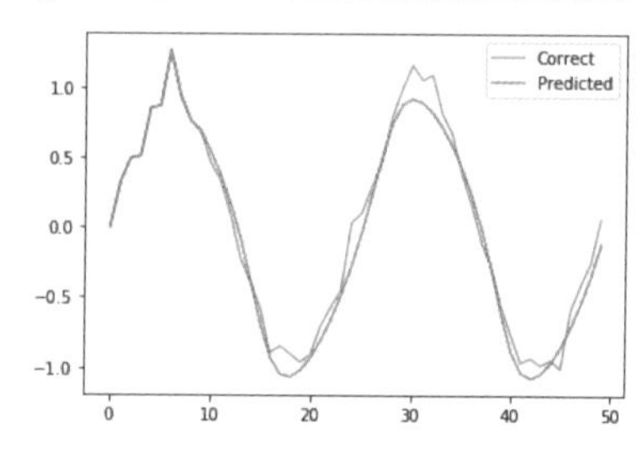

Epoch:81/101 Error:0.23584912347599524

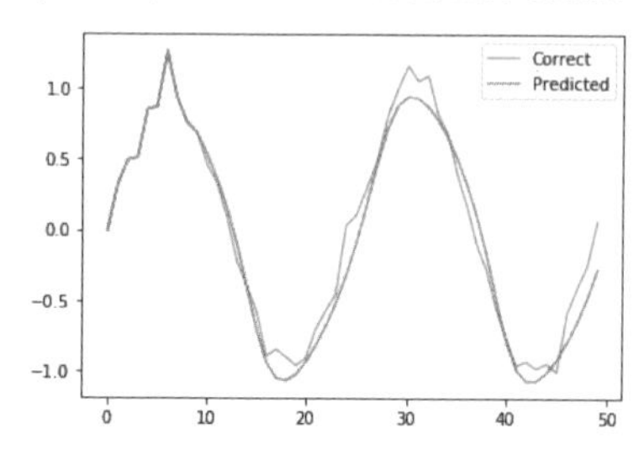

Epoch:91/101 Error:0.23019963094001827

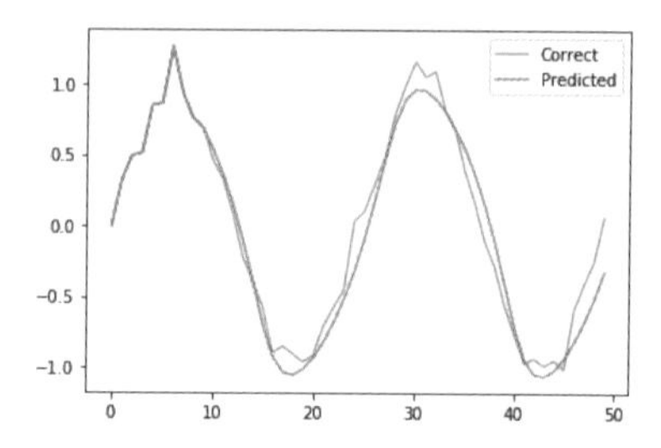

Epoch:101/101 Error:0.2256783975371725

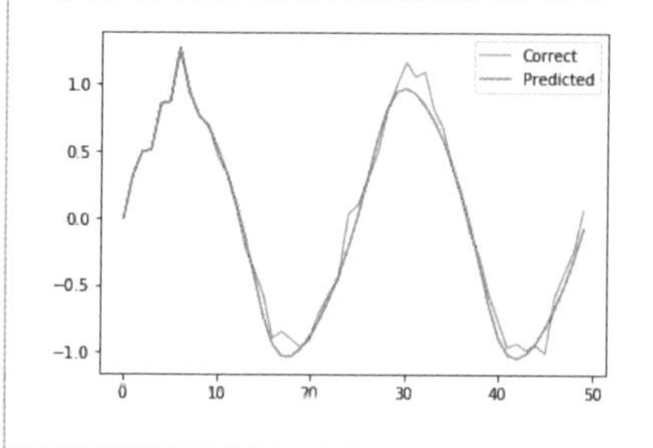

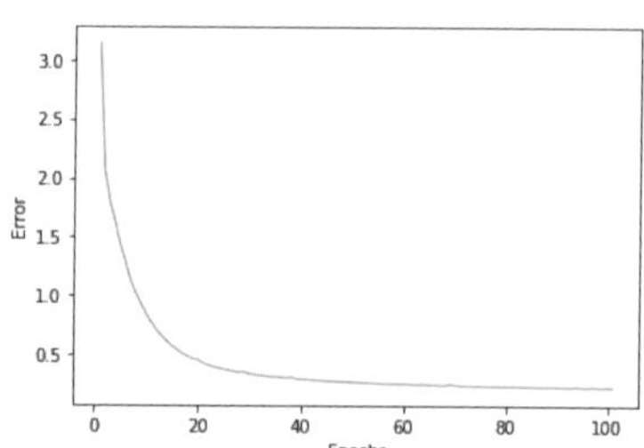

GRUによる予測により生成された曲線は、エポックを重ねるごとに訓練データに近いサインカーブを描くようになりました。また、その間誤差がなめらかに減少することも確認できました。

それでは、GRUを使って文章を生成し、シンプルなRNNやLSTMの結果と比較してみましょう。以下は、前章で解説した文章生成のコードのLSTM層をGRU層に入れ替えて、50エポック学習した結果です。

学習結果

```
Epoch: 50/50  852/852  Error: 15.923625908415998
Seed: そのころ、東京中の町という町、家という家
そのころ、東京中の町という町、家という家のことをいっているんです。
二十面相は、いきなり、手紙にしているんだ。
それから、三人の1歩いう部屋の、たちまち、にせものです。
二十面相の部下に、明智探偵の警官は、その男を一枚、一同のことばかり、二十面相
の部下が、この宝石の前に、相手にかけてあったのを見ますそうです。
さいぜんから、いったい、博物はびい外にとびとなりおりました。
この二十面相の部下というなんてのように、にせもって、それを見つめて

Epoch: 50/50  852/852  Error: 16.117100116586954
Seed: そのころ、東京中の町という町、家という家
そのころ、東京中の町という町、家という家の大盗賊です。
それが、それを聞くと、こんな事件にいっていうのです。
ハハハ……、少ししたまえ。
ところが、明智探偵にしたたのですが、それを聞くと、そのとき、賊の巣くつをつづ
くしそうに、こんなことはありませんか。
ために、しらべて受けたうえ、博物館を見ているのです。
それがかつらんでいますと、小林少年はそんなことを、少しもしたらしい、この四時
の大きないわけではありませんか。
小林君は、それを聞くと

Epoch: 50/50  852/852  Error: 15.222743821710447
Seed: そのころ、東京中の町という町、家という家
そのころ、東京中の町という町、家という家、この男が、ちゃんといっしょにたずね
ました。
いや、やっぱりが、ちゃんといっしょにしましょう…。
そのねらいをしまえ、その中を、この中をおろしたのが、こんなことをいったことをいっ
て、やがていました。
そんなこったようには、おとうさんの手下だったのか。
```

と、賊のために、どんなに近藤老人は、あの窓から出したのです。
その下から、ぼくのほんとうの顔を、すっかりのでした。彼が、あとには、
賊は、あの男は、

比較するのは難しいですが、LSTMと同じぐらい自然な文章が生成されているように見えます。ただ、実際に、文章と文章が関係性を持ち、全体としてストーリーを形成するところまでは至っていないのはLSTMと同じです。

エポック数やニューロン数、RNN層の種類などさまざまな因子が文章の生成結果に影響を与えますので、興味のある方はぜひさまざまな条件を試してみてくださいね。

6.6 RNNによる画像の生成

画像を時系列のデータと捉えれば、RNNにより画像を生成することが可能になります。本節では、画像データを使ってRNNを訓練し、画像の上半分をもとに画像の下半分を生成します。

6.6.1 時系列データとしての画像

画像は各画素が並んだ行列と捉えることができます。この行列において、ある行はそれより前の行の影響を受けるので、画像は時系列データの一種と考えることができます。以下の図に、時系列データとして捉えた画像を概念的に示します。

時系列データとして捉えた画像

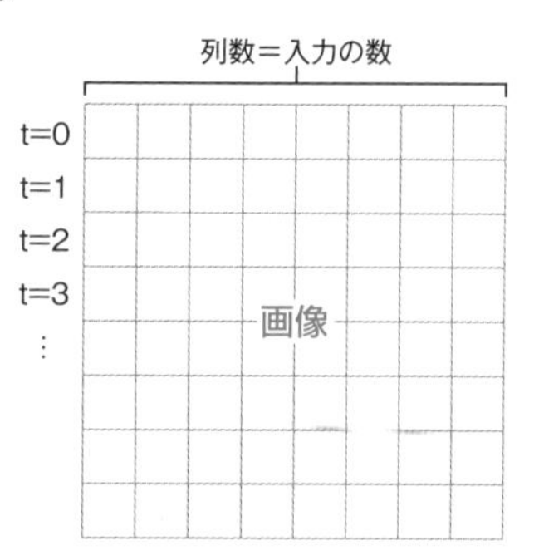

RNNでこれを扱う場合、列数がある時刻における入力の数になります。

時系列に並んだ複数の行を入力とし、正解を次の行とすることで、RNNを訓練することができます。これを以下の図に示します。

画像を使ったRNNの訓練（左）と、訓練済みのRNNによる予測（右）

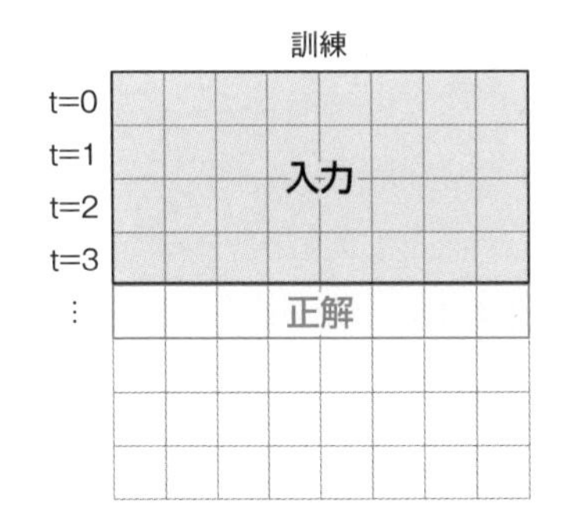

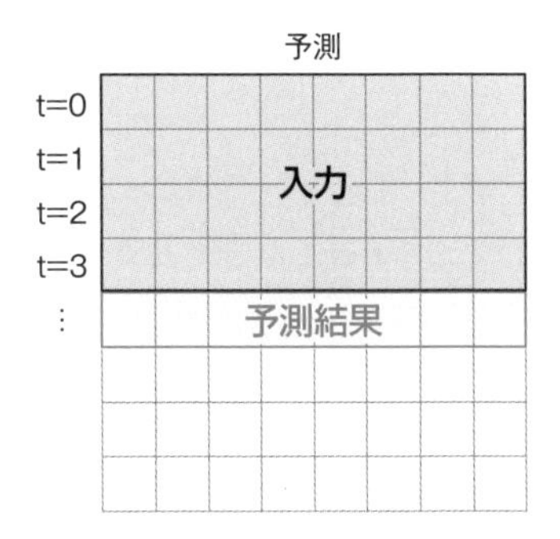

訓練済みのRNNに最初の数行を入力すれば、次の行が予測されます。この予測された行を含む最新の数行を入力としてさらに次の行を予測する、ということを繰り返すことにより、画像が1行ずつ生成されていきます。原理的には、これまで行ってきたRNNによる曲線の生成と同じです。

6.6.2 訓練用データの用意

今回も、scikit-learnの手書き数字画像を使用します。訓練用の画像データtrain_imgsから複数行を取り出して入力input_dataに入れ、次の行は正解correct_dataに入れます。

データの作成

```
n_sample_in_img = img_size-n_time  # 1枚の画像中のサンプル数
n_sample = len(train_imgs) * n_sample_in_img     # サンプル数

input_data = np.zeros((n_sample, n_time, n_in))  # 入力
correct_data = np.zeros((n_sample, n_out))       # 正解
for i in range(len(train_imgs)):
    for j in range(n_sample_in_img):
        sample_id = i*n_sample_in_img + j
        input_data[sample_id] = train_imgs[i, j:j+n_time]
        correct_data[sample_id] = train_imgs[i, j+n_time]
```

今回は8×8の画像を使用するのですが、時系列の数n_timeを4とします。これにより、上半分の4行は最初の入力（シード）となり、下半分の4行はRNNにより1行ずつ予測されることになります。

6.6.3 画像の生成

以下は画像生成用の関数です。オリジナルの画像disp_imgsと、この画像の上半分をもとに下半分を生成したgen_imgsを並べて表示します。disp_imgsは、訓練データに含まれない検証用の画像です。

画像を生成する関数

```
# -- 画像を生成して表示 --
def generate_images():
    # オリジナルの画像
    plt.figure(figsize=(10, 1))
    for i in range(n_disp):
        ax = plt.subplot(1, n_disp, i+1)
        plt.imshow(disp_imgs[i].tolist(), cmap="Greys_r")
        ax.get_xaxis().set_visible(False)  # 軸を非表示に
        ax.get_yaxis().set_visible(False)
    plt.show()

    # 下半分をRNNにより生成した画像
    gen_imgs = disp_imgs.copy()
    plt.figure(figsize=(10, 1))
    for i in range(n_disp):
        for j in range(n_sample_in_img):
            x = gen_imgs[i, j:j+n_time].reshape(1, n_time, img_size)
            gen_imgs[i, j+n_time] = predict(x)[0]
        ax = plt.subplot(1, n_disp, i+1)
        plt.imshow(gen_imgs[i].tolist(), cmap="Greys_r")
        ax.get_xaxis().set_visible(False)  # 軸を非表示に
        ax.get_yaxis().set_visible(False)
    plt.show()
```

gen_imgsは、最初は画像の上半分をシードにして新たな行を生成しますが、次はその新たな行を含む直近の数行からさらに次の行を生成します。これを繰り返すことで、下半分の画像が生成されます。

6.6.4 全体のコード

以下は全体のコードです。今回はRNNとしてGRUを使うので、GRULayerが実装されています。学習中、一定のエポック間隔ごとに誤差の表示と画像の生成が行われます。

全体のコード

```
import numpy as np
# import cupy as np  # GPUの場合
import matplotlib.pyplot as plt
from sklearn import datasets
from sklearn.model_selection import train_test_split

# -- 各設定値 --
img_size = 8       # 画像の高さと幅
n_time = 4         # 時系列の数
n_in = img_size    # 入力層のニューロン数
n_mid = 128        # 中間層のニューロン数
n_out = img_size   # 出力層のニューロン数
n_disp = 10        # 表示する画像の枚数

eta = 0.01         # 学習係数
epochs = 201
batch_size = 32
interval = 10      # 経過の表示間隔

def sigmoid(x):
    return 1/(1+np.exp(-x))

# -- データの用意 --
digits = datasets.load_digits()
digits = np.asarray(digits.data)   # GPU対応
digits_imgs= digits.reshape(-1, img_size, img_size)
digits_imgs /= 15  # 0-1の範囲に

disp_imgs = digits_imgs[:n_disp]   # 結果の表示用
train_imgs = digits_imgs[n_disp:]  # 訓練用
n_sample_in_img = img_size-n_time  # 1枚の画像中のサンプル数
n_sample = len(train_imgs) * n_sample_in_img  # サンプル数

input_data = np.zeros((n_sample, n_time, n_in))  # 入力
```

```
correct_data = np.zeros((n_sample, n_out))       # 正解
for i in range(len(train_imgs)):
    for j in range(n_sample_in_img):
        sample_id = i*n_sample_in_img + j
        input_data[sample_id] = train_imgs[i, j:j+n_time]
        correct_data[sample_id] = train_imgs[i, j+n_time]

# -- 訓練データとテストデータに分割 --
x_train, x_test, t_train, t_test = train_test_split(input_data,
        correct_data)

# -- GRU層 --
class GRULayer:
    def __init__(self, n_upper, n):
        # パラメータの初期値
        self.w = np.random.randn(3, n_upper, n) / \
                 np.sqrt(n_upper)  # Xavierの初期値
        self.v = np.random.randn(3, n, n) / np.sqrt(n)

    def forward(self, x, y_prev):
        a0 = sigmoid(np.dot(x, self.w[0]) + \
                     np.dot(y_prev, self.v[0]))     # 更新ゲート
        a1 = sigmoid(np.dot(x, self.w[1]) + \
                     np.dot(y_prev, self.v[1]))     # リセットゲート
        a2 = np.tanh(np.dot(x, self.w[2]) + \
                     np.dot(a1*y_prev, self.v[2]))  # 新しい記憶
        self.gates = np.stack((a0, a1, a2))

        self.y = (1-a0)*y_prev + a0*a2  # 出力

    def backward(self, x, y, y_prev, gates, grad_y):
        a0, a1, a2 = gates

        # 新しい記憶
        delta_a2 = grad_y * a0 * (1-a2**2)
        self.grad_w[2] += np.dot(x.T, delta_a2)
        self.grad_v[2] += np.dot((a1*y_prev).T, delta_a2)

        # 更新ゲート
        delta_a0 = grad_y * (a2-y_prev) * a0 * (1-a0)
        self.grad_w[0] += np.dot(x.T, delta_a0)
        self.grad_v[0] += np.dot(y_prev.T, delta_a0)
```

```
        # リセットゲート
        s = np.dot(delta_a2, self.v[2].T)
        delta_a1 = s * y_prev * a1 * (1-a1)
        self.grad_w[1] += np.dot(x.T, delta_a1)
        self.grad_v[1] += np.dot(y_prev.T, delta_a1)

        # xの勾配
        self.grad_x =  np.dot(delta_a0, self.w[0].T)
        + np.dot(delta_a1, self.w[1].T)
        + np.dot(delta_a2, self.w[2].T)

        # y_prevの勾配
        self.grad_y_prev = np.dot(delta_a0, self.v[0].T)
        + np.dot(delta_a1, self.v[1].T)
        + a1*s + grad_y*(1-a0)

    def reset_sum_grad(self):
        self.grad_w = np.zeros_like(self.w)
        self.grad_v = np.zeros_like(self.v)

    def update(self, eta):
        self.w -= eta * self.grad_w
        self.v -= eta * self.grad_v

# -- 全結合 出力層 --
class OutputLayer:
    def __init__(self, n_upper, n):
        self.w = np.random.randn(n_upper, n) / \
                 np.sqrt(n_upper)  # Xavierの初期値
        self.b = np.zeros(n)

    def forward(self, x):
        self.x = x
        u = np.dot(x, self.w) + self.b
        self.y = 1/(1+np.exp(-u))  # シグモイド関数

    def backward(self, t):
        delta = (self.y-t) * self.y * (1-self.y)

        self.grad_w = np.dot(self.x.T, delta)
        self.grad_b = np.sum(delta, axis=0)
```

```
        self.grad_x = np.dot(delta, self.w.T)

    def update(self, eta):
        self.w -= eta * self.grad_w
        self.b -= eta * self.grad_b

# -- 各層の初期化 --
gru_layer = GRULayer(n_in, n_mid)
output_layer = OutputLayer(n_mid, n_out)

# -- 訓練 --
def train(x_mb, t_mb):
    # 順伝播 GRU層
    y_rnn = np.zeros((len(x_mb), n_time+1, n_mid))
    gates_rnn = np.zeros((3, len(x_mb), n_time, n_mid))
    y_prev = y_rnn[:, 0, :]
    for i in range(n_time):
        x = x_mb[:, i, :]
        gru_layer.forward(x, y_prev)

        y = gru_layer.y
        y_rnn[:, i+1, :] = y
        y_prev = y

        gates = gru_layer.gates
        gates_rnn[:, :, i, :] = gates

    # 順伝播 出力層
    output_layer.forward(y)

    # 逆伝播 出力層
    output_layer.backward(t_mb)
    grad_y = output_layer.grad_x

    # 逆伝播 GRU層
    gru_layer.reset_sum_grad()
    for i in reversed(range(n_time)):
        x = x_mb[:, i, :]
        y = y_rnn[:, i+1, :]
        y_prev = y_rnn[:, i, :]
        gates = gates_rnn[:, :, i, :]
```

```
            gru_layer.backward(x, y, y_prev, gates, grad_y)
            grad_y = gru_layer.grad_y_prev

        # パラメータの更新
        gru_layer.update(eta)
        output_layer.update(eta)

# -- 予測 --
def predict(x_mb):
    # 順伝播 GRU層
    y_prev = np.zeros((len(x_mb), n_mid))
    for i in range(n_time):
        x = x_mb[:, i, :]
        gru_layer.forward(x, y_prev)
        y = gru_layer.y
        y_prev = y

    # 順伝播 出力層
    output_layer.forward(y)
    return output_layer.y

# -- 誤差を計算 --
def get_error(x, t):
    y = predict(x)
    return np.sum(np.square(y - t)) / len(x)  # 二乗和誤差

# -- 画像を生成して表示 --
def generate_images():
    # オリジナルの画像
    plt.figure(figsize=(10, 1))
    for i in range(n_disp):
        ax = plt.subplot(1, n_disp, i+1)
        plt.imshow(disp_imgs[i].tolist(), cmap="Greys_r")
        ax.get_xaxis().set_visible(False)     # 軸を非表示に
        ax.get_yaxis().set_visible(False)
    plt.show()

    # 下半分をRNNにより生成した画像
    gen_imgs = disp_imgs.copy()
    plt.figure(figsize=(10, 1))
    for i in range(n_disp):
        for j in range(n_sample_in_img):
```

```
            x = gen_imgs[i, j:j+n_time].reshape(1, n_time, img_
size)
            gen_imgs[i, j+n_time] = predict(x)[0]
        ax = plt.subplot(1, n_disp, i+1)
        plt.imshow(gen_imgs[i].tolist(), cmap="Greys_r")
        ax.get_xaxis().set_visible(False)  # 軸を非表示に
        ax.get_yaxis().set_visible(False)
    plt.show()

n_batch = len(x_train) // batch_size  # 1エポックあたりのバッチ数
for i in range(epochs):

    # -- 学習 --
    index_random = np.arange(len(x_train))
    np.random.shuffle(index_random)  # インデックスをシャッフルする
    for j in range(n_batch):

        # ミニバッチを取り出す
        mb_index = index_random[j*batch_size : (j+1)*batch_size]
        x_mb = x_train[mb_index, :]
        t_mb = t_train[mb_index, :]

        # 訓練
        train(x_mb, t_mb)

    # -- 経過の表示 --
    if i%interval == 0:
        # 誤差の計測
        error_train = get_error(x_train, t_train)
        error_test = get_error(x_test, t_test)
        print("Epoch:" + str(i) + "/" + str(epochs-1),
              "Error_train: " + str(error_train),
              "Error_test: " + str(error_test))

        # 画像の生成
        generate_images()
```

以下は上記のコードの実行結果です。

RNNによる画像生成

学習の初期において、生成された下半分の画像はぼやけています、しかしながら、学習が進むとともにがやがて下半分の画像は鮮明になっていきます。

200エポック学習後ですが、0、1、3、4、6、7の画像は下半分がある程度正しく予測されています。しかしながら、2と8の場合は上半分を3と誤認してしまったようです。また、5と9は下半分が判読不能です。これは、画像の上半分に下半分を予測するための十分な情報が含まれていなかったためと考えることができます。

このように、RNNは時として強力な未来の予測能力を発揮します。予測結果はシードに依存するのですが、画像の上半分を単なるノイズにしたり、全然別の画像を使っても面白い結果が得られるかもしれませんので、興味のある方はぜひ試してみてください。

6.7 Seq2Seq

この章の最後に、RNNを利用したSeq2Seq（sequence to sequence）という興味深いモデルを紹介します（→参考文献[14]）。Seq2Seqは、encoderと呼ばれるRNNを用いて文章などの時系列データを圧縮し、decoderと呼ばれる別のRNNを用いて文章などの時系列データを生成するモデルです。RNNには、LSTMやGRUなどが使われます。Seq2Seqは系列、すなわちsequenceを受け取り、別の系列へ変換するモデルなので、自然言語処理などでよく利用されます。

以下に、Seq2Seqの活用例を示します。

- 機械翻訳(例: 英語の文章 → フランス語の文章)
- 文章要約(元の文章 → 要約文)
- 対話(自分の発言 → 相手の発言)
- etc…

このように、Seq2Seqは自然言語処理においてさまざまな用途で使われています。

それでは、Seq2Seqの構造について解説します。以下の図で示すのは、Seq2Seqによる翻訳の例です。

Seq2Seqの構造

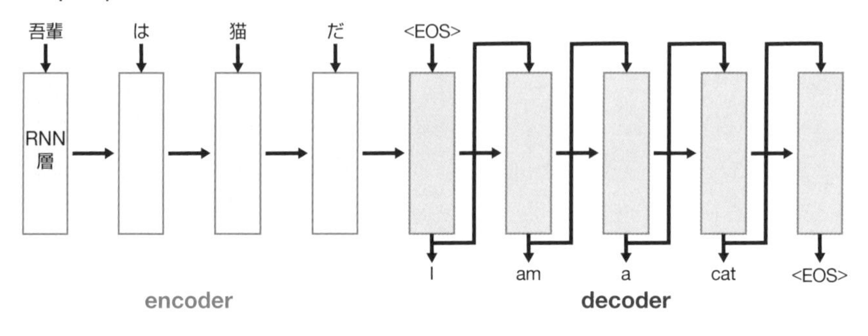

この例では、「吾輩は猫だ」、という日本語の文章を「I am a cat」という英文に翻訳しています。encoderには時系列データが各時刻で入力されますが、この場合は日本語の文章の各単語が順番にRNNに入力として入ります。

decoderは、encoderの状態を引き継ぎますが、まずは文章の終わりを表すEOSが入力として入ります。そして、出力として得られる単語を、次の時刻における入力とします。これを繰り返すことで、翻訳された英文を出力として得ることができます。

以上のように、Seq2Seqでは時系列データが別の系列に変換されます。

このようなSeq2Seqですが、シンプルなものであれば本書のコードに少々変更を加えることで構築可能ですので、興味のある方は組んでみてはいかがでしょうか。

まとめ

本章では、LSTMをよりシンプルにしたGRUについて解説しました。

GRU層の順伝播、逆伝播を数式で表し、クラスとして実装しました。そして、このクラスを使ってGRUのモデルを構築し、サインカーブを生成するように訓練しました。

順伝播がシンプルな式で表される一方で、逆伝播の式は少々複雑になりました。しかしながら、少々込み入ったモデルであっても、偏微分と連鎖律を使って丁寧に数式を展開すれば必要な各勾配を求めることは可能です。

そして、順伝播、逆伝播を行列式で表すことさえできれば、コードとして実装可能になります。本章の内容を参考に、オリジナルのモデルを考えて実装してみても面白いかもしれませんね。

Column ディープラーニング用のフレームワーク

ある程度定型化された処理であれば、1から実装するよりもディープラーニング用のフレームワークを使った方が素早く実装できます。今回のコラムでは、普及度が高くて比較的容易に扱えるKerasとPyTorchを紹介します。

Keras

KerasはPythonで書かれており、TensorFlowやTheanoなどの上部で動作します。GoogleのエンジニアFrancois Cholletによる開発で、公開は2015年です。

keras
https://keras.io/

層を積み重ねるだけでディープラーニングを直感的に実装することができるので、さまざまな実験を迅速に行うことができます。また、新しいクラスや関数などを容易に追加できる拡張性に優れています。学習コストが低いにも関わらず、柔軟かつ高機能です。TensorflowやTheanoで書かれている部分は完全に隠蔽されているので、あまり意識する必要はありません。

なお、Google ColaboratoryではKerasが最初からインストールされています。

PyTorch

PyTorchは、FacebookのAI研究チーム「FAIR」により開発されました。公開は2016年ですが、最近人気が急上昇しています。

PyTorch
https://pytorch.org/

PyTorchはTorch、およびChainerというフレームワークがベースになっています。直感的かつ可読性の高いコードが簡潔に書けるので、生産性と保守性がともに優れています。実際に、世界中の研究者が研究にPyTorchを使うようになってきています。PyTorchは、Chainerと同様にDefine-by-Run方式が採用されています。Define-by-Run方式ではデータが流れる度に構造を変更できるので、動的なネットワーク構築が可能です。

ちなみに、Chainerの開発元のPreferred Networksは、今後ChainerからPyTorchに順次移行すると発表しました。

他にもさまざまな有用なディープラーニング用フレームワークが、さまざまな団体によって開発されています。

なお、ディープラーニングのフレームワークはオープンソースのものが多いです。以下のリポジトリでコードが公開されていますので、興味のある方はコードをじっくりと読んで参考にしてもいいかもしれません。

KerasとPyTorchのソースコード
https://github.com/keras-team/keras
https://github.com/pytorch/pytorch

第7章

VAE

この章では、VAE(Variational Autoencoder) についてその仕組みと実装を解説します。VAEでは、画像などの特徴を潜在変数という変数に圧縮するのですが、この潜在変数を調整することで生成する画像を連続的に変化させることができます。

本章はVEAの概要の解説から始めて、その仕組み、通常のオートエンコーダの実装方法、VAEの実装方法を解説していきます。

なお、本書は実装を重視し、VAEの確率モデルによる解説は行いませんのでご注意ください。確率モデルによる解説は、他の書籍などを参考にしてください。

7.1 VAEの概要

通常のオートエンコーダ、そしてその発展形であるVAEについて概要を解説します。

7.1.1 オートエンコーダの概要

VAEは、オートエンコーダ（autoencoder、自己符号化器）と呼ばれるニューラルネットワークの発展形なので、まずはオートエンコーダについて解説します。オートエンコーダは、以下の図に示すようにEncoderとDecoderで構成されています。

オートエンコーダ

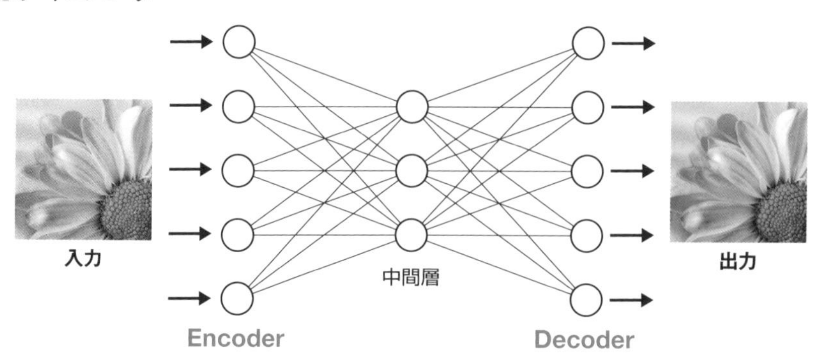

こちらの図の例では、入力は画像であり、出力はそれを再現した画像となっています。入力と出力のサイズは同じで、中間層のサイズはそれらよりも小さくなっています。出力が入力を再現する様にネットワークは学習しますが、中間層のサイズは入力よりも小さいのでEncoderによりデータが圧縮されることになります。そして、Decoderは圧縮されたデータから元のデータを復元しようとします。入力データが画像である場合、中間層は元の画像よりも少ないデータ量で画像の特徴を保持できることになります。

このように、オートエンコーダではいわばニューラルネットワークによる入力の圧縮と復元が行われます。教師データが必要ないので、いわゆる教師なし学習に分類されます。

オートエンコーダは、入力と出力の差分をとることで異常な値を検出することができるので、産業における異常検知などに利用されています。

7.1.2 VAEの概要

生成モデル(Generative model)とは、訓練データを学習し、それらのデータと似たような新しいデータを生成するモデルのことです。ディープラーニングの用途は何かの識別だけでありません。生成モデルを用いると、データを生成することができます。

本書では、生成モデルとしてVAEとGANの2種類を扱いますが、本章ではこのうちVAEの方を解説します。 VAE (Variational autoencoder、変分自己符号化器)は、潜在変数と呼ばれる変数を利用することで、訓練データの特徴をうまく捉えて訓練データに似たデータを生成することができます(→参考文献[15])。

VAEはオートエンコーダの発展形で、以下の図で示すネットワーク構造をしています。

VAEのネットワーク構造

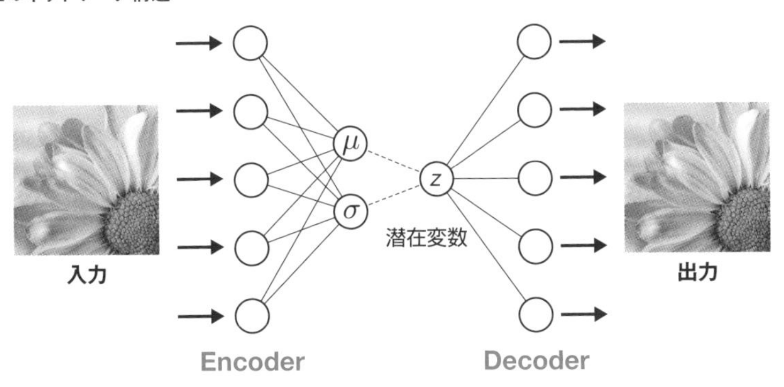

VAEでは、まずEncoderにより入力から平均ベクトルμと分散ベクトルσを求めます。これらを元に潜在変数zが確率的にサンプリングされ、zからDecoderにより元のデータが再現されます。

VAEの特徴の1つは、潜在変数zを調整することで連続的に変化するデータを生成できることです。たとえば、以下の図に示すような連続的に変化する手書き文字の画像を生成することができます。

VAEによって生成された手書き文字画像

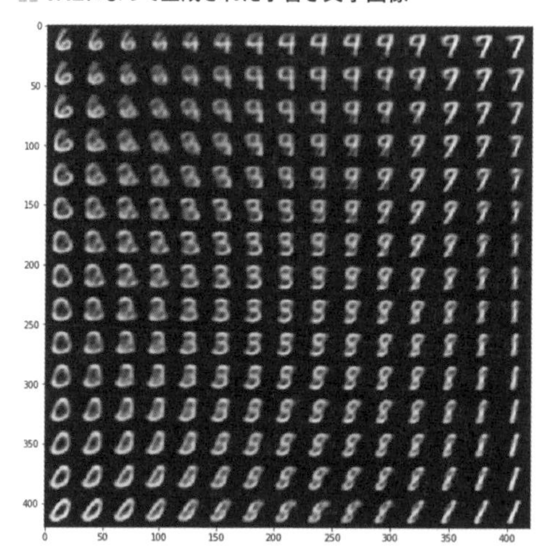

この図では、潜在変数zを連続的に変化させることで、6や9、7などの数字が連続的に生成されています。

これを応用することで、たとえば人の表情を連続的に生成することなども可能になります。このようにVAEは柔軟性が高く、連続性を表現できるので注目を集めている生成モデルです。

VAEは、オートエンコーダと異なり、潜在変数の部分が確率分布になる、という特徴があります。これによる利点の1つは、同じ入力でも毎回異なる出力となることです。このためノイズに対して頑強になり､本質的な特徴を抽出する能力が向上します。また、未知の入力に対する挙動の担保にもつながります。

そして、潜在変数が連続的な分布であるために、潜在変数を調整することで出力の特徴を調整することが可能です。実際に、VAEはノイズの除去や、異常検知における異常箇所の特定、潜在変数を利用したクラスタリングなどに有用であり、活用されています。

VAEの実装はここまでの章を学んできた方であれば決して難しくはありませんので、気軽にトライしてみましょう。

7.2 VAEの仕組み

VAEの仕組みについて解説します。潜在変数のサンプリング、バックプロパゲーションに必要なReparametrization Trick、そしてVAEの誤差関数を把握しておきましょう。

7.2.1 潜在変数のサンプリング

VAEでは、潜在変数のサンプリングを行います。潜在変数は、入力の特徴をEncoderを使ってより低い次元に押し込めたものです。この潜在変数をDecoderで処理することにより、入力が再構築されます。

Encoderのニューラルネットワークは、以下の図にあるように平均値μと標準偏差σを出力し、これらを使った正規分布により潜在変数zをサンプリングします。

潜在変数のサンプリング

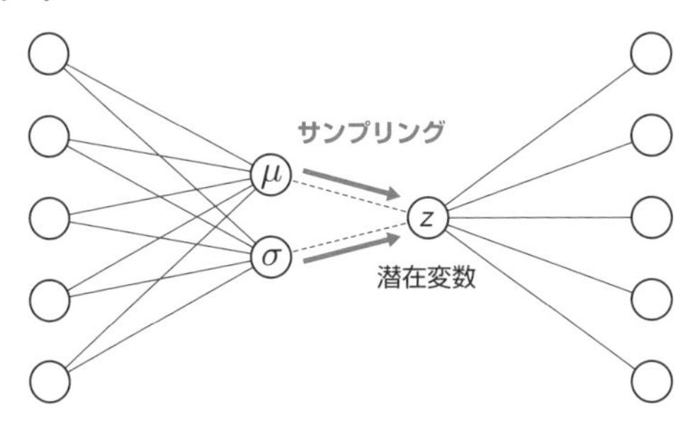

なお、この図からはわかりにくいですが、通常、μ、σ、そして潜在変数zはベクトル、あるいはバッチを考慮した場合は行列になります。

以上により、入力が同じであっても、毎回少し異なる潜在変数が得られることになります。以下の図は入力と潜在変数の関係です。簡単にするために、潜在変数を$z1$、$z2$の2つのみとしています。

■ 入力と潜在変数の関係

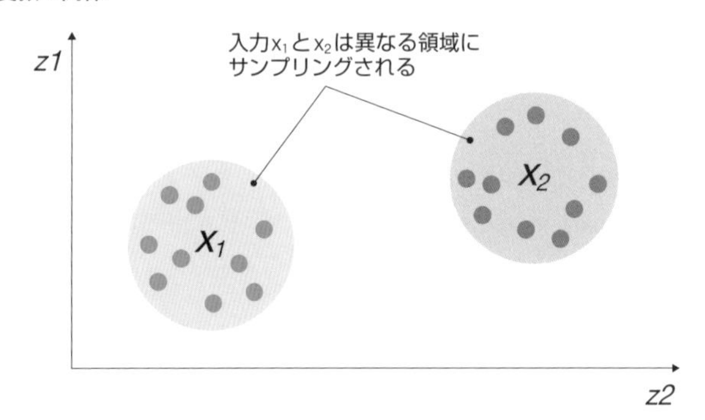

この図にはX_1とX_2の2つの入力がありますが、それぞれ異なる潜在変数の領域に正規分布に従ってサンプリングされます。これは入力が変化するとμとσが変化するためです。VAEを訓練すれば、入力の特徴ごとに異なる潜在変数の領域に、マッピングが行われるようになります。

7.2.2 Reparametrization Trick

VAEは入力を再現するように学習するのですが、確率分布によるサンプリングが間に挟まっており、偏微分ができないのでそのままではバックプロパゲーションを適用できません。そこで、VAEではReparametrization Trickという方法が使われます。Reparametrization Trickでは、平均値0標準偏差1の正規分布からサンプリングされた値ϵを使って以下のように潜在変数を表します。

$$z = \mu + \epsilon\sigma$$

この式では、ϵに標準偏差σをかけて、平均値μに足して潜在変数としています。潜在変数が和と積の形で表されるので、偏微分が可能になりバックプロパゲーションを適用できるようになります。実際は潜在変数の数は1つではなく、バッチも考慮する必要があるので、上記の式の各変数は行列として扱います。ϵは潜在変数やサンプルごとに異なる値をとります。

以上を以下の図で表します。

Reparametrization Trick

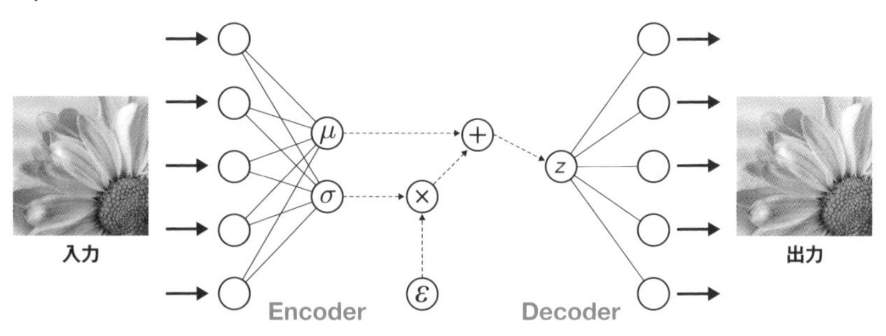

μとσは、Encoderのニューラルネットワークの出力になります。そして、ϵを使って得られた潜在変数zは、Decoderの入力になります。

ϵは順伝播の際にサンプリングされますが、その値を逆伝播で使用するためその間保持しておく必要があります。

7.2.3 誤差の定義

VAEにバックプロパゲーションを適用するためには、誤差の定義が必要です。VAEの誤差は、「入力を再構築したものがどれだけ入力からずれているか」に影響を受ける必要がありますが、同時に「潜在変数がどれだけ発散しているか」に影響を受ける必要があります。

潜在変数には、学習が進むと0から離れ散らばってしまう傾向があります。このような発散が起きると、潜在変数の見通しが悪くなり扱いにくくなるので望ましくはありません。そこで、発散を防ぐためにVAEの誤差には正則化項E_{reg}が加えられます。これは、大まかに言って潜在変数がどれだけ発散しているか、を表します。これと、出力が入力からどれだけずれているかを表す再構成誤差E_{rec}を合わせて、本書ではVAEの誤差を以下のように表します。

$$E = E_{rec} + E_{reg} \quad \text{式07-01}$$

この誤差Eを最小化するようにVAEは学習することになりますが、右辺の2つの項がうまく均衡できるかどうかで学習の成否が決まります。それでは、この後右辺の各誤差について解説していきます。

7.2.4 再構成誤差

式07-01におけるVAEの再構成誤差E_{rec}は、以下の式でよく表されます。

$$E_{rec} = \frac{1}{h}\sum_{i=1}^{h}\sum_{j=1}^{m}(-x_{ij}\log y_{ij} - (1-x_{ij})log(1-y_{ij})) \qquad \text{式07-02}$$

この式において、x_{ij}はVAEの入力、y_{ij}はVAEの出力、hはバッチサイズ、mは入力層、出力層のニューロン数になります。すべての入出力で総和をとり、バッチ内で平均をとります。

ここで、$\sum\sum$内を添字を省略して以下の通りに表します。

$$e_{rec} = -x\log y - (1-x)log(1-y)$$

これは、二値の「交差エントロピー」と呼ばれ、2つの値が離れている度合いを表します。この場合e_{rec}はxとyの値の隔たりの大きさを表しますが、xがyと等しいときに最小値をとります。

ここで、二値の交差エントロピーと以下の式で表される二乗誤差を比較します。

$$\frac{1}{2}(x-y)^2$$

直感的に把握するために両者をグラフで描画しますが、まずは二乗誤差を以下のコードで描画します。xの値が0.25、0.5、0.75のとき、yの値とともに二乗誤差がどう変化するのかを確認します。

二乗誤差の変化

```
import numpy as np
import matplotlib.pyplot as plt

def square_error(x, y):
    return (x - y)**2/2  # 二乗誤差

y = np.linspace(0, 1)
xs = [0.25, 0.5, 0.75]
for x in xs:
    plt.plot(y, square_error(x, y), label="x="+str(x))
```

```
plt.legend()
plt.xlabel("y")
plt.ylabel("Error")
plt.show()
```

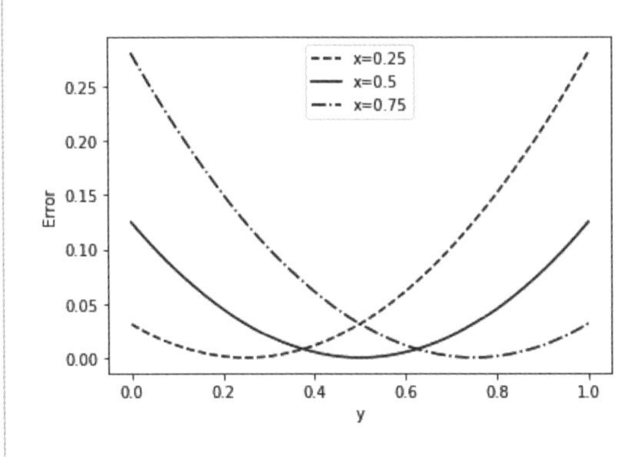

※わかりやすいように一部線種を変更しています。

二乗誤差の場合、最小値の両側でなだらかに誤差が立ち上がることが確認できます。

次に、二値の交差エントロピー誤差を以下のコードで描画します。xの値が0.25、0.5、0.75のとき、yの値とともに二値の交差エントロピー誤差がどう変化するのかを確認します。

二値の交差エントロピー誤差の変化

```
import numpy as np
import matplotlib.pyplot as plt

# 二値の交差エントロピーを返す
def binary_crossentropy(x, y):
    return -x*np.log(y) - (1-x)*np.log(1-y)

y = np.linspace(0.01, 0.99)
xs = [0.25, 0.5, 0.75]
for x in xs:
    plt.plot(y, binary_crossentropy(x, y), label="x="+str(x))

plt.legend()
plt.xlabel("y")
```

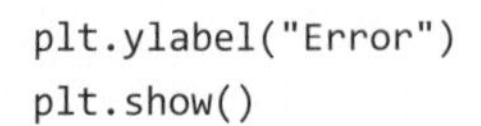

```
plt.ylabel("Error")
plt.show()
```

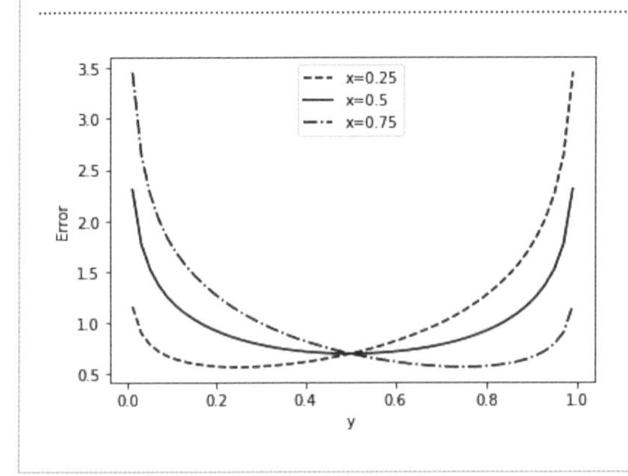

※わかりやすいように一部
線種を変更しています。

最小値付近は誤差がなだらかに変化しますが、0と1の付近で誤差は急激に立ち上がります。xとyに大きな隔たりが生じたとき誤差が急激に増大するので、誤差を小さくしようとする働きも大きくなります。

二値の交差エントロピーが適用可能なのは、xとyの範囲が0から1の範囲の場合に限られます。しかしながら、二乗誤差と比較して誤差の変化の緩急差が大きいため、誤差を収束させやすくなっています。このため、VAEの再構成誤差には二値の交差エントロピーがよく使われます。

式07-02ではすべての入出力でこのような二値の交差エントロピーの総和をとり、バッチ内で平均をとることで、入力の再現度合いを表す再構成誤差としています。

7.2.5 正則化項

式07-01におけるVAEの正則化項E_{reg}は、以下の式のようによく表されます。

$$E_{reg} = \frac{1}{h}\sum_{i=1}^{h}\sum_{k=1}^{n} -\frac{1}{2}(1 + \log\sigma_{ik}^2 - \mu_{ik}^2 - \sigma_{ik}^2) \quad \text{式07-03}$$

この式において、hはバッチサイズ、nは潜在変数の数、σ_{ij}は標準偏差、μ_{ij}は平均値です。すべての潜在変数で総和をとり、バッチ内で平均をとります。

この項の$\sum\sum$の内部について考えましょう。添字を省略して以下の通りに表します。

$$e_{reg} = -\frac{1}{2}(1 + \log\sigma^2 - \mu^2 - \sigma^2)$$

e_{reg}は、標準偏差σが1、平均値μ_{ik}が0のとき最小値の0をとります。そして、e_{reg}はσが1を離れるか、μが0を離れると大きくなります。σとμで潜在変数がサンプリングされるので、e_{reg}は「潜在変数がどれだけ標準偏差1、平均値0から離れているか」を表すことになります。

式07-03ではすべての入出力でこのようなe_{reg}の総和をとり、バッチ内で平均をとることで、潜在変数の発散度合いを表す正則化項としています。

7.3 オートエンコーダの実装

VAEの実装に入る前に、通常のオートエンコーダの実装について解説します。Encoderで中間層に画像を圧縮した後に、Decoderで元の画像を再構築します。

訓練データには、以前に扱ったscikit-learnの手書き数字画像を使用します。

7.3.1 構築するネットワーク

以下の図は、今回構築するオートエンコーダのネットワークです。画像の幅と高さが8ピクセルなので、入力層には8×8=64のニューロンが必要になります。

構築するオートエンコーダのネットワーク

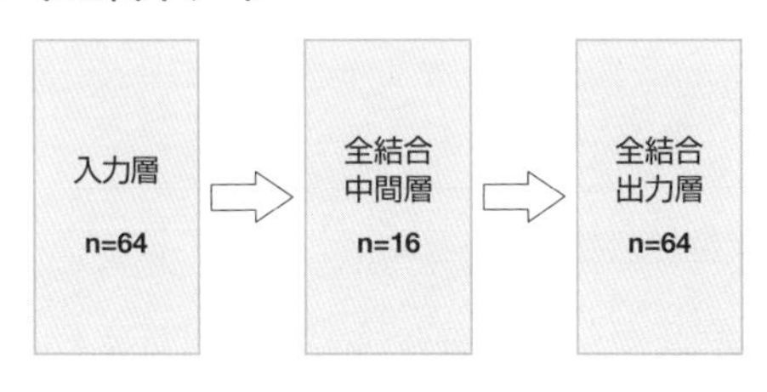

nはニューロンの数

また、出力が入力を再現するように学習するので、出力層のニューロン数は入力層と同じになります。

中間層にはこれらよりも少ない16のニューロンを配置します。これは画像のピクセル数より少ないので、画像が圧縮されることになります。

コードでは、上記を以下の通りに設定します。

```
img_size = 8  # 画像の高さと幅
n_in_out = img_size * img_size  # 入出力層のニューロン数
n_mid = 16    # 中間層のニューロン数
```

7.3.2 各層の実装

中間層と出力層を実装します。中間層の活性化関数にはReLUを使用します。

入力の値は0から1の範囲なのですが、出力の範囲はこれに合わせる必要があります。このため、出力層の活性化関数には出力範囲が0から1の間であるシグモイド関数を使用します。

各層のクラス定義

```
# -- 各層の継承元 --
class BaseLayer:
    def update(self, eta):
        self.w -= eta * self.grad_w
        self.b -= eta * self.grad_b

# -- 中間層 --
class MiddleLayer(BaseLayer):
    def __init__(self, n_upper, n):
        # Heの初期値
        self.w = np.random.randn(n_upper, n) * np.sqrt(2/n_upper)
        self.b = np.zeros(n)

    def forward(self, x):
        self.x = x
        self.u = np.dot(x, self.w) + self.b
        self.y = np.where(self.u <= 0, 0, self.u) # ReLU

    def backward(self, grad_y):
```

```
            delta = grad_y * np.where(self.u <= 0, 0, 1)

            self.grad_w = np.dot(self.x.T, delta)
            self.grad_b = np.sum(delta, axis=0)
            self.grad_x = np.dot(delta, self.w.T)

# -- 出力層 --
class OutputLayer(BaseLayer):
    def __init__(self, n_upper, n):
        # Xavierの初期値
        self.w = np.random.randn(n_upper, n) / np.sqrt(n_upper)
        self.b = np.zeros(n)

    def forward(self, x):
        self.x = x
        u = np.dot(x, self.w) + self.b
        self.y = 1/(1+np.exp(-u))  # シグモイド関数

    def backward(self, t):
        delta = (self.y-t) * self.y * (1-self.y)

        self.grad_w = np.dot(self.x.T, delta)
        self.grad_b = np.sum(delta, axis=0)
        self.grad_x = np.dot(delta, self.w.T)
```

7.3.3 順伝播と逆伝播

各層を初期化し、順伝播と逆伝播の関数、およびパラメータ更新用の関数を定義します。middle_layerがEncoder、output_layerがDecoderです。

オートエンコーダなので、入力と出力のニューロン数は同じになります。

順伝播と逆伝播の実装コード

```
# -- 各層の初期化 --
middle_layer = MiddleLayer(n_in_out, n_mid)  # Encoder
output_layer = OutputLayer(n_mid, n_in_out)  # Decoder

# -- 順伝播 --
def forward_propagation(x_mb):
```

```
    middle_layer.forward(x_mb)
    output_layer.forward(middle_layer.y)

# -- 逆伝播 --
def backpropagation(t_mb):
    output_layer.backward(t_mb)
    middle_layer.backward(output_layer.grad_x)

# -- パラメータの更新 --
def update_params():
    middle_layer.update(eta)
    output_layer.update(eta)
```

7.3.4 ミニバッチ法の実装

ミニバッチ法により学習します。オートエンコーダなので、順伝播のforward_propagation関数に渡す入力と、逆伝播のbackpropagationに渡す正解は同じになります。

ミニバッチ法による学習

```
n_batch = len(x_train) // batch_size  # 1エポックあたりのバッチ数
for i in range(epochs):

    # -- 学習 --
    index_random = np.arange(len(x_train))
    np.random.shuffle(index_random)  # インデックスをシャッフルする
    for j in range(n_batch):

        # ミニバッチを取り出す
        mb_index = index_random[j*batch_size : (j+1)*batch_size]
        x_mb = x_train[mb_index, :]

        # 順伝播と逆伝播
        forward_propagation(x_mb)
        backpropagation(x_mb)

        # 重みとバイアスの更新
        update_params()
```

7.3.5 全体のコード

以下は全体のコードです。訓練データの用意、各層のクラス、順伝播と逆伝播の関数、ミニバッチ法が順次実装されています。

誤差は、各エポックの終了後に測定して表示します。また、学習の終了後に誤差の推移を表示します。

全体コードと実行結果（誤差の推移が表示される）

```
import numpy as np
# import cupy as np  # GPUの場合
import matplotlib.pyplot as plt
from sklearn import datasets

# -- 各設定値 --
img_size = 8   # 画像の高さと幅
n_in_out = img_size * img_size  # 入出力層のニューロン数
n_mid = 16     # 中間層のニューロン数

eta = 0.01     # 学習係数
epochs = 41
batch_size = 32
interval = 4   # 経過の表示間隔

# -- 訓練データ --
digits_data = datasets.load_digits()
x_train = np.asarray(digits_data.data)
x_train /= 15  # 0～1の範囲に

# -- 各層の継承元 --
class BaseLayer:
    def update(self, eta):
        self.w -= eta * self.grad_w
        self.b -= eta * self.grad_b

# -- 中間層 --
class MiddleLayer(BaseLayer):
    def __init__(self, n_upper, n):
        # Heの初期値
        self.w = np.random.randn(n_upper, n) * \
                 np.sqrt(2/n_upper)
```

```
        self.b = np.zeros(n)

    def forward(self, x):
        self.x = x
        self.u = np.dot(x, self.w) + self.b
        self.y = np.where(self.u <= 0, 0, self.u) # ReLU

    def backward(self, grad_y):
        delta = grad_y * np.where(self.u <= 0, 0, 1)

        self.grad_w = np.dot(self.x.T, delta)
        self.grad_b = np.sum(delta, axis=0)
        self.grad_x = np.dot(delta, self.w.T)

# -- 出力層 --
class OutputLayer(BaseLayer):
    def __init__(self, n_upper, n):
        # Xavierの初期値
        self.w = np.random.randn(n_upper, n) / np.sqrt(n_upper)
        self.b = np.zeros(n)

    def forward(self, x):
        self.x = x
        u = np.dot(x, self.w) + self.b
        self.y = 1/(1+np.exp(-u))  # シグモイド関数

    def backward(self, t):
        delta = (self.y-t) * self.y * (1-self.y)

        self.grad_w = np.dot(self.x.T, delta)
        self.grad_b = np.sum(delta, axis=0)
        self.grad_x = np.dot(delta, self.w.T)

# -- 各層の初期化 --
middle_layer = MiddleLayer(n_in_out, n_mid)  # Encoder
output_layer = OutputLayer(n_mid, n_in_out)  # Decoder

# -- 順伝播 --
def forward_propagation(x_mb):
    middle_layer.forward(x_mb)
    output_layer.forward(middle_layer.y)
```

```
# -- 逆伝播 --
def backpropagation(t_mb):
    output_layer.backward(t_mb)
    middle_layer.backward(output_layer.grad_x)

# -- パラメータの更新 --
def update_params():
    middle_layer.update(eta)
    output_layer.update(eta)

# -- 誤差を計算 --
def get_error(y, t):
    return 1.0/2.0*np.sum(np.square(y - t))  # 二乗和誤差

error_record = []
n_batch = len(x_train) // batch_size  # 1エポックあたりのバッチ数
for i in range(epochs):

    # -- 学習 --
    index_random = np.arange(len(x_train))
    np.random.shuffle(index_random)  # インデックスをシャッフルする
    for j in range(n_batch):

        # ミニバッチを取り出す
        mb_index = index_random[j*batch_size : (j+1)*batch_size]
        x_mb = x_train[mb_index, :]

        # 順伝播と逆伝播
        forward_propagation(x_mb)
        backpropagation(x_mb)

        # 重みとバイアスの更新
        update_params()

    # -- 誤差を求める --
    forward_propagation(x_train)
    error = get_error(output_layer.y, x_train)
    error_record.append(error)

    # -- 経過の表示 --
    if i%interval == 0:
        print("Epoch:"+str(i+1)+"/"+str(epochs),
```

```
                    "Error:"+str(error))

    plt.plot(range(1, len(error_record)+1), error_record)
    plt.xlabel("Epochs")
    plt.ylabel("Error")
    plt.show()
```

```
Epoch:1/41 Error:2884.696765146869
Epoch:5/41 Error:1430.3853401275119
Epoch:9/41 Error:1106.5350345578545
Epoch:13/41 Error:941.9110134597945
Epoch:17/41 Error:879.0944965043436
Epoch:21/41 Error:858.8966310805197
Epoch:25/41 Error:816.7074772962773
Epoch:29/41 Error:787.5007695329515
Epoch:33/41 Error:752.9997137820637
Epoch:37/41 Error:751.1997352034167
Epoch:41/41 Error:738.4983322508115
```

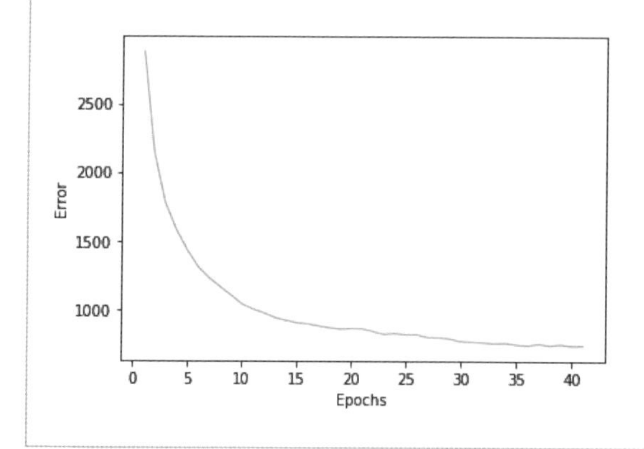

誤差はなめらかに減少しているようです。それでは、オートエンコーダより再構築された画像を確認しましょう。

7.3.6 生成された画像の表示

以下のコードにより、入力画像および再構築された画像を並べて表示します。また、中間層の出力も4×4の画像にして並べます。

画像が正しく再構築されているか、そしてその際に中間層がどのような状態にあるのかを確認します。

オートエンコーダによる画像の圧縮と再構築

```
n_img = 10  # 表示する画像の数
middle_layer.forward(x_train[:n_img])
output_layer.forward(middle_layer.y)

plt.figure(figsize=(10, 3))
for i in range(n_img):
    # 入力画像
    ax = plt.subplot(3, n_img, i+1)
    plt.imshow(x_train[i].reshape(img_size, -1).tolist(),
                                      cmap="Greys_r")
    ax.get_xaxis().set_visible(False)
    ax.get_yaxis().set_visible(False)

    # 中間層の出力
    ax = plt.subplot(3, n_img, i+1+n_img)
    plt.imshow(middle_layer.y[i].reshape(4, -1).tolist(),
               cmap="Greys_r")
    ax.get_xaxis().set_visible(False)
    ax.get_yaxis().set_visible(False)

    # 出力画像
    ax = plt.subplot(3, n_img, i+1+2*n_img)
    plt.imshow(output_layer.y[i].reshape(img_size,
          -1).tolist(), cmap="Greys_r")
    ax.get_xaxis().set_visible(False)
    ax.get_yaxis().set_visible(False)

plt.show()
```

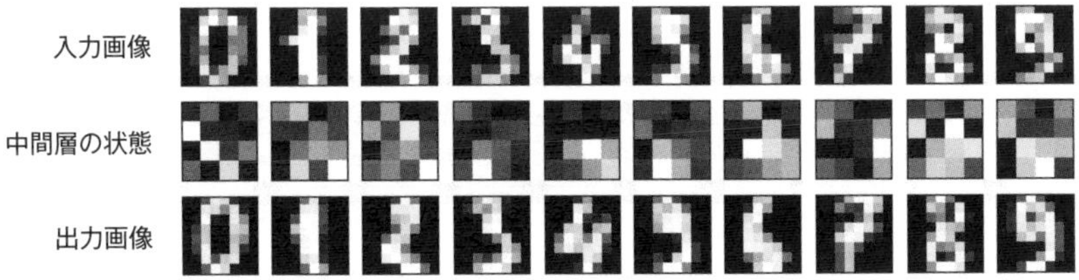

入力画像

中間層の状態

出力画像

多少の違いはありますが、出力は入力を再現した画像になっています。また、中間層は数字画像ごとに異なる状態にあることも確認できます。64ピクセルの画像を特徴付ける情報を、16の状態に圧縮できたことになります。

中間層のニューロン数がこれより少なくなるにつれ、次第にうまく画像を再構築できなくなります。興味のある方は、中間層におけるニューロン数の削減にトライしてみましょう。

中間層の状態から画像を復元することはできましたが、中間層と出力画像の対応関係を直感的に把握したり、中間層の状態を変化させて生成画像を調整することは難しそうです。これらを実現するためには、人間に意味が理解できて、制御が可能な少数の変数に画像を圧縮するのが望ましいです。

以降は、それを可能にするVAEの実装方法を解説していきます。

7.4 VAEに必要な層

VAEの実装に必要な層について解説します。

7.4.1 VAEの構成

以下の図は、VAEの構成の例です。

VAEの構成例

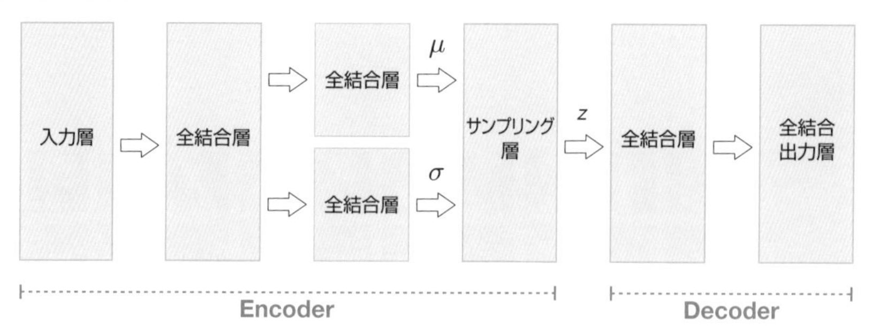

Encoderでは、ニューラルネットワークが2つに分岐します。そして、それぞれのニューラルネットワークが、それぞれ平均値と標準偏差を出力します。これらの標準

偏差と平均値から潜在変数がサンプリングされますが、このサンプリングを層として実装します。本章では、この層を「サンプリング層」と呼びます。サンプリングされた潜在変数は、Decoderのニューラルネットワークの入力となります。今回は、サンプリング層以外の層はすべて全結合層とします。

それでは、平均値と標準偏差を出力する層、およびサンプリング層、出力層の実装を見ていきましょう。

7.4.2 平均値、標準偏差を出力する層

平均値、標準偏差を出力する層を以下の通りに実装します。平均値、標準偏差ともに共通のクラスを使って実装します。この層の活性化関数には、恒等関数を使用します。

ParamsLayerクラスの定義

```
# -- 正規分布のパラメータを求める層 --
class ParamsLayer(BaseLayer):
    def __init__(self, n_upper, n):
        # Xavierの初期値
        self.w = np.random.randn(n_upper, n) / np.sqrt(n_upper)
        self.b = np.zeros(n)

    def forward(self, x):
        self.x = x
        u = np.dot(x, self.w) + self.b
        self.y = u  # 恒等関数

    def backward(self, grad_y):
        delta = grad_y

        self.grad_w = np.dot(self.x.T, delta)
        self.grad_b = np.sum(delta, axis=0)
        self.grad_x = np.dot(delta, self.w.T)
```

標準偏差を出力する層に関してですが、実装の都合上、層の出力は標準偏差そのものではなく標準偏差の2乗の対数、すなわち分散の対数を表すことにします(→参考文献[11])。これを以下の式で表します。

$$\phi = \log \sigma^2$$ 式07-04

このϕは対数なので、負の値もとることができて値の範囲に制限がありません。従って、活性化関数に恒等関数を使用することが可能になります。また、この形にすることで後述するサンプリング層の逆伝播がシンプルに表記できるようになります。

7.4.3 サンプリング層

サンプリング層はニューラルネットワークの層とは異なります。μとϕを入力として潜在変数zを出力しますが、順伝播と逆伝播を実装する必要があります。この層に学習するパラメータはありません。

サンプリング層の順伝播は、以下のReparametrization Trickの式に基づいて行われます。

$$z = \mu + \epsilon\sigma$$

これは、**式07-04**のϕを使うと以下のように表すことができます。

$$z = \mu + \epsilon \exp \frac{\phi}{2}$$

サンプリング層の逆伝播ですが、上の層に伝播させるために入力であるμとϕの勾配を求める必要があります。逆伝播に使用する誤差関数ですが、誤差を小さくする目的に対してバッチサイズで割ることは不要なので以下の形で表します。

$$E = E_{rec} + E_{reg}$$ 式07-05

$$E_{rec} = \sum_{i=1}^{h}\sum_{j=1}^{m}(-x_{ij}\log y_{ij} - (1 - x_{ij})log(1 - y_{ij}))$$ 式07-06

$$\begin{aligned} E_{reg} &= \sum_{i=1}^{h}\sum_{k=1}^{n} -\frac{1}{2}(1 + \log\sigma_{ik}^2 - \mu_{ik}^2 - \sigma_{ik}^2) \\ &= \sum_{i=1}^{h}\sum_{k=1}^{n} -\frac{1}{2}(1 + \phi_{ik} - \mu_{ik}^2 - \exp\phi_{ik}) \end{aligned}$$ 式07-07

上記を踏まえて、μの勾配を以下のようにして求めます。簡単にするために添字は省略します。

$$
\begin{aligned}
\frac{\partial E}{\partial \mu} &= \frac{\partial}{\partial \mu}(E_{rec} + E_{reg}) \\
&= \frac{\partial E_{rec}}{\partial z}\frac{\partial z}{\partial \mu} + \frac{\partial E_{reg}}{\partial \mu} \\
&= \frac{\partial E_{rec}}{\partial z} + \mu
\end{aligned}
$$

ここで、$\frac{\partial E_{rec}}{\partial z}$はDecoderへの入力の勾配なので、Decoderからの逆伝播により得ることができます。

次にϕの勾配ですが、次のようにして求めます。同じく添字は省略します。

$$
\begin{aligned}
\frac{\partial E}{\partial \phi} &= \frac{\partial}{\partial \phi}(E_{rec} + E_{reg}) \\
&= \frac{\partial E_{rec}}{\partial z}\frac{\partial z}{\partial \phi} + \frac{\partial E_{reg}}{\partial \phi} \\
&= \frac{\partial E_{rec}}{\partial z}\frac{\epsilon}{2}\exp\frac{\phi}{2} - \frac{1}{2}(1 - \exp\phi)
\end{aligned}
$$

順伝播、逆伝播とにも行列積は必要ないので、行列による表記は省きます。

以上を踏まえて、以下の通りにサンプリング層をコードで実装します。

LatentLayerクラス

```
# -- 潜在変数をサンプリングする層 --
class LatentLayer:
    def forward(self, mu, log_var):
        self.mu = mu             # 平均値
        self.log_var = log_var  # 分散の対数

        self.epsilon = np.random.randn(*log_var.shape)
        self.z = mu + self.epsilon*np.exp(log_var/2)

    def backward(self, grad_z):
        self.grad_mu = grad_z + self.mu
        self.grad_log_var = grad_z*self.epsilon/2*np.exp( \
                self.log_var/2) - 0.5*(1-np.exp(self.log_var))
```

7.4.4 出力層

出力層の逆伝播では、以下のようにδが表されます。

$$
\begin{aligned}
\delta &= \frac{\partial E}{\partial u} \\
&= \frac{\partial E}{\partial y}\frac{\partial y}{\partial u}
\end{aligned}
\qquad \text{式07-08}
$$

出力層の活性化関数にはシグモイド関数を使うので、ここで以下の式を代入します。

$$
\frac{\partial y}{\partial u} = y(1-y)
$$

また、**式07-06**も代入しますが、本書では正解をtで表してきたのでこれに合わせてxをtに置き換えます。

これらにより、**式07-08**は次の形になります。なお、添字は省略されています。

$$
\begin{aligned}
\delta &= \frac{\partial E}{\partial y}\frac{\partial y}{\partial u} \\
&= \frac{\partial}{\partial y}(E_{rec}+E_{reg})y(1-y) \\
&= (-\frac{t}{y}+\frac{1-t}{1-y})y(1-y) \\
&= -t(1-y)+(1-t)y \\
&= y-t
\end{aligned}
$$

δを求めることができたので、後はこれまでと同様にして各勾配を求めることができます。

上記の式のように、DecoderのδはE_{reg}の影響を受けないので、DecoderではE_{rec}のみを考慮すればいいことになります。

以上に基づき、出力層を以下の通りに実装します。

↓OutputLayerクラスの定義

```
# -- 出力層 --
class OutputLayer(BaseLayer):
    def __init__(self, n_upper, n):
```

```
        # Xavierの初期値
        self.w = np.random.randn(n_upper, n) / np.sqrt(n_upper)
        self.b = np.zeros(n)

    def forward(self, x):
        self.x = x
        u = np.dot(x, self.w) + self.b
        self.y = 1/(1+np.exp(-u))  # シグモイド関数

    def backward(self, t):
        delta = self.y - t

        self.grad_w = np.dot(self.x.T, delta)
        self.grad_b = np.sum(delta, axis=0)
        self.grad_x = np.dot(delta, self.w.T)
```

VAEに必要な各層をクラスで実装することができました。次は、これらを使ってVAEを構築します。

7.5 VAEの実装

VAEの実装について解説します。Encoderで潜在変数に手書き数字画像を圧縮した後に、Decoderで元の画像を再構築します。 そして、潜在変数が分布する潜在空間を可視化したうえで、潜在変数が生成画像に与える影響を確かめます。

コード全体を紹介する前に、重要な箇所を解説します。

7.5.1 順伝播と逆伝播

各層を初期化し、順伝播と逆伝播の関数を定義します。n_zは潜在変数の数です。VAEなので、入出力のニューロン数は同じになります。

順伝播と逆伝播の実装コード

```
# -- 各層の初期化 --
# Encoder
middle_layer_enc = MiddleLayer(n_in_out, n_mid)
mu_layer = ParamsLayer(n_mid, n_z)
log_var_layer = ParamsLayer(n_mid, n_z)
z_layer = LatentLayer()
# Decoder
middle_layer_dec = MiddleLayer(n_z, n_mid)
output_layer = OutputLayer(n_mid, n_in_out)

# -- 順伝播 --
def forward_propagation(x_mb):
    # Encoder
    middle_layer_enc.forward(x_mb)
    mu_layer.forward(middle_layer_enc.y)
    log_var_layer.forward(middle_layer_enc.y)
    z_layer.forward(mu_layer.y, log_var_layer.y)
    # Decoder
    middle_layer_dec.forward(z_layer.z)
    output_layer.forward(middle_layer_dec.y)

# -- 逆伝播 --
def backpropagation(t_mb):
    # Decoder
    output_layer.backward(t_mb)
    middle_layer_dec.backward(output_layer.grad_x)
    # Encoder
    z_layer.backward(middle_layer_dec.grad_x)
    log_var_layer.backward(z_layer.grad_log_var)
    mu_layer.backward(z_layer.grad_mu)
    middle_layer_enc.backward(mu_layer.grad_x + \
                              log_var_layer.grad_x)
```

ParamsLayerクラスからは、潜在変数の平均値を出力するmu_layerと、標準偏差の2乗の対数を出力するlog_var_layerのインスタンスを生成します。これらの層の出力は、LatentLayerクラスから生成するz_layerの入力となります。

z_layerは潜在変数を出力しますが、これはDecoderの入力となります。

7.5.2 全体のコード

以下は全体のコードです。訓練データの用意、各層のクラス、順伝播と逆伝播の関数、ミニバッチ法が順次実装されています。

誤差は各エポックの終了後に測定しますが、再構成誤差と正則化項を別々に測定して記録します。学習終了後には、これらの誤差および全体の誤差の推移を表示します。

全体コードと実行結果（再構成誤差、正則化項、全体の誤差の推移）

```
import numpy as np
# import cupy as np                # GPUの場合
import matplotlib.pyplot as plt
from sklearn import datasets

# -- 各設定値 --
img_size = 8                       # 画像の高さと幅
n_in_out = img_size * img_size     # 入出力層のニューロン数
n_mid = 16                         # 中間層のニューロン数
n_z = 2

eta = 0.001     # 学習係数
epochs = 201
batch_size = 32
interval = 20  # 経過の表示間隔

# -- 訓練データ --
digits_data = datasets.load_digits()
x_train = np.asarray(digits_data.data)
x_train /= 15  # 0-1の範囲に
t_train = digits_data.target

# -- 全結合層の継承元 --
class BaseLayer:
    def update(self, eta):
        self.w -= eta * self.grad_w
        self.b -= eta * self.grad_b

# -- 中間層 --
class MiddleLayer(BaseLayer):
    def __init__(self, n_upper, n):
        # Heの初期値
        self.w = np.random.randn(n_upper, n) * np.sqrt(2/n_upper)
```

```
        self.b = np.zeros(n)

    def forward(self, x):
        self.x = x
        self.u = np.dot(x, self.w) + self.b
        self.y = np.where(self.u <= 0, 0, self.u) # ReLU

    def backward(self, grad_y):
        delta = grad_y * np.where(self.u <= 0, 0, 1)

        self.grad_w = np.dot(self.x.T, delta)
        self.grad_b = np.sum(delta, axis=0)
        self.grad_x = np.dot(delta, self.w.T)

# -- 正規分布のパラメータを求める層 --
class ParamsLayer(BaseLayer):
    def __init__(self, n_upper, n):
        # Xavierの初期値
        self.w = np.random.randn(n_upper, n) / np.sqrt(n_upper)
        self.b = np.zeros(n)

    def forward(self, x):
        self.x = x
        u = np.dot(x, self.w) + self.b
        self.y = u  # 恒等関数

    def backward(self, grad_y):
        delta = grad_y

        self.grad_w = np.dot(self.x.T, delta)
        self.grad_b = np.sum(delta, axis=0)
        self.grad_x = np.dot(delta, self.w.T)

# -- 出力層 --
class OutputLayer(BaseLayer):
    def __init__(self, n_upper, n):
        # Xavierの初期値
        self.w = np.random.randn(n_upper, n) / np.sqrt(n_upper)
        self.b = np.zeros(n)

    def forward(self, x):
        self.x = x
        u = np.dot(x, self.w) + self.b
```

```
        self.y = 1/(1+np.exp(-u))  # シグモイド関数

    def backward(self, t):
        delta = self.y - t

        self.grad_w = np.dot(self.x.T, delta)
        self.grad_b = np.sum(delta, axis=0)
        self.grad_x = np.dot(delta, self.w.T)

# -- 潜在変数をサンプリングする層 --
class LatentLayer:
    def forward(self, mu, log_var):
        self.mu = mu            # 平均値
        self.log_var = log_var  # 分散の対数

        self.epsilon = np.random.randn(*log_var.shape)
        self.z = mu + self.epsilon*np.exp(log_var/2)

    def backward(self, grad_z):
        self.grad_mu = grad_z + self.mu
        self.grad_log_var = grad_z*self.epsilon/2*np.exp( \
                self.log_var/2) - 0.5*(1-np.exp(self.log_var))

# -- 各層の初期化 --
# Encoder
middle_layer_enc = MiddleLayer(n_in_out, n_mid)
mu_layer = ParamsLayer(n_mid, n_z)
log_var_layer = ParamsLayer(n_mid, n_z)
z_layer = LatentLayer()
# Decoder
middle_layer_dec = MiddleLayer(n_z, n_mid)
output_layer = OutputLayer(n_mid, n_in_out)

# -- 順伝播 --
def forward_propagation(x_mb):
    # Encoder
    middle_layer_enc.forward(x_mb)
    mu_layer.forward(middle_layer_enc.y)
    log_var_layer.forward(middle_layer_enc.y)
    z_layer.forward(mu_layer.y, log_var_layer.y)
    # Decoder
    middle_layer_dec.forward(z_layer.z)
    output_layer.forward(middle_layer_dec.y)
```

```
# -- 逆伝播 --
def backpropagation(t_mb):
    # Decoder
    output_layer.backward(t_mb)
    middle_layer_dec.backward(output_layer.grad_x)
    # Encoder
    z_layer.backward(middle_layer_dec.grad_x)
    log_var_layer.backward(z_layer.grad_log_var)
    mu_layer.backward(z_layer.grad_mu)
    middle_layer_enc.backward(mu_layer.grad_x + \
                              log_var_layer.grad_x)

# -- パラメータの更新 --
def update_params():
    middle_layer_enc.update(eta)
    mu_layer.update(eta)
    log_var_layer.update(eta)
    middle_layer_dec.update(eta)
    output_layer.update(eta)

# -- 誤差を計算 --
def get_rec_error(y, t):
    eps = 1e-7
    return -np.sum(t*np.log(y+eps) + \
           (1-t)*np.log(1-y+eps)) / len(y)

def get_reg_error(mu, log_var):
    return -np.sum(1 + log_var - mu**2 - \
           np.exp(log_var)) / len(mu)

rec_error_record = []
reg_error_record = []
total_error_record = []
n_batch = len(x_train) // batch_size  # 1エポックあたりのバッチ数
for i in range(epochs):

    # -- 学習 --
    index_random = np.arange(len(x_train))
    np.random.shuffle(index_random)  # インデックスをシャッフル
    for j in range(n_batch):

        # ミニバッチを取り出す
```

```
        mb_index = index_random[j*batch_size : (j+1)*batch_size]
        x_mb = x_train[mb_index, :]

        # 順伝播と逆伝播
        forward_propagation(x_mb)
        backpropagation(x_mb)

        # 重みとバイアスの更新
        update_params()

    # -- 誤差を求める --
    forward_propagation(x_train)

    rec_error = get_rec_error(output_layer.y, x_train)
    reg_error = get_reg_error(mu_layer.y, log_var_layer.y)
    total_error = rec_error + reg_error

    rec_error_record.append(rec_error)
    reg_error_record.append(reg_error)
    total_error_record.append(total_error)

    # -- 経過の表示 --
    if i%interval == 0:
        print("Epoch:", i, "Rec_error:", rec_error,
              "Reg_error", reg_error,
              "Total_error", total_error)

plt.plot(range(1, len(rec_error_record)+1),
               rec_error_record, label="Rec_error")
plt.plot(range(1, len(reg_error_record)+1),
               reg_error_record, label="Reg_error")
plt.plot(range(1, len(total_error_record)+1),
               total_error_record, label="Total_error")
plt.legend()
plt.xlabel("Epochs")
plt.ylabel("Error")
plt.show()
```

```
Epoch:  0 Rec_error:  27.62062025048551 Reg_error 3.0034780083555432
Total_error 30.62409825884105
Epoch:  20 Rec_error:  23.031885000169883 Reg_error 3.766025276816711
Total_error 26.797910276986592
```

```
Epoch: 40 Rec_error: 22.160684972437732 Reg_error 4.439101177687534
Total_error 26.599786150125265
Epoch: 60 Rec_error: 21.91640602328129 Reg_error 4.4683495192054385
Total_error 26.38475554248673
Epoch: 80 Rec_error: 21.85564285356529 Reg_error 4.5080898557951095
Total_error 26.3637327093604
Epoch: 100 Rec_error: 21.569457618615868 Reg_error 4.705692556892333
Total_error 26.2751501755082

      ⋮

Epoch: 180 Rec_error: 21.247450364170252 Reg_error 4.972593261884016
Total_error 26.220043626054267
Epoch: 200 Rec_error: 21.079783291460135 Reg_error 5.1622551060133866
Total_error 26.24203839747352
```

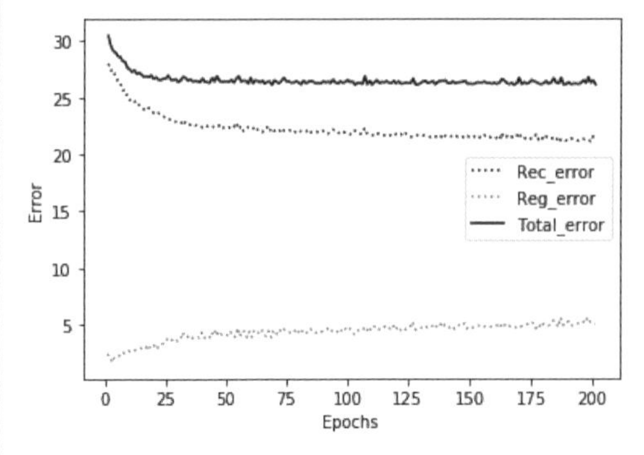

※わかりやすいように一部線種を変更しています。

誤差の推移のグラフからは、再構成誤差(Rec_error)と正則化項(Reg_error)が均衡し、全体の誤差(Total_error)が動かなくなったことが確認できます。潜在変数の範囲を広げることで入出力を一致させようとする働きを、正則化項が抑制していることになります。

7.5.3 潜在空間の可視化

今回は可視化を容易にするために、潜在変数は2つしか使っていません。この2つの潜在変数を平面にプロットし、潜在空間を可視化します。

入力画像はそれが何の数であるかを示すラベルとペアになっていますが、ラベルの文字をマーカーとして使います。

潜在変数の分布

```
# 潜在変数を計算
forward_propagation(x_train)

# 潜在変数を平面にプロット
plt.figure(figsize=(8, 8))
for i in range(10):
    zt = z_layer.z[t_train==i]
    z_1 = zt[:, 0]  # y軸
    z_2 = zt[:, 1]  # x軸
    marker = "$"+str(i)+"$"  # 数値をマーカーに
    plt.scatter(z_2.tolist(), z_1.tolist(), marker=marker, s=75)

plt.xlabel("z_2")
plt.ylabel("z_1")
plt.xlim(-3, 3)
plt.ylim(-3, 3)
plt.grid()
plt.show()
```

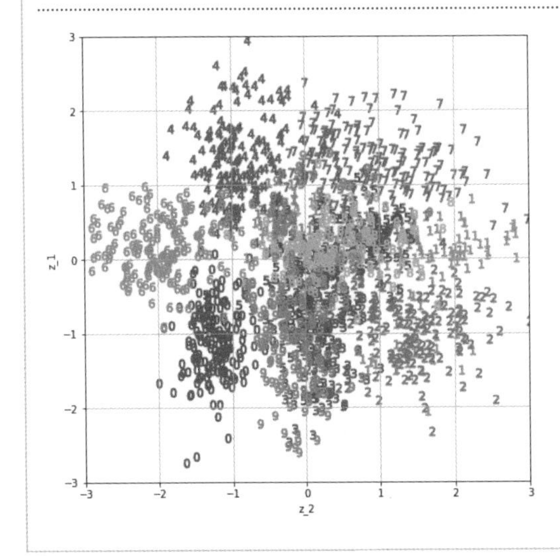

マーカーの数字は入力画像が表す数字

この散布図では、各マーカーが数字ごとにグループを作っている様子が確認できます。これは、ラベルごとに異なる潜在空間の領域が占められていることを意味します。単一のラベルに占められている領域もありますが、ラベルが複数重なっている領域も

あります。

このように、VAEは入力を潜在空間に割り当てるように学習します。明瞭に領域が形作られるので、潜在変数が生成するデータにどのように影響を与えるのか、人間にとって理解が比較的容易です。

7.5.4 画像の生成

訓練済みVAEのDecoderを使って、画像を生成します。潜在変数を連続的に変化させて、生成される画像がどのように変化するのかを確認します。

画像を16×16枚生成して並べますが、x軸、y軸でDecoderの入力となる潜在変数を変化させます。

画像を生成するコード

```
# 画像の設定
n_img = 16  # 画像を16x16並べる
img_size_spaced = img_size + 2
# 全体の画像
matrix_image = np.zeros((img_size_spaced*n_img,
                         img_size_spaced*n_img))

# 潜在変数
z_1 = np.linspace(3, -3, n_img)  # 行
z_2 = np.linspace(-3, 3, n_img)  # 列

#  潜在変数を変化させて画像を生成
for i, z1 in enumerate(z_1):
    for j, z2 in enumerate(z_2):
        x = np.array([float(z1), float(z2)])
        middle_layer_dec.forward(x)  # Decoder
        output_layer.forward(middle_layer_dec.y)  # Decoder
        image = output_layer.y.reshape(img_size, img_size)
        top = i*img_size_spaced
        left = j*img_size_spaced
        matrix_image[top : top+img_size,
                     left : left+img_size] = image

plt.figure(figsize=(8, 8))
plt.imshow(matrix_image.tolist(), cmap="Greys_r")
```

```
# 軸目盛りのラベルと線を消す
plt.tick_params(labelbottom=False, labelleft=False,
                bottom=False, left=False)
plt.show()
```

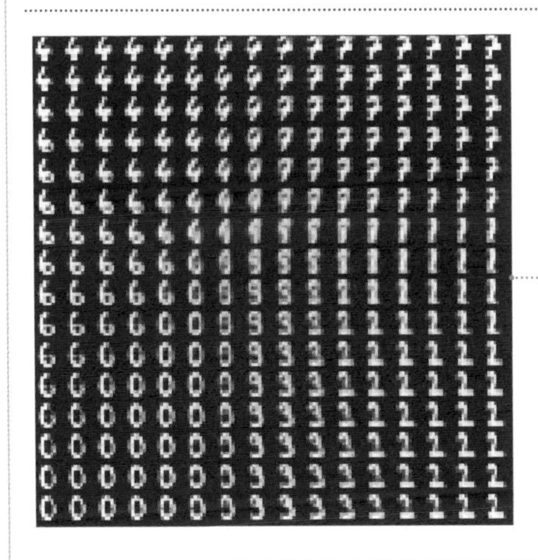

VAEによって生成された16×16枚の画像。x軸、y軸の潜在変数はそれぞれ-3から3まで変化

Decoderにより、16×16枚の画像が生成されました。横軸、縦軸方向で潜在変数が変化していますが、それに伴う画像の変化が確認できます。ある数字とある数字の間には、それらの中間の画像を見ることができます。ラベルが重ならず、単一のラベルに対応する領域の数字は明瞭ですが、複数のラベルが重なる領域の数字は不明瞭です。

今回の例では、たった2つの潜在変数に8×8の画像を圧縮することができたことになります。このように、データの特徴を少数の潜在変数に圧縮することができて、なおかつ潜在変数が生成データに与える影響が明瞭であるのがVAEの興味深い点です。

なお、潜在変数の数はVAEの表現力に大きく影響しますので、興味のある方は潜在変数の数を増やす実験をしてみてはいかがでしょうか。

7.6 VAEの派生技術

本章の最後に、VAEの派生技術をいくつか簡単に紹介します。

7.6.1 Conditional VAE

Conditional VAE（→参考文献[16]）では、潜在変数だけではなくラベルもDecoderに入力することで、ラベルを指定した生成を行います。以下の図の例は2、3、4のようにラベルを指定した手書き数字画像の生成です。

Conditional VAEによるラベルを指定した手書き数字画像の生成

参考文献 [16]より引用

それぞれ縦横2つの潜在変数を変化させていますが、同じ文字でも書き方が変化していることがわかります。VAEは教師なし学習ですが、これに教師あり学習の要素を加えて半教師あり学習にすることで、復元するデータの指定を行うことが可能になります。

この技術により、たとえば同じ筆跡を持つ別の文字を生成することが可能になるかもしれません。この場合、AIが筆跡を覚えることになります。

7.6.2 β-VAE

β-VAE（→参考文献[17]）は、画像特徴の「disentanglement」、すなわち「もつれ」を解くことが特徴で、画像の特徴を潜在空間上で分離することができます。

たとえば顔の画像の場合、1つ目の潜在変数が目の形、2つ目の潜在変数が顔の向きのように、潜在変数の各要素が独立した異なる特徴を担当することになります。これにより、たとえば1つ目の潜在変数を調整することで目の形を調整し、2つ目の潜在変数を調整することで顔の向きを調整するようなことが可能になります。

以下の図は、1つの潜在変数のみを変化させて生成した顔画像を並べたものです。

β-VAEによる顔画像の生成

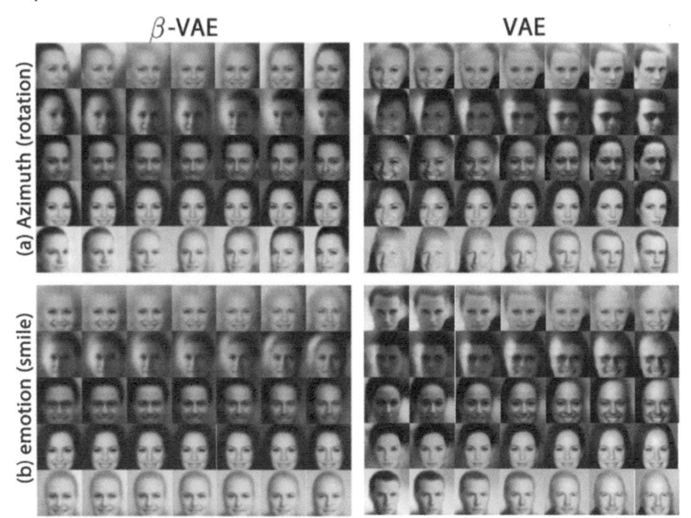

参考文献[17]より引用

この図では左側がβ-VAEの結果で、右側がVAEの結果です。上の段が顔の向きの変化で、下の段が表情の変化です。潜在変数を変化させた際にVAEでは顔の向きや表情以外も変化していますが、β-VAEでは顔の向きと表情以外は変化していません。

以上のように、β-VAEは潜在変数を使って画像などの特徴を要素に分解できる興味深い技術です。

7.6.3 Vector Quantised-VAE

オリジナルのVAEには、潜在変数がデータの特徴をうまく捉えることができなくなる "posterior collapse" と呼ばれる現象により、生成画像がぼやけたものになってしまう問題がありました。

この問題に対処するために、Vector Quantised-VAE（→参考文献[18]）では、潜在変数を離散値、すなわち0、1、2、...などのとびとびの値に変換します。これは、画像をEnconderに入力し、出力である潜在変数のベクトルを「コードブック」にマッピングすることで実装されます。

このようにして画像の特徴を離散的な潜在空間に圧縮にすることにより、高品質な画像の生成が可能になります。以下の図はVector Quantised-VAEによって生成された画像ですが、128x128ピクセルの鮮明な画像が生成されています。

Vector Quantised-VAEによって生成された画像

参考文献 [18]より引用

7.6.4 Vector Quantised-VAE-2

VQ-VAE-2は、VQ-VAEを階層構造にすることでさらに高解像度の画像を生成できるようにした技術です(→参考文献[19])。VQ-VAE-2では、潜在表現を異なるスケールごとに、階層的に学習します。この潜在表現は元の画像よりも大幅に小さくなりますが、これをDecoderに入力することでより非常に鮮明でリアルな画像を再構築することができます。

以下の図はVQ-VAE-2によって生成された1024x1024の顔画像です。

VQ-VAE-2によって生成された画像

参考文献[19]より引用

非常に鮮明で、顔の特徴はまったく崩れていません。このようなサイズが比較的大きい画像でも、VQ-VAE-2を使えばうまく特徴を捉えて潜在空間に圧縮することが可能になります。

以上のようにVAEの技術は日々発展を続けており、AIの新たな可能性を示し続けています。

まとめ

本章では、生成モデルの一種であるVAEについて解説しました。

VAEの誤差を定義したうえで順伝播、逆伝播を数式で表し、VAEに必要な層をクラスとして実装しました。

VAEの実装前にオートエンコーダを実装しましたが、画像の特徴をニューロン数の少ない中間層に圧縮することができました。しかしながら、中間層が生成画像どのような影響を与えるのか、把握するのは困難でした。

その後VAEを構築して訓練し、潜在変数が分布する潜在空間を可視化したうえで、潜在変数が生成画像に与える影響を確かめました。たった2つの潜在変数に8×8の画像を圧縮することができて、なおかつ潜在変数が生成画像に与える影響は明瞭でした。

このように、VAEは表現力と柔軟性が高く、連続性を表現できるので注目を集めています。この技術の発展により、AIの可能性がさらに広がるのではないでしょうか。

Column AIと倫理

2017年1月、カリフォルニア州アシロマに全世界からAIの研究者とさまざまな分野の専門家が集まり、BENEFICIAL AI 2017カンファレンスが開催されました。そこでは、人類にとって有益なAIについて5日間にわたる議論がありましたが、その成果として2017年2月3日に発表されたのが、「アシロマAI原則」(Asilomar AI Principles)です。

アシロマAI原則
https://futureoflife.org/ai-principles/

この原則には23の項目があり、AIの研究、倫理、未来などに対してさまざまな方針が提案されています。各項目は上記のリンク先で確認することができますが、要点を以下のようにまとめます。

- AIシステムは説明、検証可能とすべきである
- AIと人類の倫理観、価値観を一致させるべきである
- AIによってもたらされる利益は、人類全体で共有すべきである
- AIは人類文明を尊重すべきである
- 高度なAIは世界に多大な影響を及ぼしうるため、慎重な管理が必要である

AIの行末に対しては、AIの専門家だけではなく多くの人々が希望と警戒心を同時に抱いています。 今後、AIシステムの開発者には開発力だけではなく高い倫理観が求められるようになることでしょう。

また、上記のアシロマAI原則には含まれていませんが、もし脳と人工知能の境界が曖昧になった場合、人権をどのように扱うかという問題が生じます。現在はホモ・サピエンスとそれ以外という線引きがされていますが、ヒトのような感情を持つ人工知能が生まれた場合、その線引きはどうなるのでしょうか。

さらに踏み込むと、AIが宇宙に進出することになった場合、人類のいない宇宙でも人間中心の倫理、価値観を貫く必要はあるのでしょうか。地球外の環境は地球表面の環境に最適化された人間にとって過酷すぎるので、地球外はAI主体の世界になるかもしれません。

ある意味、AIは我々人類が生み出し、育てつつある「子供」のようなものなのではないでしょうか。育て方が良ければ世界に調和と繁栄をもたらしますが、悪いとAIが搾取のために利用されたり、癌細胞のように制御不能になってしまうかもしれません。そのような意味で、AIの「親」として今生きている人類の責任は重大です。

願わくは、優しさと賢さを兼ね備えた子に育ってほしいものです。

第8章 GAN

本章では、GAN(敵対的生成ネットワーク)の解説、および実装を行います。GANでは、GeneratorとDiscriminator、2つのモデルを競わせるようにして画像などのデータを生成することができます。

GANの概要と仕組みの解説から始めて、GeneratorとDiscriminatorの実装、そしてGANの実装へとつなげていきます。

8.1 GANの概要

最初に、GANの全体像を解説します。

8.1.1 GANとは

GAN (Generative Adversarial Networks、敵対的生成ネットワーク) は、Generator (生成器) とDiscriminator (識別器)、2つのネットワークが競い合うように学習する生成モデルの一種です (→参考文献[20])。GANは画像生成によく利用されます。

以下の図にGANの構成を示します。

■GANの構成

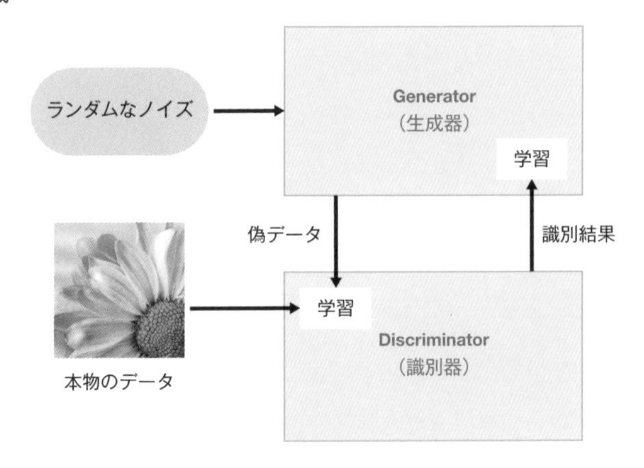

Generatorはいわば偽物を作る側で、Discriminatorを騙すことを目的としています。ランダムなノイズを入力として偽物を作成し、偽物がDiscriminatorを騙せるように学習が進んでいきます。

Discriminatorは偽物を見破る側で、Generatorの作った偽物を見破るのを目的としています。オリジナル画像とGeneratorが生成した画像、両者を訓練データとしてほんのわずかな違いも見破れるように訓練されていきます。

例えるなら、Generatorは絵画の贋作者で、Discriminatorは鑑定者です。贋作者は鑑定者を騙そうと、鑑定者は偽物を見破ろうとお互いに切磋琢磨することで、次第に本物らしい絵画が生成されていきます。

以下の図はGeneratorによる手書き数字画像の生成過程です。

■ GANによる手書き数字画像の生成過程

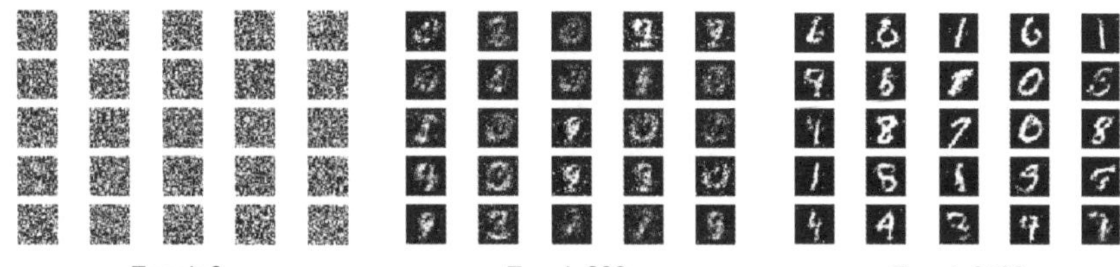

次第に本物らしい画像が生成されていく様子が確認できます。このように、Generatorをうまく訓練すれば意味のないノイズから有用なデータが生成されるようになります。Genertor、Discriminatorがうまく機能して学習が進めばさまざまなデータの生成が可能になるので、GANには期待が集まっています。

8.1.2 DCGAN

DCGAN (Deep Convolutional Generative Adversarial Networks) は畳み込みニューラルネットワーク (Convolutional neural network、CNN) を利用したGANです。畳み込みニューラルネットワークは、画像を複数のフィルターで処理する畳み込み層を幾重にも重ねます。DCGANでは、DiscriminatorとGeneratorそれぞれのネットワークで、畳み込み層、およびその逆の処理を行う層を使用します。以下の図にDCGANで使われるGeneratorの例を示します。

■ DCGANで使われるGeneratorの例

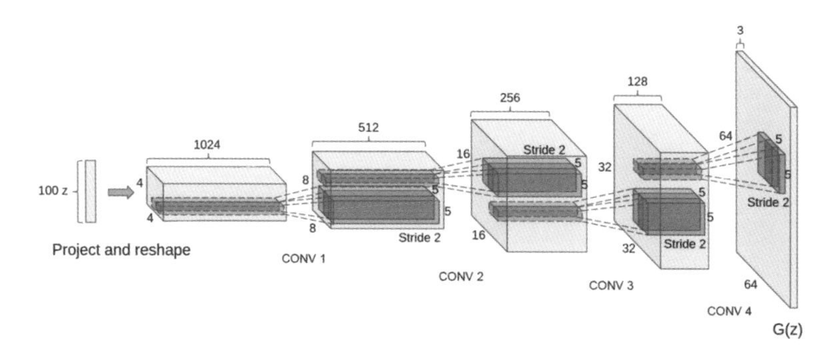

参考文献[21]より引用

最初にあるのはノイズの入力ですが、これに何度も処理を繰り返すことにより、最終的には画像が生成されます。ここで行われているのは、通常の畳み込みの逆になります。通常の畳み込みでは画像のサイズが小さく、枚数が多くなっていきますが、このGeneratorでは画像サイズが大きく、枚数が少なくなっていきます。

一方、Discriminatorでは通常の畳み込みが行われ、入力画像が本物かどうかの判定が行われます。

このようなGeneratorとDiscriminatorが互いに競い合うように学習することで、より本物らしい画像が生成されていくのはGANと同じです。

CNNは画像認識で大きな成功を収めているのですが、GANによる画像生成においてもCNNを用いた方が良い結果が得られる傾向があるようです。以下の図はDCGANにより生成された画像の例です。人間の目でも、本物と区別するのが難しいレベルの画像を生成できていることがわかります。

DCGANにより生成された画像

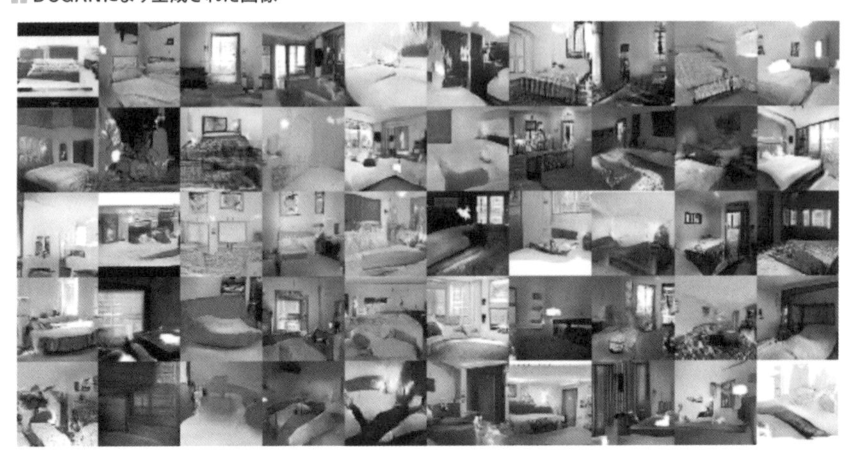

参考文献[21]より引用

本章では畳み込み層は扱いませんが、前著「はじめてのディープラーニング」で畳み込みニューラルネットワークについて詳しく解説していますので、興味のある方は参考にしてください。

8.1.3 GANの用途

ここで、GANの用途をいくつか紹介します。

まずは高解像度の画像生成です。ディープラーニングの利用は、これまで分類や回帰などが主でしたが、GANによりその逆である「生成」が実用化されることが期待されています。たとえば生成された画像を学習用データの水増しに利用する研究が行われており（→参考文献[22]）、GANにより生成された画像を著作権フリー画像として配布するサービスは既に提供されています。

GANは画像のアレンジにも利用されています。たとえば、GANによりゴッホやモネ、北斎などの画風の模倣が試みられています。その他にも、線画の着色や白黒写真の彩色など、既存の画像のパターンをモデルに学習させることでさまざまな画像のアレンジが可能になります。

そして、GANは画像の演算も可能にします。以下の図は、DCGANによる顔画像の演算の例です。

DCGANによる顔画像の演算

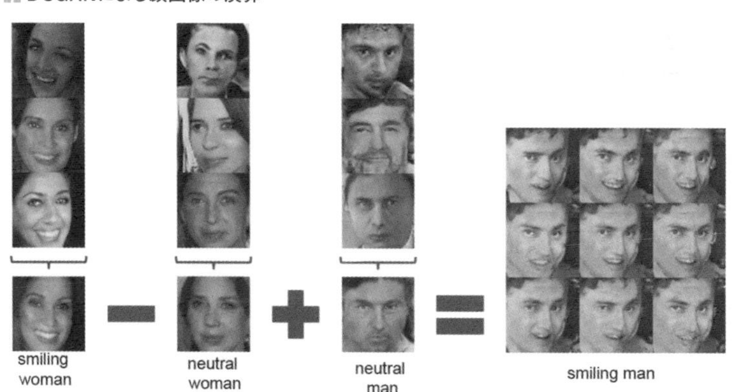

参考文献[21]より引用

微笑んでいる女の人の画像からニュートラルな表情の女性の画像を引いて、ニュートラルな表情の男性の画像を足すことにより、微笑んでいる男の人の画像を生成することができます。このような表情の調整や、あるいは画像の一部入れ替えなどが、GANにより可能になってきています。

その他にも、文章から画像を生成する技術や、自動でデザインを行う技術など、さまざまなGANをベースにした技術が研究開発されています。

8.2 GANの仕組み

GANの仕組みを学びましょう。Discriminatorの学習、Generatorの学習、誤差の定義について解説します。

8.2.1 Discriminatorの学習

まずは、Discriminatorの学習について解説します。以下の図に、Discriminatrorで行われる処理の概要を示します。

Discriminatrorで行われる処理

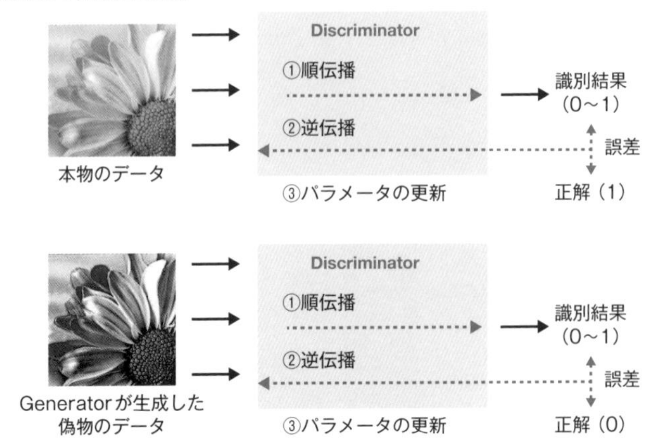

この図の上段は本物の画像などのデータを入力した際の処理で、下段がGeneratorが生成した偽物のデータを入力した際の処理です。

Discriminatorは出力層のニューロン数が1で、出力の範囲は0から1になります。この出力が、識別結果になります。本物に近いと判断した場合は出力は1に近く、偽物に近いと判断した場合は0に近くなります。そして、本物のデータを入力する際は正解を1とし、Generatorが生成した偽物のデータを入力する際は、正解を0とします。

処理の手順ですが、まずは順伝播を行います。その後に、出力と正解の誤差を逆伝播させます。逆伝播により各勾配を求めたうえで、重みやバイアスなどのパラメータの更新を行います。このあたりの手順は、本物のデータを使用する際でも偽物のデータを使用する際でも同じです。

以上のように、本物と偽物で異なる正解を使うことで、両者を見分けることができるようにDiscriminatorは学習することになります。

8.2.2 Generatorの学習

次に、Geneartorの学習について解説します。Generatorはランダムなノイズを入力とし画像などのデータを出力とします。Generatorを学習させる際は、以下の図に示すようにGeneratorとDiscriminatorをつなげる必要があります。

■ Generatorで行われる処理

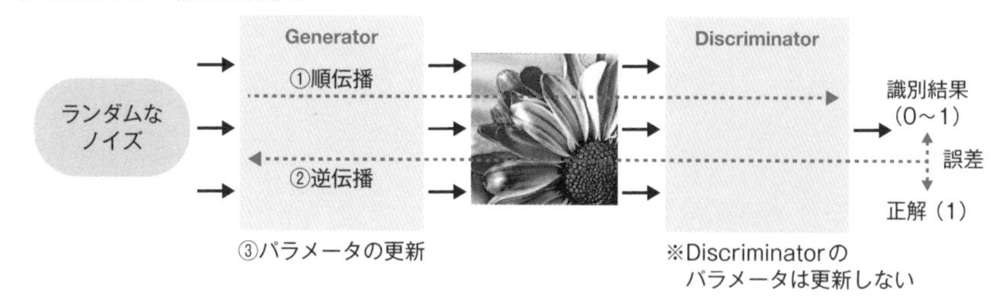

まずは、GeneratorとDiscriminatorを通して順伝播します。そして、Discriminatorの出力と正解の間で誤差を求めます。GeneratorはDiscriminatorに本物と誤認させるように学習するので、この場合の正解は1になります。

その後逆伝播を行い、各勾配を求め、パラメータを更新するのですが、Generatorの学習なのでDiscriminatorのパラメータは更新しません。Generatorのみ、パラメータを更新することになります。

以上のようにして、Discriminatorの識別結果が1、すなわち「本物」に近づくように、Generatorは学習することになります。

8.2.3 誤差の定義

Discriminatorは入力画像が本物かどうかの識別ができればいいので、出力層のニューロンは1つしか必要ありません。出力層ではシグモイド関数を使うので、識別結果を表す出力の範囲は0から1になります。また、正解は1（本物）もしくは0（偽物）で表されます。

以上を踏まえて、本章では以下の誤差関数を使用します。

$$E = \frac{1}{h}\sum_{i=1}^{h}(-t_i \log y_i - (1 - t_i)log(1 - y_i))$$

ここで、y_iはDiscriminatorの出力、t_iは正解、hはバッチサイズです。バッチ内で、二値の交差エントロピーの平均をとっています。出力層のニューロンは1つしかないので、すべてのニューロンで総和をとる必要はありません。

$\sum$内ですが、本物だと判定するように訓練する際は$t = 1$となり、y_iが同じく1のとき最小になります。また、偽物と判定するように訓練する際は$t = 0$となり、y_iが同じく0のとき最小になります。このように、この誤差関数はDiscriminatorの出力と正解の隔離度合いを表すことになります。

この誤差を使って、GeneratorとDiscriminatorを交互に訓練します。

8.3 GANに必要な層

GANの実装に必要な層について解説します。

8.3.1 GeneratorとDiscriminatorの構成

以下の図は、本章で実装するGeneratorとDiscriminatorの構成です。

GeneratorとDiscriminatorの構成例

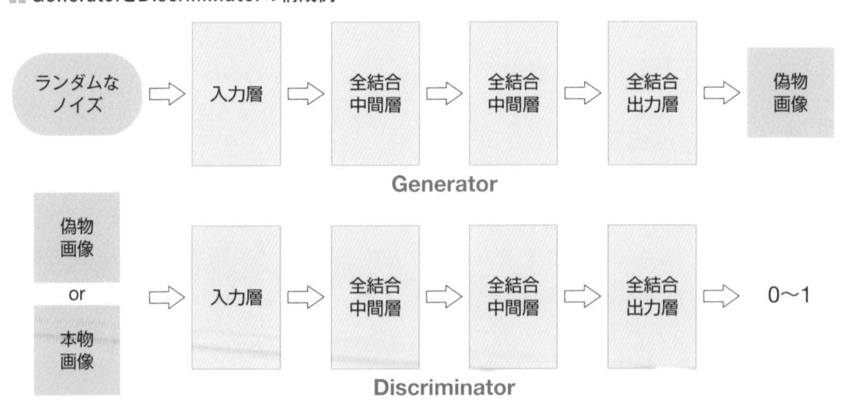

Generatorは入力層と出力層の間に中間層を2つ挟みます。入力はノイズで、出力は画像になります。Discriminatorも同じく、入力層と出力層の間に中間層を2つ挟みます。入力は本物画像、もしくはGeneratorの出力で、出力は0から1の範囲の識別結果になります。今回は、すべて全結合層とします。

それでは、Generatorの出力層と、Discriminatorの出力層の実装を見ていきましょう。

8.3.2 Generatorの出力層

Generatorの出力層を以下の通りに実装します。この層の出力はDiscriminatorの入力となるので、Discriminatorの入力を-1から1の範囲にするために活性化関数にはtanhを使用します。

Generatorの出力層GenOutLayerクラス

```
class GenOutLayer(BaseLayer):
    def __init__(self, n_upper, n):
        # Xavierの初期値
        self.w = np.random.randn(n_upper, n) / np.sqrt(n_upper)
        self.b = np.zeros(n)

    def forward(self, x):
        self.x = x
        u = np.dot(x, self.w) + self.b
        self.y = np.tanh(u)  # tanh

    def backward(self, grad_y):
        delta = grad_y * (1 - self.y**2)

        self.grad_w = np.dot(self.x.T, delta)
        self.grad_b = np.sum(delta, axis=0)
        self.grad_x = np.dot(delta, self.w.T)
```

この層のニューロン数は、生成する画像のピクセル数になります。出力を画像として表示する際は、出力された値を0から1の範囲に調整します。

Discriminatorとともに訓練する際は、Discriminatorから遡ってきたgrad_yを使ってdeltaを計算します。

8.3.3 Discriminatorの出力層

Discriminatorの出力層では活性化関数にはシグモイド関数、誤差に二値の交差エントロピーを使っているので、逆伝播の際のδの求め方は、前章で解説したVAEの出力層とほぼ同じです。逆伝播に使用する誤差関数は、誤差を小さくする目的に対してバッチサイズで割ることは不要なので以下の形で表します。

$$E = \sum_{i=1}^{h} (-t_i \log y_i - (1-t_i) log(1-y_i))$$

これを使って、以下の通りにδを求めます。添字は省略します。

$$\begin{aligned}
\delta &= \frac{\partial E}{\partial y}\frac{\partial y}{\partial u} \\
&= \frac{\partial E}{\partial y} y(1-y) \\
&= (-\frac{t}{y} + \frac{1-t}{1-y}) y(1-y) \\
&= -t(1-y) + (1-t)y \\
&= y - t
\end{aligned}$$

このδを使って、Discriminatorの出力層を以下の通りに実装します。

Discriminatorの出力層DiscOutLayerクラス

```
class DiscOutLayer(BaseLayer):
    def __init__(self, n_upper, n):
        # Xavierの初期値
        self.w = np.random.randn(n_upper, n) / np.sqrt(n_upper)
        self.b = np.zeros(n)

    def forward(self, x):
        self.x = x
        u = np.dot(x, self.w) + self.b
        self.y = 1/(1+np.exp(-u))  # シグモイド関数

    def backward(self, t):
        delta = self.y-t
```

```
        self.grad_w = np.dot(self.x.T, delta)
        self.grad_b = np.sum(delta, axis=0)
        self.grad_x = np.dot(delta, self.w.T)
```

この層の出力は識別結果なので、ニューロン数は1になります。

8.4 GANの実装

GANの実装について解説します。GeneratorとDiscriminaorを競い合わせるように訓練することで、Generatorは本物の画像に似た画像を生成するようになります。

本物の画像として、今回も手書き数字画像のデータセットを使います。ノイズから画像が生成される過程と、GeneratorとDiscriminaorの均衡を確認しましょう。

8.4.1 順伝播と逆伝播

各層を初期化し、順伝播と逆伝播の関数を定義します。Generatorの各層はリストgen_layersに、Discriminatorの各層はリストdisc_layersに格納しておきます。

順伝播と逆伝播の実装コード

```
# -- 各層の初期化 --
gen_layers = [MiddleLayer(n_noise, 32),
              MiddleLayer(32, 64),
              GenOutLayer(64, img_size*img_size)]

disc_layers = [MiddleLayer(img_size*img_size, 64),
               MiddleLayer(64, 32),
               DiscOutLayer(32, 1)]

# -- 順伝播 --
def forward_propagation(x, layers):
    for layer in layers:
        layer.forward(x)
        x = layer.y
```

```
    return x

# -- 逆伝播 --
def backpropagation(t, layers):
    grad_y = t
    for layer in reversed(layers):
        layer.backward(grad_y)
        grad_y = layer.grad_x
    return grad_y
```

順伝播の関数forward_propagationと逆伝播の関数backpropagationは各層が入ったリストlayersを受け取ります。このようにコードを書くことで、Generatorのリスト、Discriminatorのリスト、そしてこれらを結合したリストに対応可能になります。

8.4.2 GANの訓練

訓練用の関数を定義します。Generatorを訓練する際はGeneratorとDiscriminatorを通して順伝播、逆伝播を行いますが、Discriminatorのパラメータは更新しません。これに対応するために、以下の関数では順伝播、逆伝播を行うprop_layersと、パラメータの更新を行うupdate_layersを別に設定可能としています。

モデルの訓練を行う関数

```
def train_model(x, t, prop_layers, update_layers):
    y = forward_propagation(x, prop_layers)
    backpropagation(t, prop_layers)
    update_params(update_layers)
    return (get_error(y, t), get_accuracy(y, t))
```

また、別途定義するget_error関数とget_accuracy関数により、誤差と正解率を取得して返すようにしておきます。

8.4.3 GANの学習

Discriminator、Generatorを交互に訓練します。今回は学習過程を詳細に観察したいので、訓練データを1エポックで使い切るのではなく、訓練データからランダムにミニバッチを取り出して学習します。

Discriminatorは偽物と本物の画像でそれぞれ訓練しますが、その際にはそれぞれバッチサイズの半分のデータを使います。Generatorを訓練する際は、バッチサイズ分のデータを使います。

GANの学習コード

```
batch_half = batch_size // 2
error_record = np.zeros((n_learn, 2))
acc_record = np.zeros((n_learn, 2))
for i in range(n_learn):

    # ノイズから画像を生成しDiscriminatorを訓練
    noise = np.random.normal(0, 1, (batch_half, n_noise))
    imgs_fake = forward_propagation(noise, gen_layers)  # 画像の生成
    t = np.zeros((batch_half, 1))                       # 正解は0
    error, accuracy = train_model(imgs_fake, t, disc_layers,
                                  disc_layers)
    error_record[i][0] = error
    acc_record[i][0] = accuracy

    # 本物の画像を使ってDiscriminatorを訓練
    rand_ids = np.random.randint(len(x_train), size=batch_half)
    imgs_real = x_train[rand_ids, :]
    t = np.ones((batch_half, 1))  # 正解は1
    error, accuracy = train_model(imgs_real, t, disc_layers,
                                  disc_layers)
    error_record[i][1] = error
    acc_record[i][1] = accuracy

    # 結合したモデルによりGeneratorを訓練する
    noise = np.random.normal(0, 1, (batch_size, n_noise))
    t = np.ones((batch_size, 1))  # 正解は1
    # Generatorのみ訓練
    train_model(noise, t, gen_layers+disc_layers, gen_layers)
```

Discriminatorの訓練では、偽物と本物の正解はそれぞれ0と1になります。GeneratorはDiscriminatorを騙すように学習するので、正解は1になります。

Generatorの訓練では、Generatorであるgen_layersとDiscriminatorであるdisc_layersを結合します。このうちパラメータを更新するのはgen_layersのみです。

8.4.4 画像の生成

画像を生成して表示するための関数を定義します。画像は、訓練済みのGenertorにノイズを入力することで生成されます。

画像を生成する関数

```
def generate_images(i):
    # 画像の生成
    n_rows = 16   # 行数
    n_cols = 16   # 列数
    noise = np.random.normal(0, 1, (n_rows*n_cols, n_noise))
    g_imgs = forward_propagation(noise, gen_layers)
    g_imgs = g_imgs/2 + 0.5   # 0-1の範囲にする

    img_size_spaced = img_size + 2
    matrix_image = np.zeros((img_size_spaced*n_rows,
            img_size_spaced*n_cols))  # 全体の画像

    #  生成された画像を並べて一枚の画像にする
    for r in range(n_rows):
        for c in range(n_cols):
            g_img = g_imgs[r*n_cols + c].reshape(img_size,
                                                 img_size)
            top = r*img_size_spaced
            left = c*img_size_spaced
            matrix_image[top : top+img_size,
                         left : left+img_size] = g_img

    plt.figure(figsize=(8, 8))
    plt.imshow(matrix_image.tolist(), cmap="Greys_r")
    # 軸目盛りのラベルと線を消す
    plt.tick_params(labelbottom=False, labelleft=False,
            bottom=False, left=False)
    plt.show()
```

画像は16×16枚生成されますが、並べて一枚の画像にしたうえで表示されます。

8.4.5 全体のコード

以下は全体のコードです。訓練データの用意、各層のクラス、順伝播と逆伝播の関数、訓練と画像生成用の関数、ミニバッチ法が順次実装されています。

学習中、一定間隔でGeneratorが生成する画像を表示します。また、Discriminatorの誤差と正解率は、本物が入力の場合と偽物が入力の場合で別々に記録します。

全体コードと実行結果（学習の進行に伴い生成画像が変化する）

```
import numpy as np
# import cupy as np  # GPUの場合
import matplotlib.pyplot as plt
from sklearn import datasets

# -- 各設定値 --
img_size = 8        # 画像の高さと幅
n_noise = 16        # ノイズの数
eta = 0.001         # 学習係数
n_learn = 10001     # 学習回数
interval = 1000     # 経過の表示間隔
batch_size = 32

# -- 訓練データ --
digits_data = datasets.load_digits()
x_train = np.asarray(digits_data.data)
x_train = x_train / 15*2-1    # -1から1の範囲
t_train = digits_data.target

# -- 全結合層の継承元 --
class BaseLayer:
    def update(self, eta):
        self.w -= eta * self.grad_w
        self.b -= eta * self.grad_b

# -- 中間層 --
class MiddleLayer(BaseLayer):
    def __init__(self, n_upper, n):
        # Heの初期値
        self.w = np.random.randn(n_upper, n) * np.sqrt(2/n_upper)
        self.b = np.zeros(n)
```

```
    def forward(self, x):
        self.x = x
        self.u = np.dot(x, self.w) + self.b
        self.y = np.where(self.u <= 0, 0, self.u) # ReLU

    def backward(self, grad_y):
        delta = grad_y * np.where(self.u <= 0, 0, 1)

        self.grad_w = np.dot(self.x.T, delta)
        self.grad_b = np.sum(delta, axis=0)
        self.grad_x = np.dot(delta, self.w.T)

# -- Generatorの出力層 --
class GenOutLayer(BaseLayer):
    def __init__(self, n_upper, n):
        # Xavierの初期値
        self.w = np.random.randn(n_upper, n) / np.sqrt(n_upper)
        self.b = np.zeros(n)

    def forward(self, x):
        self.x = x
        u = np.dot(x, self.w) + self.b
        self.y = np.tanh(u)  # tanh

    def backward(self, grad_y):
        delta = grad_y * (1 - self.y**2)

        self.grad_w = np.dot(self.x.T, delta)
        self.grad_b = np.sum(delta, axis=0)
        self.grad_x = np.dot(delta, self.w.T)

# -- Discriminatorの出力層 --
class DiscOutLayer(BaseLayer):
    def __init__(self, n_upper, n):
        # Xavierの初期値
        self.w = np.random.randn(n_upper, n) / np.sqrt(n_upper)
        self.b = np.zeros(n)

    def forward(self, x):
        self.x = x
        u = np.dot(x, self.w) + self.b
        self.y = 1/(1+np.exp(-u))  # シグモイド関数
```

```
    def backward(self, t):
        delta = self.y-t

        self.grad_w = np.dot(self.x.T, delta)
        self.grad_b = np.sum(delta, axis=0)
        self.grad_x = np.dot(delta, self.w.T)

# -- 各層の初期化 --
gen_layers = [MiddleLayer(n_noise, 32),
              MiddleLayer(32, 64),
              GenOutLayer(64, img_size*img_size)]

disc_layers = [MiddleLayer(img_size*img_size, 64),
               MiddleLayer(64, 32),
               DiscOutLayer(32, 1)]

# -- 順伝播 --
def forward_propagation(x, layers):
    for layer in layers:
        layer.forward(x)
        x = layer.y
    return x

# -- 逆伝播 --
def backpropagation(t, layers):
    grad_y = t
    for layer in reversed(layers):
        layer.backward(grad_y)
        grad_y = layer.grad_x
    return grad_y

# -- パラメータの更新 --
def update_params(layers):
    for layer in layers:
        layer.update(eta)

# -- 誤差を計算 --
def get_error(y, t):
    eps = 1e-7
    # 二値の交差エントロピー誤差を返す
    return -np.sum(t*np.log(y+eps) + \
```

```
        (1-t)*np.log(1-y+eps)) / len(y)

# -- 正解率を計算 --
def get_accuracy(y, t):
    correct = np.sum(np.where(y<0.5, 0, 1) == t)
    return correct / len(y)

# -- モデルの訓練 --
def train_model(x, t, prop_layers, update_layers):
    y = forward_propagation(x, prop_layers)
    backpropagation(t, prop_layers)
    update_params(update_layers)
    return (get_error(y, t), get_accuracy(y, t))

# -- 画像を生成して表示 --
def generate_images(i):
    # 画像の生成
    n_rows = 16  # 行数
    n_cols = 16  # 列数
    noise = np.random.normal(0, 1, (n_rows*n_cols, n_noise))
    g_imgs = forward_propagation(noise, gen_layers)
    g_imgs = g_imgs/2 + 0.5  # 0-1の範囲にする

    img_size_spaced = img_size + 2
    # 全体の画像
    matrix_image = np.zeros((img_size_spaced*n_rows,
                             img_size_spaced*n_cols))

    #  生成された画像を並べて一枚の画像にする
    for r in range(n_rows):
        for c in range(n_cols):
            g_img = g_imgs[r*n_cols + c].reshape(img_size,
                                                 img_size)
            top = r*img_size_spaced
            left = c*img_size_spaced
            matrix_image[top : top+img_size,
                         left : left+img_size] = g_img

    plt.figure(figsize=(8, 8))
    plt.imshow(matrix_image.tolist(), cmap="Greys_r")
    # 軸目盛りのラベルと線を消す
    plt.tick_params(labelbottom=False, labelleft=False,
```

```
                    bottom=False, left=False)
    plt.show()

# -- GANの学習 --
batch_half = batch_size // 2
error_record = np.zeros((n_learn, 2))
acc_record = np.zeros((n_learn, 2))
for i in range(n_learn):

    # ノイズから画像を生成しDiscriminatorを訓練
    noise = np.random.normal(0, 1, (batch_half, n_noise))
    imgs_fake = forward_propagation(noise,
            gen_layers)  # 画像の生成
    t = np.zeros((batch_half, 1))  # 正解は0
    error, accuracy = train_model(imgs_fake, t, disc_layers,
                                  disc_layers)
    error_record[i][0] = error
    acc_record[i][0] = accuracy

    # 本物の画像を使ってDiscriminatorを訓練
    rand_ids = np.random.randint(len(x_train), size=batch_half)
    imgs_real = x_train[rand_ids, :]
    t = np.ones((batch_half, 1))  # 正解は1
    error, accuracy = train_model(imgs_real, t, disc_layers,
                                  disc_layers)
    error_record[i][1] = error
    acc_record[i][1] = accuracy

    # 結合したモデルによりGeneratorを訓練する
    noise = np.random.normal(0, 1, (batch_size, n_noise))
    t = np.ones((batch_size, 1))   # 正解は1
    train_model(noise, t, gen_layers+disc_layers,
                gen_layers)  # Generatorのみ訓練

    # 一定間隔で誤差と生成された画像を表示
    if i % interval == 0:
        print ("n_learn:", i)
        print ("Error_fake:", error_record[i][0],
               "Acc_fake:", acc_record[i][0])
        print ("Error_real:", error_record[i][1],
               "Acc_real:", acc_record[i][1])
        generate_images(i)
```

```
n_learn: 0
Error_fake: 0.4779363301477474 Acc_fake: 0.875
Error_real: 0.6831402324247644 Acc_real: 0.375
```

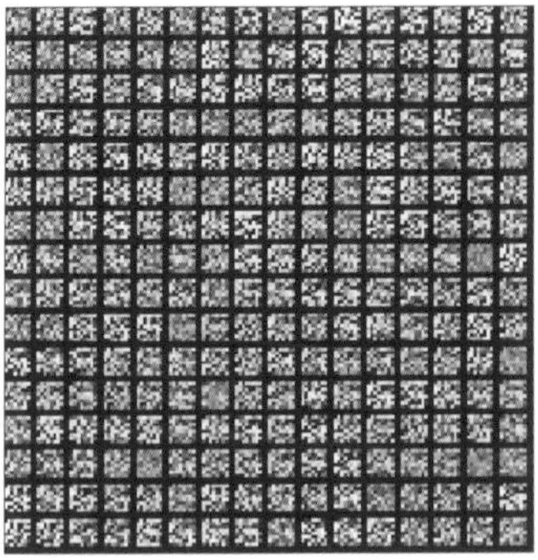

```
n_learn: 1000
Error_fake: 0.6596114329017873 Acc_fake: 0.75
Error_real: 0.6177071227174216 Acc_real: 0.625
```

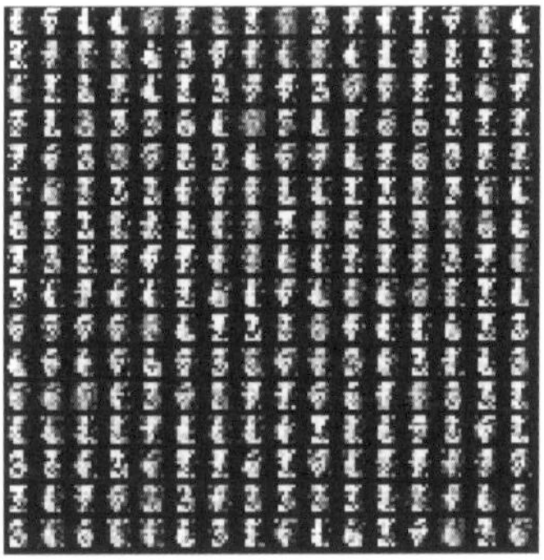

```
n_learn: 2000
Error_fake: 0.6474399046014572 Acc_fake: 0.6875
Error_real: 0.5838039875222214 Acc_real: 0.625
```

```
n_learn: 2000
Error_fake: 0.6474399046014572 Acc_fake: 0.6875
Error_real: 0.5838039875222214 Acc_real: 0.625
```

```
n_learn: 3000
Error_fake: 0.5825034505303102 Acc_fake: 0.875
Error_real: 0.5831859584318384 Acc_real: 0.75
```

```
n_learn: 4000
Error_fake: 0.6021132702121416 Acc_fake: 0.8125
Error_real: 0.6666737720178886 Acc_real: 0.4375
```

```
n_learn: 5000
Error_fake: 0.5202034561287968 Acc_fake: 0.8125
Error_real: 0.6475955484176377 Acc_real: 0.5625
```

```
n_learn: 6000
Error_fake: 0.5326155204595238 Acc_fake: 0.8125
Error_real: 0.5104889791885009 Acc_real: 0.6875
```

```
n_learn: 7000
Error_fake: 0.5267947452117616 Acc_fake: 0.9375
Error_real: 0.6406645116128007 Acc_real: 0.625
```

```
n_learn: 8000
Error_fake: 0.5228830008009767 Acc_fake: 0.75
Error_real: 0.4644984630913046 Acc_real: 0.875
```

```
n_learn: 9000
Error_fake: 0.5792220609141935 Acc_fake: 0.5625
Error_real: 0.5901023069726135 Acc_real: 0.6875
```

```
n_learn: 10000
Error_fake: 0.6257824254234661 Acc_fake: 0.5625
Error_real: 0.48487530034428805 Acc_real: 0.8125
```

学習が進んでいないときの生成画像はほぼノイズですが、学習が進むにつれて次第に手書き数字画像が形作られていきます。ミニバッチを10000回使って学習した後に生成した画像では、数字を明瞭に判読することができます。

それでは、これを本物の画像と比較してみましょう。以下の図は左側が生成された偽物画像で、右側が訓練に使用した本物の画像です。

偽物画像（左）と本物画像（右）の比較

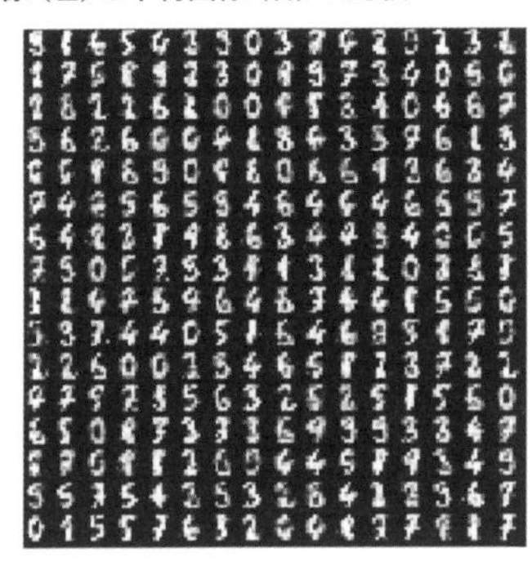

ややぼやける傾向があるものの、偽物画像は本物の画像の筆跡をよく捉えたものとなっています。GeneratorはDiscriminatorをうまく騙せるように、DiscriminatorはGeneratorに騙されないように切磋琢磨した結果、本物にかなり近い画像が生成されるようになりました。

8.4.6 誤差と正解率の推移

学習中における誤差と正解率の推移を確認します。Discriminatorに偽物画像を入力した際の誤差の推移と、本物画像を入力した際の推移を以下のコードによりグラフで表示します。また、正解率の推移も同様に表示します。

すべての記録を表示するとグラフが見づらくなるので、一定間隔ごとに記録をピックアップしてグラフに表示します。

誤差と正解率の推移を表示する

```
step = 20

# -- 誤差の推移 --
axis_x = range(1, n_learn+1, step)
```

```
axis_y = error_record[::step, :]  # step刻みで抜き出す
plt.plot(axis_x, axis_y[:, 0].tolist(), label="Error_fake")
plt.plot(axis_x, axis_y[:, 1].tolist(), label="Error_real")
plt.legend()
plt.xlabel("n_learn")
plt.ylabel("Error")
plt.show()

# -- 正解率の推移 --
axis_x = range(1, n_learn+1, step)
axis_y = acc_record[::step, :]
plt.plot(axis_x, axis_y[:, 0].tolist(), label="Acc_fake")
plt.plot(axis_x, axis_y[:, 1].tolist(), label="Acc_real")
plt.legend()
plt.xlabel("n_learn")
plt.ylabel("Accuracy")
plt.show()
```

以下の図は上記のコードの実行結果です。バッチサイズが小さいので、値は多少揺らぎます。

誤差と正解率の推移

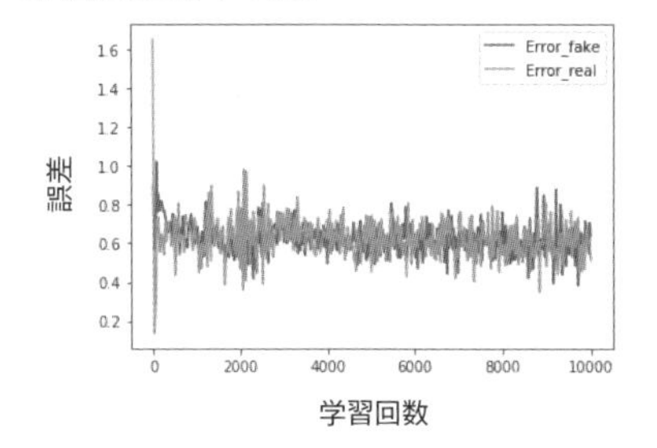

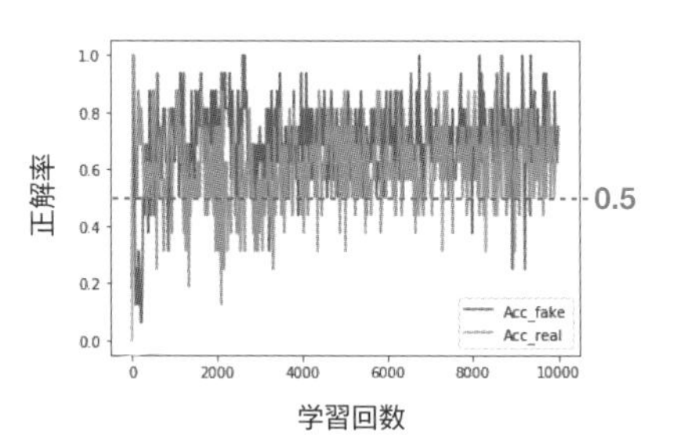

誤差は最初大きく変動しますが、やがてほぼ動かなくなります。これは、Generatorは偽物画像を入力した際の誤差を上げようとして、Discriminatorは下げようとするので、一種の均衡が生じているためと考えられます。

また、Generatorは本物と偽物の識別を難しくするように学習するので、本物画像を入力した際の誤差も上げます。Discriminatorはこれを下げようとするので、こちらでも均衡が生じます。

また、正解率についてですが、Generatorが完璧に機能すれば正解率は0.5になり、Discriminatorが完璧に機能すれば正解率は1.0になるはずです。グラフで正解率は偽物、本物ともに0.5〜1.0の範囲にほぼ収まっているのですが、これもGeneratorとDiscriminatorの間の均衡によるものと考えられます。

GeneratorとDiscriminatorが競合するように学習し、その結果生じた均衡のなかで、少しずつ本物らしい画像が形作られていくことになります。

8.5 GANの派生技術

本章の最後に、GANの派生技術をいくつか簡単に紹介します。

8.5.1 Conditional GAN

最初に、Conditional GAN (→参考文献[23]) を紹介します。Conditional GANは、学習時にラベルを与えることで、種類を指定したデータの生成を可能にします。通常のGANでは、ランダムなサンプリングを行っているため生成されるデータの種類を指定するのが困難です。

以下の図は、Conditional GANにより行ごとに異なる正解ラベルを指定して、画像を生成した例です。

Conditional GANによるラベルを指定した画像生成

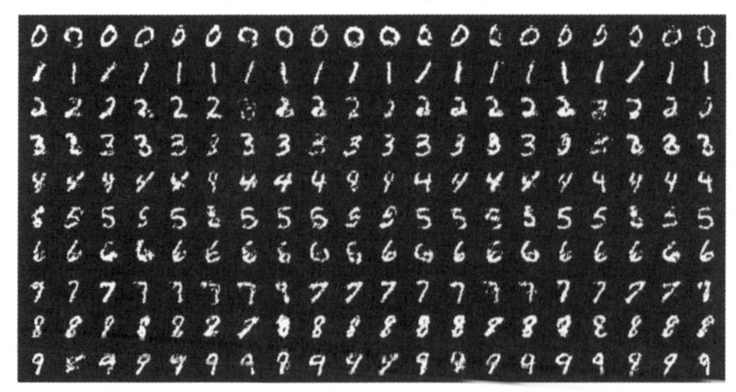

参考文献[23]より引用

一番上の行では0という正解ラベルを指定しており、一番下の行では9というラベルを指定して画像を生成しています。

このように、この図ではラベルの指定が画像に反映されている様子が確認できます。Conditional GANの技術が発展すれば、たとえば動物や食品などの種類を指定したうえで、学習済みのモデルから画像を生成することなどが今後可能になっていくかもしれません。

8.5.2 pix2pix

次に紹介するGANの派生技術はpix2pixです。pix2pixは言語翻訳のように、画像のある特徴を、別の特徴へ変換します(→参考文献[24])。この場合、Generatorはある画像を入力とし、出力は特徴が変換された画像となります。

pix2pixでは、ペアの画像から画像間の関係を学習します。そして、学習済みのモデルは、学習済みの2つの画像間の関係を考慮して、画像から画像への翻訳を行います。以下の図はpix2pixによる画像変換の例です。

pix2pixによる画像変換

参考文献[24]より引用

この図の上段は、領域がラベル付けされた画像から風景への変換になります。また、下段は航空写真から地図への変換になります。ある画像の特徴が、別の特徴に翻訳されています。

他にも白黒写真からカラー写真を生成したり、線画から写真を生成したりすることが可能です。このように、pix2pixは画像の自動変換を可能にする興味深い技術です。

8.5.3 Cycle GAN

最後にCycle GANを紹介します。Cycle GANは、pix2pixのように画像のペアを使うのではなく、画像群のペアを使って学習するのが特徴的です(→参考文献[25])。実はpix2pixにおいて輪郭が一致した画像のペアを大量に用意するのは結構大変なのですが、対応する画像同士がペアになっていなくてもいいのはCycle GANの大きなメリットです。

以下の図は、Cycle GANを使ってウマの画像をシマウマの画像に変換した例です。

Cycle GANによる画像変換

参考文献[25]より引用

このように、画像群のペアを使った学習により、画像の特徴を別の特徴に置き換えることができるようになります。

Cycle GANでは、画像群Aの画像を画像群Bの画像に変換して学習すると共に、変換した画像群Bをもう一度画像群Aの画像に変換して学習します。このようなサイクルを繰り返すことで、たとえば、写真をモネ風の絵画に変換したり、夏の景色を冬の景色に変換することも可能になります。

このように、Cycle GANは非常に柔軟な学習が可能なため、今後の発展や応用が期待されています。

以上のように、GANの技術は日々発展を続けており、特に画像生成の分野でさまざまなタスクをこなせるようになってきています。

まとめ

本章では、生成モデルの一種であるGANについて解説しました。

GANではGenerator、Discriminatorが競い合うように学習するのですが、そのために必要な誤差を定義し、GANに必要な層をクラスとして実装しました。

その後GANを構築して訓練し、学習の進行とともに次第に明瞭になる生成画像を確認しました。また、誤差と正解率の推移から学習中にGeneratorとDiscriminatorが均衡していることを確認しました。

GANはさまざまなデータの生成を可能にし、応用範囲も広いのでVAEと同様にAIの可能性を大きく広げることが期待されています。

Column LaTeXによる数式の描画

ディープラーニングの学習、研究では多くの数式を扱います。実際に、本書では多くの紙面を数式の記述に割いています。実は、本書では数式の記述にLaTeXという文書処理システムを使用しています。LaTeXはラテック、もしくはラテフなどと読みます。LaTeXはアカデミックな世界では標準的に使われていますが、これを習得すれば、見栄えが良くて再利用可能な数式が手軽に記述できるようになります。

LaTeXは、Jupyter Notebookに最初から組み込まれており、特に設定をしなくてもテキスト入力用のセルで使うことができます。もちろん、Google Colaboratoryでも動作します。なお、コード入力用のセルでLaTeXは動作しませんのでご注意ください。

LaTeXを使って数式を記述するには、以下のように$$でLaTeXのコードを囲みます。

```
$$y=x^2+\frac{1}{x^2+1}+1$$
```

上記の記述により、以下の数式が描画されます。

$$y = x^2 + \frac{1}{x^2+1} + 1$$

以上のように、LaTeXではコードで数式を描画します。たとえば総和、微分、行列などの複雑な表記であっても、コードで描画することが可能です。LaTeXの記法についてはWeb上にたくさんの情報がありますので、興味のある方はぜひ調べて

みてください。

LaTeXには、以下のようなメリットがあります。

- 数式を見栄え良く描画できる
- コピーアンドペーストにより数式を複製できる
- 数式の修正や整理整頓が容易
- 論文やブログなどでの扱いが楽
- 紙や黒板と異なり、記述スペースによる制限を受けない
- etc...

基本的にLaTeXのコードはPythonのコードよりも簡単なので、いざ取り組んでみれば習得にそれほど時間はかからないかと思います。

著者はかつて紙や黒板に数式を記述するのを正直億劫に感じていたのですが、LaTeXのおかげで数式に対する抵抗感が大幅に下がった経験があります。数学を身近にするためにも、LaTeXは有効なのではないでしょうか。

また、LaTeXには以下のようなデメリットもあります。

- 複雑な数式を扱う際は、コードが長く複雑になる
- 記法を調べるのに手間がかかる
- LaTeXを使える環境が限られている
- 手書きによる感覚がない
- etc...

LaTeXを採用する際は、これらの点も考慮に入れる必要があります。

手軽に複製、改変、シェアできるLaTeX形式の数式はインターネットと好相性です。また、コピーアンドペーストを利用すれば紙よりも手軽に試行錯誤ができるので、式展開のアイディアを練るためにもLaTeXはしばしば有効です。数式の煩雑さに悩まされている方は、一度LaTeXを試してみてはいかがでしょうか。

さらに進むために

本章では、これまでの内容からさらに進むために有用な情報を提供します。本章の内容は以下の通りです。

・最適化アルゴリズム
・学習のテクニック
・データセットの紹介
・ディープラーニングの未来

本書ではこれまで実装をなるべくシンプルに保ってきましたが、これを拡張しモデルを大きく複雑にすると、さまざまな問題に直面する可能性があります。そのような際に、本章で扱うテクニックが解決の糸口になるかもしれません。また、手軽に試行錯誤ができる有用なデータセットを、今後のためにいくつか紹介します。

9.1 最適化アルゴリズム

勾配降下法では、勾配を元に重みとバイアスを少しずつ調整し、誤差が最小になるようにネットワークを最適化します。最適化アルゴリズムは、この最適化のための具体的なアルゴリズムです。

本書ではこれまでベーシックなSGDのみを使用してきましたが、本節では他のさまざまな最適化アルゴリズムを紹介します。

9.1.1 最適化アルゴリズムの概要

最適化アルゴリズムは、例えるなら目隠しをして谷底を目指すための戦略です。頼りになるのは足元の傾斜、およびこれまでの足跡のみです。戦略を誤ると、局所的に凹んだ地形に囚われてしまうかもしれませんし、谷底にたどり着くまで時間がかかりすぎてしまうかもしれません。

効率的に、なおかつ確実に谷底にたどり着くために、最適化アルゴリズムの選択は重要です。

これまでにさまざまな最適化アルゴリズムが考案されていますが、このうち代表的なものをこの後いくつか紹介します。

9.1.2 確率的勾配降下法（SGD）

確率的勾配降下法（Stochastic Gradient Descent、SGD）は、ランダムにミニバッチを取り出し勾配に比例した量だけ更新するシンプルなアルゴリズムです。本書のディープラーニングのコードは、実装をシンプルに保つため全てSGDを使っています。

以下は、SGDの更新式です。

$$w \leftarrow w - \eta \frac{\partial E}{\partial w}$$

ここでEはミニバッチ内の誤差、ηは学習係数で、バイアスの更新式は重みの更新式と同じです。訓練用のデータの中からパラメータの更新ごとにランダムにサンプルを選び出すことで、局所最適解に囚われにくくなります。

SGDでは学習係数と勾配を掛けてシンプルに更新量が決まるので、簡単なコードで実装できるのがメリットの1つです。コードがシンプルに保たれるので、学習状況の把握が比較的容易です。

欠点は、学習係数が常に一定なので学習の進行状況に応じて柔軟に更新量を調整できない点です。

9.1.3 Momentum

Momentumは、SGDに慣性項を付け加えたアルゴリズムです。以下は、Momentumの更新式です。

$$w \leftarrow w - \eta \frac{\partial E}{\partial w} + \alpha \Delta w$$

これらの式において、αは慣性の強さを決める定数で、Δwは前回の更新量です。$\alpha \Delta w$の慣性項により、新たな更新量はこれまでの更新量の影響を受けるようになります。これにより更新量の急激な変化が防がれ、より滑らかな更新が実現されます。

その一方で、SGDと比較して設定しなければいけない定数がη、αと2つに増えるので、調整がより難しくなります。

9.1.4 AdaGrad

AdaGradは2011年にDuchiらが提唱したアルゴリズムで（→参考文献[26]）、更新量が自動的に調整されます。学習が進むと、更新量が次第に小さくなっていきます。以下は、AdaGradの重みの更新式です。

$$h \leftarrow h + (\frac{\partial E}{\partial w})^2$$
$$w \leftarrow w - \eta \frac{1}{\sqrt{h}} \frac{\partial E}{\partial w}$$

この式では、更新の度にhが必ず増加します。hは下の式の分母にあるので、更新量は必ず減少していくことになります。hは重みごとに計算されるので、これまでの総更新量が少ない重みは新たな更新量が大きくなり、総更新量が多い重みは新たな更新量が小さくなります。これにより、最初は広い領域で探索し、次第に探索範囲を絞るという効率のいい探索が可能になります。

また、AdaGradには設定すべき定数がηしかないので、定数の調整に手間がかからず手軽に導入することができます。

AdaGradの弱点は、更新量が常に減少するため途中で更新量がほぼ0になってしまい、それ以上最適化が進まなくなってしまうことがある点です。

9.1.5 RMSProp

AdaGradの、更新量の低下により学習が停滞する弱点を克服したものが、RMSPropです。正式な論文にはなっていませんが、Geoff HintonがCouseraの講義内で提案しました。以下は、RMSPropの重みの更新式です。

$$h \leftarrow \rho h + (1-\rho)(\frac{\partial E}{\partial w})^2$$
$$w \leftarrow w - \eta\frac{1}{\sqrt{h}}\frac{\partial E}{\partial w}$$

ρの存在により、過去のhを適当な割合で「忘れる」ことになります。これにより、更新量がほぼ0になってしまうというAdaGradの弱点に対応しています。Hintonはρに0.9を代入することを推奨しています。

9.1.6 Adam

Adam(Adaptive moment estimation)は2014年にKingmaらが提唱したアルゴリズムです(→参考文献[27])。他のさまざまなアルゴリズムの良い点を併せ持ち、しばしば高い性能を発揮します。Adamの重みの更新式は以下の通りです。

$$m_0 = v_0 = 0$$
$$m_t = \beta_1 m_{t-1} + (1-\beta_1)\frac{\partial E}{\partial w}$$
$$v_t = \beta_2 v_{t-1} + (1-\beta_2)(\frac{\partial E}{\partial w})^2$$
$$\hat{m_t} = \frac{m_t}{1-\beta_1^t}$$
$$\hat{v_t} = \frac{v_t}{1-\beta_2^t}$$
$$w \leftarrow w - \eta\frac{\hat{m_t}}{\sqrt{\hat{v_t}}+\epsilon}$$

Adamは定数だけでもβ_1、β_2、η、ϵの4つがある複雑なアルゴリズムです。tは反復回数です。大まかに言ってMomentumとAdaGradを統合したようなものになっています。

Adamを提唱した論文内では$\beta_1 = 0.9$、$\beta_2 = 0.999$、$\eta = 0.001$、$\epsilon = 10^{-8}$が推奨されています。

9.1.7 最適化アルゴリズムの実装例

MomentumとAdaGradの実装例を紹介します。以下コードは、Momentumをクラスとして実装した例です。

```
# -- Momentum --
class MomentumOptimizer:
    def __init__(self, alpha):
        self.alpha = alpha
        self.dif_params = None

    def update(self, eta, params, grads):
        if self.dif_params is None:
            self.dif_params = [np.zeros_like(param) \
                    for param in params]  # 内包表記
        for param, grad, dif_param in zip(params, grads,
                                          self.dif_params):
            dif_param[:] = -eta*grad + self.alpha*dif_param
            param += dif_param
```

このコードではMomentumの式の通りの処理が行われますが、self.dif_paramsがMomentumのΔwに対応します。上記のコードでは、内包表記によりfor文による処理を簡略に表記している箇所があります。また、zipを使うことで複数のリストをまとめてfor文で扱っています。

このクラスは、たとえば以下のように使います。

```
# -- 全結合層の継承元 --
class BaseLayer:
    def __init__(self):
        self.optimizer = MomentumOptimizer(0.9)

    def update(self, eta):
```

```
        self.optimizer.update(eta, [self.w, self.b],
                [self.grad_w, self.grad_b])

# -- 中間層 --
class MiddleLayer(BaseLayer):
    def __init__(self, n_upper, n):
        super().__init__()  # 継承元の__init__メソッドを実行
        self.w = np.random.randn(n_upper, n) * \
                 np.sqrt(2/n_upper)  # Heの初期値
        self.b = np.zeros(n)

        (以下略)
```

継承元であるBaseLayerの__init__メソッドでMomentumOptimizerの初期化を行いますが、その際にαの値を渡します。そして、updateメソッドでoptimizerにより各パラメータの更新を行います。

BaseLayerを継承した中間層では、__init__メソッドの中にsuper().__init__()の記述があります。__init__メソッドはBaseLayerクラスにより上書きされるのですが、この記述により継承元クラスの__init__メソッドを実行することができます。

以下のコードは、AdaGradをクラスとして実装した例です。

```
# -- AdaGrad --
class AdaGradOptimizer:
    def __init__(self):
        self.hs = None

    def update(self, eta, params, grads):
        if self.hs is None:
            self.hs = [np.zeros_like(param)+1e-7 \
                    for param in params]
        for param, grad, h in zip(params, grads, self.hs):
            h += grad**2
            param -= eta / np.sqrt(h) * grad
```

このコードではAdaGradの式の通りの処理が行われますが、self.hsがMomentumのhに対応します。

このクラスの使い方はほぼMomentumのクラスの使い方と同じですが、初期化時に定数を渡す必要はありません。

```
# -- 全結合層の継承元 --
class BaseLayer:
    def __init__(self):
        self.optimizer = AdaGradOptimizer()

    def update(self, eta):
        self.optimizer.update(eta, [self.w, self.b],
                              [self.grad_w, self.grad_b])

# -- 中間層 --
class MiddleLayer(BaseLayer):
    def __init__(self, n_upper, n):
        super().__init__()  # 継承元の__init__メソッドを実行
        self.w = np.random.randn(n_upper, n) * \
                 np.sqrt(2/n_upper)  # Heの初期値
        self.b = np.zeros(n)

        (以下略)
```

以上がMomentumとAdaGradの実装例になりますが、他の最適化アルゴリズムも同じようにして実装することができます。

9.2 学習のテクニック

本節では、実装が容易で効果的な学習のテクニックをいくつか紹介します。紹介するテクニックは以下の通りです。

- ドロップアウト
- LeakyReLU
- 重み減衰
- バッチ正規化

本書では、仕組みを明瞭にするために、これまで実装を極力シンプルに保ってきました。上記のテクニックはしばしば効果的に機能しますが、導入することで実装が複雑になりハイパーパラメータの数も増えるので、効果を検証しながら導入しましょう。

9.2.1 ドロップアウト

ドロップアウト(Dropout)は、出力層以外のニューロンを一定の確率でランダムに消去するテクニックです(→参考文献[28])。消去されるニューロンは、重みとバイアスの更新ごとに入れ替わります。層のニューロンが消去されずに残る確率をpとした場合、中間層には$p=0.5$が、入力層には$p=0.8$〜0.9などの値が用いられる場合が多いようです。テスト時には、このpの値を層の出力にかけ合わせて、学習時にニューロンが減った分の辻褄を合わせます。

以下の図はドロップアウトのイメージです。

■ドロップアウトのイメージ

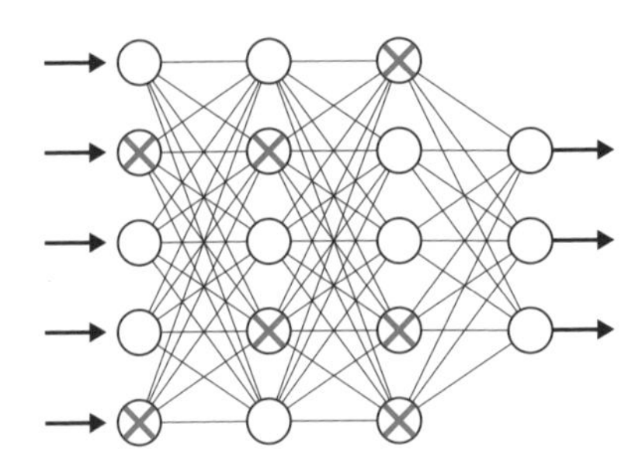

ドロップアウトは実装が比較的容易でありながら、ネットワークが過剰に訓練データに適応する「過学習」を抑制するのに大きな効果があります。その理由ですが、ドロップアウトを適用した学習が、実質的に小さな異なるニューラルネットワークの組み合わせによる学習であるため、と考えることができます。

規模の大きなネットワークは過学習を起こしやすいのですが、ドロップアウトを用いることでネットワークの規模を下げることができます。規模は小さくなるのですが、複数組み合わせることでネットワークの表現力は保たれます。

このような、複数のモデルを組み合わせることで結果の質が向上する効果は、機械学習においてアンサンブル効果という名前で知られています。ドロップアウトは、この効果を小さな計算コストで得ることができるとても優れたテクニックなので、広く使われています。

ドロップアウトは、中間層や出力層のように層のクラスとして実装すると便利です。以下はクラスとして実装したドロップアウト層です。順伝播のforwardメソッドは、訓練かテストかを判断するために、self.is_trainを使います。これには、外部からTrue

もしくはFalseが代入されます。

```
# -- ドロップアプト層 --
class DropoutLayer:
    def __init__(self, dropout_ratio):
        # ニューロンを無効にする確率
        self.dropout_ratio = dropout_ratio

    def forward(self, x):
        if self.is_train:  # is_train: 訓練時はTrue
            # 入力と同じ形状の乱数の行列
            rand = np.random.rand(*x.shape)
            self.dropout = np.where(rand > self.dropout_ratio,
                                    1, 0)  # 1:有効 0:無効
            self.y = x * self.dropout  # ニューロンをランダムに無効化
        else:
            self.y = (1-self.dropout_ratio)*x  # テスト時は出力を下げる

    def backward(self, grad_y):
        # 無効なニューロンでは逆伝播しない
        self.grad_x = grad_y * self.dropout

    def update(self, eta):
        pass
```

このドロップアウト層に学習するパラメータはありません。従って、updateメソッドには何もしないpassのみが記述されています。self.is_trainにより訓練かどうかが判定されますが、訓練の場合はニューロンをランダムに無効にし、テスト時はドロップアウト率に応じて出力を下げます。

たとえば前章のGANの場合、以下のようにしてこのドロップアウト層を使うことができます。

```
# -- 各層の初期化 --
gen_layers = [MiddleLayer(n_noise, 32),
              DropoutLayer(0.2),
              MiddleLayer(32, 64),
              DropoutLayer(0.2),
              GenOutLayer(64, img_size*img_size)]

disc_layers = [MiddleLayer(img_size*img_size, 64),
               MiddleLayer(64, 32),
```

```
                DiscOutLayer(32, 1)]

# -- 順伝播 --
def forward_propagation(x, layers, is_train):
    for layer in layers:
        layer.is_train = is_train
        layer.forward(x)
        x = layer.y
    return x
```

Generatorにおける中間層の直後に、ドロップアウト層が挟まれています。forward_propagation関数はis_trainを引数として受け取りますが、layerにこの値を設定しています。このように、Pythonでは外部からインスタンス変数を設定することが可能です。

9.2.2 Leaky ReLU

Leaky ReLU（→参考文献[29]）は、ReLUの負の領域にわずかな傾きをつけた活性化関数です。

ReLUでは、出力が0になって学習が進まないニューロンが多数出現する、dying ReLUという現象が知られています。Leaky ReLUは、負の領域にわずかに勾配をつけることによって、このdying ReLUの問題を回避できると考えられています。

Leaky ReLUは、以下の式で表されます。

$$y = \begin{cases} \alpha x & (x \leqq 0) \\ x & (x > 0) \end{cases}$$

$x \leqq 0$のとき、xに係数αがかかっていますが、これがReLUとの違いです。元の論文では$\alpha = 0.01$という小さな値が示されています。ReLUでは、$x \leqq 0$のときyは0になります。

以下のコードによりLeaky ReLUをグラフとして描画します。比較のためにReLUのグラフも描画します。

Leaky ReLUとReLUの比較

```
import numpy as np
import matplotlib.pyplot as plt

def leaky_relu(x, alpha):
    return np.where(x <= 0, alpha*x, x)

def relu(x):
    return np.where(x <= 0, 0, x)

x = np.linspace(-5, 5)
plt.plot(x, leaky_relu(x, 0.2), label="Leaky ReLU")
plt.plot(x, relu(x), label="ReLU")

plt.legend()
plt.xlabel("x")
plt.ylabel("y")
plt.show()
```

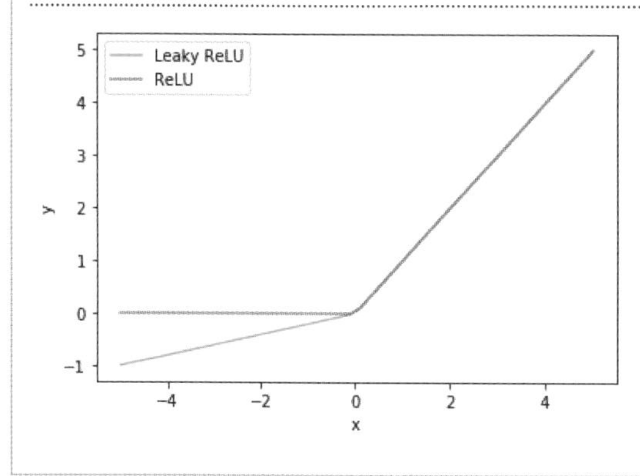

傾きを明確にするため、このコードでは$\alpha = 0.2$としています。グラフから、負の領域でLeaky ReLUが傾きを持つ様子が確認できます。このわずかな傾きにより、全く機能しないニューロンがなくなります。

αの値を大きくしすぎると恒等関数と変わらなくなり、かえって学習が進まなくなるのでその点は注意です。

また、αを学習するパラメータと捉える、Parametric ReLU（→参考文献[8]）と呼ばれる活性化関数も提案されています。

9.2.3　重み減衰

重みが極端な値をとることはしばしば過学習を引き起こします。この問題に対処するために、重みの増加に対してペナルティを付加するのが**重み減衰**(Weight decay)です。

重み減衰では、以下の式で表される二乗ノルム(L2ノルム)を使います。

$$\|W\| = \sqrt{\sum_{i=1}^{m}\sum_{j=1}^{n} w_{ij}^2}$$

重みw_{ij}を2乗して総和をとった上で、平方根をとっています。これは重み全体の大きさを表す指標となります。この二乗誤差を使って、誤差を以下のように表します。

$$E_W = E + \frac{\lambda}{2}\|W\|^2$$

ここで、E_Wはペナルティ項を加えた誤差、Eは通常の誤差です。右辺第二項の効果により、重み全体が大きいと誤差が大きくなり、重みの増加に対してペナルティが加えられることになります。

この場合、重みの勾配は以下の通りになります。ここで、λはペナルティの大きさを決める定数です。

$$\frac{\partial E_W}{\partial w_{ij}} = \frac{\partial E}{\partial w_{ij}} + \lambda w_{ij}$$

SGDの場合、重みの更新式は以下のように表すことができます。

$$w \leftarrow w_{ij} - \eta\left(\frac{\partial E}{\partial w_{ij}} + \lambda w_{ij}\right)$$

重みは、重み自身の値に比例した量だけ常に減衰することになります。重み減衰は実装が簡単なので、重みの発散が原因の過学習が疑われる際に試してみましょう。

9.2.4 バッチ正規化

バッチ正規化(Batch Normalization)は、バッチ内におけるデータの偏りを抑えるためのテクニックです(→参考文献[30])。ドロップアウトと同様に、バッチ正規化はよく層として実装されます。この層では、データの偏りをなくすために、平均値を0、標準偏差を1にするための処理が行われます。また、この層は学習するパラメータを持ち、データの広がり方が調整されます。

データの偏りはしばしば過学習を招くので、バッチ正規化により汎化能力が向上すると考えられています。また、バッチ正規化を導入することで学習係数を大きくしても学習が破綻しなくなるので、学習時間の短縮にも貢献します。

以下はバッチ正規化層における順伝播の式です。x_kはこの層への入力ですが、kはバッチ内のサンプルを識別するための添字です。バッチ正規化は各ニューロンごとに独立して行われるので、ニューロンを識別するための添字は省略します。μ_Bがバッチ内の平均値でσ_B^2は分散、y_kがこの層の出力でγとβは学習するパラメータ、hはバッチサイズです。

$$\mu_B = \frac{1}{h}\sum_{k=1}^{h} x_k$$

$$\sigma_B^2 = \frac{1}{h}\sum_{k=1}^{h}(x_k - \mu_B)^2$$

$$\hat{x}_k = \frac{x_k - \mu_B}{\sqrt{\sigma_B^2 + \epsilon}}$$

$$y_k = \gamma \hat{x}_k + \beta$$

ϵはとても小さな数で、分母が0になることを防ぐ役割を担います。入力から平均値を引き標準偏差で割ることで、平均値を0、標準偏差を1にする変換が行われます。また、学習するパラメータγとβにより、改めてデータの広がり方が調整されます。

逆伝播では、学習するパラメータの勾配$\frac{\partial E}{\partial \gamma}$、$\frac{\partial E}{\partial \beta}$と、上の層に伝播する入力の勾配$\frac{\partial E}{\partial x_k}$を求める必要がありますが、これらは以下のように連鎖律を使って求めることができます。

$$\begin{aligned}\frac{\partial E}{\partial \gamma} &= \sum_{k=1}^{h} \frac{\partial E}{\partial y_k}\frac{\partial y_k}{\partial \gamma} \\ &= \sum_{k=1}^{h} \hat{x}_k \frac{\partial E}{\partial y_k}\end{aligned}$$

$$\begin{aligned}\frac{\partial E}{\partial \beta} &= \sum_{k=1}^{h} \frac{\partial E}{\partial y_k}\frac{\partial y_k}{\partial \beta} \\ &= \sum_{k=1}^{h} \frac{\partial E}{\partial y_k}\end{aligned}$$

$$\begin{aligned}\frac{\partial E}{\partial x_k} &= \frac{\partial E}{\partial \hat{x}_k}\frac{\partial \hat{x}_k}{\partial x_k} + \frac{\partial E}{\partial \sigma_B^2}\frac{\partial \sigma_B^2}{\partial x_k} + \frac{\partial E}{\partial \mu_B}\frac{\partial \mu_B}{\partial x_k} \\ &= \frac{1}{\sqrt{\sigma_B^2+\epsilon}}\frac{\partial E}{\partial \hat{x}_k} + \frac{2(x_k-\mu_B)}{h}\frac{\partial E}{\partial \sigma_B^2} + \frac{1}{h}\frac{\partial E}{\partial \mu_B}\end{aligned}$$

式09-01

ここで、$\frac{\partial E}{\partial y_k}$は下の層からの伝播により得ることができます。$\frac{\partial E}{\partial \hat{x}_k}$、$\frac{\partial E}{\partial \sigma_B^2}$および$\frac{\partial E}{\partial \mu_B}$は、それぞれ以下のように求めることができます。

$$\begin{aligned}\frac{\partial E}{\partial \hat{x}_k} &= \frac{\partial E}{\partial y_k}\frac{\partial y_k}{\partial \hat{x}_k} \\ &= \gamma \frac{\partial E}{\partial y_k}\end{aligned}$$

式09-02

$$\begin{aligned}\frac{\partial E}{\partial \sigma_B^2} &= \sum_{k=1}^{h} \frac{\partial E}{\partial \hat{x}_k}\frac{\partial \hat{x}_k}{\partial \sigma_B^2} \\ &= -\frac{1}{2}(\sigma_B^2+\epsilon)^{-\frac{3}{2}} \sum_{k=1}^{h}(x_k-\mu_B)\frac{\partial E}{\partial \hat{x}_k}\end{aligned}$$

式09-03

$$\begin{aligned}\frac{\partial E}{\partial \mu_B} &= \sum_{k=1}^{h} \frac{\partial E}{\partial \hat{x}_k}\frac{\partial \hat{x}_k}{\partial \mu_B} + \frac{\partial E}{\partial \sigma_B^2}\frac{\partial \sigma_B^2}{\partial \mu_B} \\ &= -\sum_{k=1}^{h} \frac{1}{\sqrt{\sigma_B^2+\epsilon}}\frac{\partial E}{\partial \hat{x}_k} - \sum_{k=1}^{h} \frac{2(x_k-\mu_B)}{h}\frac{\partial E}{\partial \sigma_B^2} \\ &= -\sum_{k=1}^{h}\left(\frac{1}{\sqrt{\sigma_B^2+\epsilon}}\frac{\partial E}{\partial \hat{x}_k} + \frac{2(x_k-\mu_B)}{h}\frac{\partial E}{\partial \sigma_B^2}\right)\end{aligned}$$

式09-04

以上により各勾配を求めることができましたが、ここでコードによる実装へ向けて少々式を整理します。$\bar{x}_k$とs_Bを次のようにおきます。

$$\bar{x}_k = x_k - \mu_B$$
$$s_B = \sqrt{\sigma_B^2 + \epsilon}$$

このとき、$\hat{x}_k$とσ_B^2は次のように表すことができます。

$$\hat{x}_k = \frac{\bar{x}_k}{s_B}$$
$$\sigma_B^2 = \frac{1}{h}\sum_{k=1}^{h}\bar{x}_k^2$$

ここで、$\bar{x}_k$の勾配を求めておきます。

$$\begin{aligned}\frac{\partial E}{\partial \bar{x}_k} &= \frac{\partial E}{\partial \hat{x}_k}\frac{\partial \hat{x}_k}{\partial \bar{x}_k} + \frac{\partial E}{\partial \sigma_B^2}\frac{\partial \sigma_B^2}{\partial \bar{x}_k} \\ &= \frac{1}{s_B}\frac{\partial E}{\partial \hat{x}_k} + \frac{2\bar{x}_k}{h}\frac{\partial E}{\partial \sigma_B^2}\end{aligned}$$

上記と**式9-1**、**式9-2**、**式9-3**、**式9-4**により、各勾配を求める式を以下のように整理することができます。式はコードで実装すべき順に並んでいます。

$$\frac{\partial E}{\partial \hat{x}_k} = \gamma\frac{\partial E}{\partial y_k}$$
$$\frac{\partial E}{\partial \sigma_B^2} = -\frac{1}{2s_B^3}\sum_{k=1}^{h}\bar{x}_k\frac{\partial E}{\partial \hat{x}_k}$$
$$\frac{\partial E}{\partial \bar{x}_k} = \frac{1}{s_B}\frac{\partial E}{\partial \hat{x}_k} + \frac{2\bar{x}_k}{h}\frac{\partial E}{\partial \sigma_B^2}$$
$$\frac{\partial E}{\partial \mu_B} = -\sum_{k=1}^{h}\frac{\partial E}{\partial \bar{x}_k}$$
$$\frac{\partial E}{\partial x_k} = \frac{\partial E}{\partial \bar{x}_k} + \frac{1}{h}\frac{\partial E}{\partial \mu_B}$$

式が簡潔になり、コードで実装しやすくなりました。

以下は、上記の式を用いたバッチ正規化層の実装例です。順伝播のforwardメソッドは、訓練かテストかを判断するために、self.is_trainを使います。これには、外部からTrueもしくはFalseが代入されます。テスト時は平均値の移動平均と分散の移動平均を使ってself.x_hatを計算します。これらの移動平均は訓練時に計算しておきますが、直近の値を取り入れる割合がalphaになります。

```
# -- バッチ正規化層 --
class BatchNormLayer:
    def __init__(self, n, alpha):
        self.gamma = np.ones(n)
        self.beta = np.zeros(n)

        self.alpha = alpha              # 移動平均に用いる定数
        self.mov_ave = np.zeros(n)      # 平均値の移動平均
        self.move_var = np.ones(n)      # 分散の移動平均

    def forward(self, x):
        eps = 1e-7                      # 微小な数
        if self.is_train:
            self.mu = np.average(x, axis=0)
            self.x_bar = x - self.mu
            self.var = np.mean(self.x_bar**2, axis=0)
            self.s = np.sqrt(self.var+eps)
            self.x_hat = self.x_bar / self.s

            self.mov_ave = self.alpha*self.mu + \
                           (1-self.alpha)*self.mov_ave
            self.move_var = self.alpha*self.var + \
                            (1-self.alpha)*self.move_var
        else:
            self.x_hat = (x-self.mov_ave) / \
                         (np.sqrt(self.move_var+eps))

        self.y = self.gamma*self.x_hat + self.beta

    def backward(self, grad_y):
        h = len(grad_y)  # バッチサイズ

        self.grad_gamma = np.sum(self.x_hat*grad_y, axis=0)
        self.grad_beta = np.sum(grad_y, axis=0)

        grad_x_hat = self.gamma * grad_y
        grad_var = -0.5 / (self.s**3) * \
                   np.sum(self.x_bar*grad_x_hat, axis=0)
```

```
        grad_x_bar = grad_x_hat/self.s + 2*self.x_bar/h*grad_var
        grad_mu = -np.sum(grad_x_bar, axis=0)
        self.grad_x = grad_x_bar + grad_mu/h

    def update(self, eta):
        self.gamma -= eta * self.grad_gamma
        self.beta -= eta * self.grad_beta
```

学習可能なパラメータを持つので、このクラスには上記のようにupdateメソッドが必要になります。

たとえば前章のGANの場合、以下のようにしてこの層を使うことができます。

```
# -- 各層の初期化 --
gen_layers = [MiddleLayer(n_noise, 32),
              BatchNormLayer(32, 0.1),
              MiddleLayer(32, 64),
              BatchNormLayer(64, 0.1),
              GenOutLayer(64, img_size*img_size)]

disc_layers = [MiddleLayer(img_size*img_size, 64),
               MiddleLayer(64, 32),
               DiscOutLayer(32, 1)]

# -- 順伝播 --
def forward_propagation(x, layers, is_train):
    for layer in layers:
        layer.is_train = is_train
        layer.forward(x)
        x = layer.y
    return x
```

Generatorにおける中間層の直後に、バッチ正規化層が挟まれています。BatchNormLayerクラスは、初期化時にニューロン数とalphaを設定します。forward_propagation関数はis_trainを引数として受け取りますが、layerにこの値を設定しています。

バッチ正規化層を使うことでどのようにGANの結果が変化するのか、興味のある方はぜひ確かめてみましょう。

9.3 データセットの紹介

手軽に何度も試行錯誤できるように、サイズが手頃で簡単に入手できるデータセットをいくつか紹介します。

9.3.1 scikit-learnのデータセット

scikit-learnは、比較的サイズが小さい機械学習用のデータセットをいくつか提供しています。手軽に読み込むことができて学習に時間がかからないので、ディープラーニングの勉強やコードの検証に適しています。

scikit-learnに含まれるデータセット

データセット名	解説
ボストン住宅価格 (load_boston)	犯罪発生数や住居の部屋数などの10数個のデータと、住宅価格がセットになっています。506件のサンプルが含まれます。
Irisデータセット (load_iris)	4つの測定値と、花の品種（3種類）を表すラベルがセットになっています。150のサンプルが含まれます。
糖尿病データセット (load_diabetes)	基礎項目と血液検査項目が、1年後の進行状況とセットになっています。糖尿病患者442名のサンプルが含まれます。
手書き数字データセット (load_digits)	本書で何度か使用したデータセットです。手書き文字画像と、書かれている数字のラベルがセットになっています。1797のサンプルが含まれます。
運動能力データセット (load_linnerud)	身体的特徴と運動能力についてまとめられたデータセットです。20名のサンプルが含まれます。
ワインのデータセット (load_wine)	ワインの品種に関するデータセットです。さまざまな化学的性質とワインの品種を表すラベルがセットになっています。178のサンプルが含まれます。
乳癌データセット (load_breast_cancer)	検査結果と、悪性か良性かを表すラベルがセットになっています。569件のサンプルが含まれます。

これらのデータセットについて、詳細は以下のscikit-learn公式ページに書かれています。

データセットの解説（scikit-learn公式サイト）
https://scikit-learn.org/stable/datasets/index.html

9.3.2 Kerasのデータセット

フレームワークKerasもいくつかの有用なデータセットを提供しています。Keras自体は簡単にインストールできますが、提供するデータセットも簡単に読み込むことができます。scikit-learnと比較して、データセットのサイズは大きめになります。

CIFAR10画像分類（cifar10）

32x32のRGB画像が、10クラスのラベルとセットになっています。5万枚の訓練用画像、1万枚のテスト用画像が含まれます。

CIFAR10画像分類

CIFAR100画像分類（cifar100）

32x32のRGB画像が、100クラスのラベルとセットになっています。5万枚の訓練用画像、1万枚のテスト用画像が含まれます。

IMDB映画レビュー感情分類（imdb）

IMDB（Internet Movie Database）における映画レビューのデータセットです。肯定、もしくは否定の感情のラベルとセットになっています。2万5千件の映画レビューが含まれます。

ロイター・ニュースデータセット（reuters）

ロイターのニュースが、46種類のカテゴリを表すラベルとセットになっています。11228件のニュースのデータが含まれます。

MNIST手書き数字データベース（mnist）

画像のサイズは28x28で、scikit-learnの手書き文字画像よりも大きくなります。6万枚の訓練用画像、1万枚のテスト用画像が含まれます。

Fashion-MNIST（fashion_mnist）

ファッションの白黒画像と、ドレス、コート、スニーカーなどの10のカテゴリを表すラベルがセットになっています。6万枚の訓練用画像、1万枚のテスト用画像が含まれます。

Fashion-MNIST

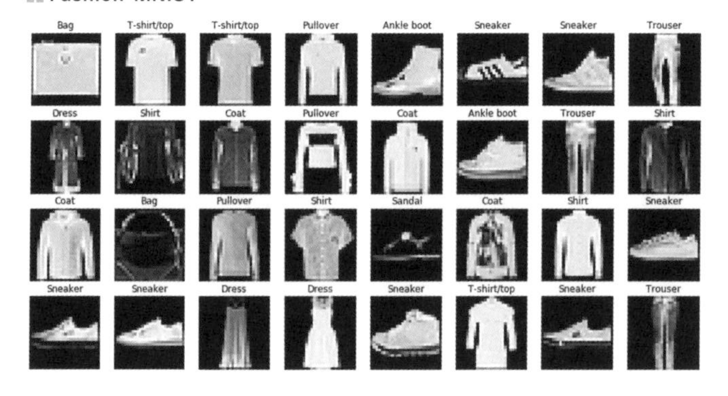

たとえばCIFAR10画像分類の場合、以下のコードでデータセットを読み込むことができます。

```
from keras.datasets import cifar100

(x_train, y_train), (x_test, y_test) = cifar100.load_data(label_
mode='fine')
```

Kerasのデータセットでは、最初から訓練用データとテスト用データが分かれています。これらのデータセットについて、詳細は以下のKeras公式ページに詳しく書かれています。

データセットの解説（kerasの公式サイト）
https://keras.io/ja/datasets/

9.4 ディープラーニングの未来

コンピュータのプログラムで作った人工的な神経細胞は、層状に多数集めることで高い表現力を発揮します。このような層を重ねたネットワークがニューラルネットワークですが、多数の層からなるニューラルネットワークを使った機械学習が、本書のテーマであるディープラーニングです。

現在進行中の第3次AIブームの主役はこのディープラーニングですが、現在世界中の人々の関心を集めており、自動運転、ファイナンス、流通、アート、研究、さらには宇宙探索に到るまで、さまざまな分野で活用され始めています。

なぜ、ディープラーニングはこれほど注目を集めているのでしょうか。

考えられる理由の1つ目は、その汎用性です。ディープラーニングは、非常に広範に応用することが可能です。物体認識、翻訳エンジン、会話エンジン、ゲーム用AI、製造業における異常検知、病巣部の発見、資産運用、セキュリティ、流通など、ディープラーニングが応用可能な領域は枚挙にいとまがありません。

これまで人間のみが活躍できたさまざまな分野で、部分的ながらもディープラーニングは人間に置き換わりつつあります。

そして、もう1つの考えられる理由は、ニューラルネットワークが脳の神経細胞ネットワークを抽象化していることです。これは、脳のような知能を持つ人工知能が実現できるのではないか、という期待感を社会に広げているように思えます。ディープラーニングの仕組みと脳の仕組みは相違点も多いのですが、人工ニューラルネットワークが高い性能を発揮することは、生命が持つ知能は実は人工的に再現可能なのではないか、という希望を我々に抱かせているのではないでしょうか。

現在第3次AIブームの最中ですが、少なくとも何かに特化したツールとして、ディープラーニングはこのまま発展を続けることは確かでしょう。ディープラーニングが持つポテンシャルは、少しずつ発掘されつつあります。しかしながら、我々はまだAIが持つ可能性のごく一部しか知りません。

ヒトとAIとの共存は、まだ始まったばかりです。

付　録

A.1 シンプルなRNNによるテキスト生成

以下は、シンプルなRNNを使って文章を生成するコードです。訓練データとして外部ファイルkaijin20.txtの用意が必要です。お好きなテキストファイルを用意して試すこともできます。

```
import numpy as np
# import cupy as np  # GPUの場合
import matplotlib.pyplot as plt

# -- 各設定値 --
n_time = 20  # 時系列の数
n_mid = 128  # 中間層のニューロン数

eta = 0.01   # 学習係数
clip_const = 0.02  # ノルムの最大値を決める定数
beta = 2     # 確率分布の狭さ(次の文字の確定時に使用)
epoch = 60
batch_size = 128

def sigmoid(x):
    return 1/(1+np.exp(-x))

def clip_grad(grads, max_norm):
    norm = np.sqrt(np.sum(grads*grads))
    r = max_norm / norm
    if r < 1:
        clipped_grads = grads * r
    else:
        clipped_grads = grads
    return clipped_grads

# -- 訓練用の文章 --
# ファイルの読み込み
with open("kaijin20.txt", mode="r", encoding="utf-8") as f:
    text = f.read()
print("文字数:", len(text))  # len() で文字列の文字数も取得可能

# -- 文字とインデックスの関連付け --
chars_list = sorted(list(set(text)))  # setで文字の重複をなくす
n_chars = len(chars_list)
```

```
print("文字数(重複無し):", n_chars)

char_to_index = {}  # 文字がキーでインデックスが値の辞書
index_to_char = {}  # インデックスがキーで文字が値の辞書
for i, char in enumerate(chars_list):
    char_to_index[char] = i
    index_to_char[i] = char

# -- 時系列に並んだ文字と、その次の文字 --
seq_chars = []
next_chars = []
for i in range(0, len(text) - n_time):
    seq_chars.append(text[i: i + n_time])
    next_chars.append(text[i + n_time])

# -- 入力と正解のone-hot表現 --
input_data = np.zeros((len(seq_chars), n_time, n_chars),
                      dtype=np.bool)
correct_data = np.zeros((len(seq_chars), n_chars),
                        dtype=np.bool)
for i, chars in enumerate(seq_chars):
    # 正解をone-hot表現で表す
    correct_data[i, char_to_index[next_chars[i]]] = 1
    for j, char in enumerate(chars):
        # 入力をone-hot表現で表す
        input_data[i, j, char_to_index[char]] = 1

# -- RNN層 --
class SimpleRNNLayer:
    def __init__(self, n_upper, n):
        # パラメータの初期値
        self.w = np.random.randn(n_upper, n) / \
                 np.sqrt(n_upper)  # Xavierの初期値
        self.v = np.random.randn(n, n) / \
                 np.sqrt(n)  # Xavierの初期値
        self.b = np.zeros(n)

    def forward(self, x, y_prev):  # y_prev: 前の時刻の出力
        u = np.dot(x, self.w) + np.dot(y_prev, self.v) + self.b
        self.y = np.tanh(u)  # 出力

    def backward(self, x, y, y_prev, grad_y):
        delta = grad_y * (1 - y**2)

        # 各勾配
```

```
        self.grad_w += np.dot(x.T, delta)
        self.grad_v += np.dot(y_prev.T, delta)
        self.grad_b += np.sum(delta, axis=0)

        self.grad_x = np.dot(delta, self.w.T)
        self.grad_y_prev = np.dot(delta, self.v.T)

    def reset_sum_grad(self):
        self.grad_w = np.zeros_like(self.w)
        self.grad_v = np.zeros_like(self.v)
        self.grad_b = np.zeros_like(self.b)

    def update(self, eta):
        self.w -= eta * self.grad_w
        self.v -= eta * self.grad_v
        self.b -= eta * self.grad_b

    def clip_grads(self, clip_const):
        self.grad_w = clip_grad(self.grad_w,
                clip_const*np.sqrt(self.grad_w.size))
        self.grad_v = clip_grad(self.grad_v,
                clip_const*np.sqrt(self.grad_v.size))

# -- 全結合 出力層 --
class OutputLayer:
    def __init__(self, n_upper, n):
        self.w = np.random.randn(n_upper, n) / \
                 np.sqrt(n_upper)  # Xavierの初期値
        self.b = np.zeros(n)

    def forward(self, x):
        self.x = x
        u = np.dot(x, self.w) + self.b
        self.y = np.exp(u)/np.sum(np.exp(u),
                axis=1).reshape(-1, 1)  # ソフトマックス関数

    def backward(self, t):
        delta = self.y - t

        self.grad_w = np.dot(self.x.T, delta)
        self.grad_b = np.sum(delta, axis=0)
        self.grad_x = np.dot(delta, self.w.T)

    def update(self, eta):
        self.w -= eta * self.grad_w
```

```
        self.b -= eta * self.grad_b

# -- 各層の初期化 --
rnn_layer = SimpleRNNLayer(n_chars, n_mid)
output_layer = OutputLayer(n_mid, n_chars)

# -- 訓練 --
def train(x_mb, t_mb):
    # 順伝播 RNN層
    y_rnn = np.zeros((len(x_mb), n_time+1, n_mid))
    y_prev = y_rnn[:, 0, :]
    for i in range(n_time):
        x = x_mb[:, i, :]
        rnn_layer.forward(x, y_prev)
        y = rnn_layer.y
        y_rnn[:, i+1, :] = y
        y_prev = y

    # 順伝播 出力層
    output_layer.forward(y)

    # 逆伝播 出力層
    output_layer.backward(t_mb)
    grad_y = output_layer.grad_x

    # 逆伝播 RNN層
    rnn_layer.reset_sum_grad()
    for i in reversed(range(n_time)):
        x = x_mb[:, i, :]
        y = y_rnn[:, i+1, :]
        y_prev = y_rnn[:, i, :]
        rnn_layer.backward(x, y, y_prev, grad_y)
        grad_y = rnn_layer.grad_y_prev

    # パラメータの更新
    rnn_layer.clip_grads(clip_const)
    rnn_layer.update(eta)
    output_layer.update(eta)

# -- 予測 --
def predict(x_mb):
    # 順伝播 RNN層
    y_prev = np.zeros((len(x_mb), n_mid))
    for i in range(n_time):
        x = x_mb[:, i, :]
```

```
        rnn_layer.forward(x, y_prev)
        y = rnn_layer.y
        y_prev = y

    # 順伝播 出力層
    output_layer.forward(y)
    return output_layer.y

# -- 誤差を計算 --
def get_error(x, t):
    limit = 1000
    if len(x) > limit:  # 測定サンプル数の上限を設定
        index_random = np.arange(len(x))
        np.random.shuffle(index_random)
        x = x[index_random[:limit], :]
        t = t[index_random[:limit], :]
    y = predict(x)
    # 交差エントロピー誤差
    return -np.sum(t*np.log(y+1e-7))/batch_size

def create_text():
    prev_text = text[0:n_time]  # 入力
    created_text = prev_text    # 生成されるテキスト
    print("Seed:", created_text)

    for i in range(200):  # 200文字の文章を生成
        x = np.zeros((1, n_time, n_chars)) # 入力をone-hot表現に
        for j, char in enumerate(prev_text):
            x[0, j, char_to_index[char]] = 1

        # 予測を行い、次の文字を得る
        y = predict(x)
        p = y[0] ** beta   # 確率分布の調整
        p = p / np.sum(p)  # pの合計を1に
        next_index = np.random.choice(len(p), size=1, p=p)
        next_char = index_to_char[int(next_index[0])]
        created_text += next_char
        prev_text = prev_text[1:] + next_char

    print(created_text)
    print()  # 改行

error_record = []
# 1エポックあたりのバッチ数
n_batch = len(input_data) // batch_size
```

```
for i in range(epoch):

    # -- 学習 --
    index_random = np.arange(len(input_data))
    # インデックスをシャッフルする
    np.random.shuffle(index_random)
    for j in range(n_batch):

        # ミニバッチを取り出す
        mb_index = index_random[j*batch_size : (j+1)*batch_size]
        x_mb = input_data[mb_index, :]
        t_mb = correct_data[mb_index, :]
        train(x_mb, t_mb)

        # -- 経過の表示 --
        print("\rEpoch: "+str(i+1)+"/"+str(epoch)+"  "+ \
              str(j+1)+"/"+str(n_batch), end="")

    # -- 誤差を求める --
    error = get_error(input_data, correct_data)
    error_record.append(error)
    print("  Error: "+str(error))

    # -- 経過の表示 --
    create_text()

plt.plot(range(1, len(error_record)+1), error_record,
         label="error")
plt.xlabel("Epochs")
plt.ylabel("Error")
plt.legend()
plt.show()
```

A.2 GRUによるテキスト生成

以下は、GRUを使って文章を生成するコードです。訓練データとして外部ファイルkaijin20.txtの用意が必要です。お好きなテキストファイルを用意して試すこともできます。

```
import numpy as np
# import cupy as np  # GPUの場合
import matplotlib.pyplot as plt

# -- 各設定値 --
n_time = 20  # 時系列の数
n_mid = 128  # 中間層のニューロン数

eta = 0.01   # 学習係数
clip_const = 0.02  # ノルムの最大値を決める定数
beta = 2     # 確率分布の狭さ(次の文字の確定時に使用)
epoch = 60
batch_size = 128

def sigmoid(x):
    return 1/(1+np.exp(-x))

def clip_grad(grads, max_norm):
    norm = np.sqrt(np.sum(grads*grads))
    r = max_norm / norm
    if r < 1:
        clipped_grads = grads * r
    else:
        clipped_grads = grads
    return clipped_grads

# -- 訓練用の文章 --
# ファイルの読み込み
with open("kaijin20.txt", mode="r", encoding="utf-8") as f:
    text = f.read()
print("文字数:", len(text))  # len() で文字列の文字数も取得可能

# -- 文字とインデックスの関連付け --
chars_list = sorted(list(set(text)))  # setで文字の重複をなくす
n_chars = len(chars_list)
print("文字数(重複無し):", n_chars)

char_to_index = {}  # 文字がキーでインデックスが値の辞書
index_to_char = {}  # インデックスがキーで文字が値の辞書
for i, char in enumerate(chars_list):
    char_to_index[char] = i
    index_to_char[i] = char

# -- 時系列に並んだ文字と、その次の文字 --
seq_chars = []
```

```
next_chars = []
for i in range(0, len(text) - n_time):
    seq_chars.append(text[i: i + n_time])
    next_chars.append(text[i + n_time])

# -- 入力と正解のone-hot表現 --
input_data = np.zeros((len(seq_chars), n_time, n_chars),
                      dtype=np.bool)
correct_data = np.zeros((len(seq_chars), n_chars), dtype=np.bool)
for i, chars in enumerate(seq_chars):
    # 正解をone-hot表現で表す
    correct_data[i, char_to_index[next_chars[i]]] = 1
    for j, char in enumerate(chars):
        # 入力をone-hot表現で表す
        input_data[i, j, char_to_index[char]] = 1

# -- GRU層 --
class GRULayer:
    def __init__(self, n_upper, n):
        # パラメータの初期値
        self.w = np.random.randn(3, n_upper, n) / \
                 np.sqrt(n_upper)  # Xavierの初期値
        self.v = np.random.randn(3, n, n) / np.sqrt(n)

    def forward(self, x, y_prev):
        a0 = sigmoid(np.dot(x, self.w[0]) + \
                     np.dot(y_prev, self.v[0]))  # 更新ゲート
        a1 = sigmoid(np.dot(x, self.w[1]) + \
                     np.dot(y_prev, self.v[1]))  # リセットゲート
        a2 = np.tanh(np.dot(x, self.w[2]) + \
                     np.dot(a1*y_prev, self.v[2]))  # 新しい記憶
        self.gates = np.stack((a0, a1, a2))

        self.y = (1-a0)*y_prev + a0*a2  # 出力

    def backward(self, x, y, y_prev, gates, grad_y):
        a0, a1, a2 = gates

        # 新しい記憶
        delta_a2 = grad_y * a0 * (1-a2**2)
        self.grad_w[2] += np.dot(x.T, delta_a2)
        self.grad_v[2] += np.dot((a1*y_prev).T, delta_a2)

        # 更新ゲート
        delta_a0 = grad_y * (a2-y_prev) * a0 * (1-a0)
```

```
        self.grad_w[0] += np.dot(x.T, delta_a0)
        self.grad_v[0] += np.dot(y_prev.T, delta_a0)

        # リセットゲート
        s = np.dot(delta_a2, self.v[2].T)
        delta_a1 = s * y_prev * a1 * (1-a1)
        self.grad_w[1] += np.dot(x.T, delta_a1)
        self.grad_v[1] += np.dot(y_prev.T, delta_a1)

        # xの勾配
        self.grad_x =  np.dot(delta_a0, self.w[0].T)
        + np.dot(delta_a1, self.w[1].T)
        + np.dot(delta_a2, self.w[2].T)

        # y_prevの勾配
        self.grad_y_prev = np.dot(delta_a0, self.v[0].T)
        + np.dot(delta_a1, self.v[1].T)
        + a1*s + grad_y*(1-a0)

    def reset_sum_grad(self):
        self.grad_w = np.zeros_like(self.w)
        self.grad_v = np.zeros_like(self.v)

    def update(self, eta):
        self.w -= eta * self.grad_w
        self.v -= eta * self.grad_v

    def clip_grads(self, clip_const):
        self.grad_w = clip_grad(self.grad_w,
                clip_const*np.sqrt(self.grad_w.size))
        self.grad_v = clip_grad(self.grad_v,
                clip_const*np.sqrt(self.grad_v.size))

# -- 全結合 出力層 --
class OutputLayer:
    def __init__(self, n_upper, n):
        self.w = np.random.randn(n_upper, n) / \
                 np.sqrt(n_upper)  # Xavierの初期値
        self.b = np.zeros(n)

    def forward(self, x):
        self.x = x
        u = np.dot(x, self.w) + self.b
        self.y = np.exp(u)/np.sum(np.exp(u),
                axis=1).reshape(-1, 1)  # ソフトマックス関数
```

```
    def backward(self, t):
        delta = self.y - t

        self.grad_w = np.dot(self.x.T, delta)
        self.grad_b = np.sum(delta, axis=0)
        self.grad_x = np.dot(delta, self.w.T)

    def update(self, eta):
        self.w -= eta * self.grad_w
        self.b -= eta * self.grad_b

# -- 各層の初期化 --
gru_layer = GRULayer(n_chars, n_mid)
output_layer = OutputLayer(n_mid, n_chars)

# -- 訓練 --
def train(x_mb, t_mb):
    # 順伝播 GRU層
    y_rnn = np.zeros((len(x_mb), n_time+1, n_mid))
    gates_rnn = np.zeros((3, len(x_mb), n_time, n_mid))
    y_prev = y_rnn[:, 0, :]
    for i in range(n_time):
        x = x_mb[:, i, :]
        gru_layer.forward(x, y_prev)

        y = gru_layer.y
        y_rnn[:, i+1, :] = y
        y_prev = y

        gates = gru_layer.gates
        gates_rnn[:, :, i, :] = gates

    # 順伝播 出力層
    output_layer.forward(y)

    # 逆伝播 出力層
    output_layer.backward(t_mb)
    grad_y = output_layer.grad_x

    # 逆伝播 GRU層
    gru_layer.reset_sum_grad()
    for i in reversed(range(n_time)):
        x = x_mb[:, i, :]
        y = y_rnn[:, i+1, :]
```

```
        y_prev = y_rnn[:, i, :]
        gates = gates_rnn[:, :, i, :]

        gru_layer.backward(x, y, y_prev, gates, grad_y)
        grad_y = gru_layer.grad_y_prev

    # パラメータの更新
    gru_layer.update(eta)
    output_layer.update(eta)

# -- 予測 --
def predict(x_mb):
    # 順伝播 GRU層
    y_prev = np.zeros((len(x_mb), n_mid))
    for i in range(n_time):
        x = x_mb[:, i, :]
        gru_layer.forward(x, y_prev)
        y = gru_layer.y
        y_prev = y

    # 順伝播 出力層
    output_layer.forward(y)
    return output_layer.y

# -- 誤差を計算 --
def get_error(x, t):
    limit = 1000
    if len(x) > limit:  # 測定サンプル数の上限を設定
        index_random = np.arange(len(x))
        np.random.shuffle(index_random)
        x = x[index_random[:limit], :]
        t = t[index_random[:limit], :]
    y = predict(x)
    # 交差エントロピー誤差
    return -np.sum(t*np.log(y+1e-7))/batch_size

def create_text():
    prev_text = text[0:n_time]  # 入力
    created_text = prev_text  # 生成されるテキスト
    print("Seed:", created_text)

    for i in range(200):  # 200文字の文章を生成
        # 入力をone-hot表現に
        x = np.zeros((1, n_time, n_chars))
        for j, char in enumerate(prev_text):
```

```
            x[0, j, char_to_index[char]] = 1

        # 予測を行い、次の文字を得る
        y = predict(x)
        p = y[0] ** beta  # 確率分布の調整
        p = p / np.sum(p)  # pの合計を1に
        next_index = np.random.choice(len(p), size=1, p=p)
        next_char = index_to_char[int(next_index[0])]
        created_text += next_char
        prev_text = prev_text[1:] + next_char

    print(created_text)
    print()  # 改行

error_record = []
# 1エポックあたりのバッチ数
n_batch = len(input_data) // batch_size
for i in range(epoch):

    # -- 学習 --
    index_random = np.arange(len(input_data))
    # インデックスをシャッフルする
    np.random.shuffle(index_random)
    for j in range(n_batch):

        # ミニバッチを取り出す
        mb_index = index_random[j*batch_size : (j+1)*batch_size]
        x_mb = input_data[mb_index, :]
        t_mb = correct_data[mb_index, :]
        train(x_mb, t_mb)

        # -- 経過の表示 --
        print("\rEpoch: "+str(i+1)+"/"+str(epoch)+"  "+ \
              str(j+1)+"/"+str(n_batch), end="")

    # -- 誤差を求める --
    error = get_error(input_data, correct_data)
    error_record.append(error)
    print("  Error: "+str(error))

    # -- 経過の表示 --
    create_text()

plt.plot(range(1, len(error_record)+1), error_record,
               label="error")
```

```
plt.xlabel("Epochs")
plt.ylabel("Error")
plt.legend()
plt.show()
```

A.3 参考文献

[1] Olga Russakovsky, Jia Deng, Hao Su, Jonathan Krause, Sanjeev Satheesh, Sean Ma, Zhiheng Huang, Andrej Karpathy, Aditya Khosla, Michael Bernstein, Alexander C. Berg, Li Fei-Fei, "ImageNet Large Scale Visual Recognition Challenge", arXiv:1409.0575, 2014

[2] Sakai Y, Takemoto S, Hori K, Nishimura M, Ikematsu H, Yano T, Yokota H, "Automatic detection of early gastric cancer in endoscopic images using a transferring convolutional neural network", Conf Proc IEEE Eng Med Biol Soc. 2018 Jul;2018:4138-4141.

[3] Tero Karras, Timo Aila, Samuli Laine, Jaakko Lehtinen, "Progressive Growing of GANs for Improved Quality, Stability, and Variation", arXiv:1409.0575, 2017

[4] Thomas Schlegl, Philipp Seebock, Sebastian M. Waldstein, Ursula Schmidt-Erfurth, Georg Langs, "Unsupervised Anomaly Detection with Generative Adversarial Networks to Guide Marker Discovery", arXiv:1703.05921, 2017

[5] Volodymyr Mnih, Koray Kavukcuoglu, David Silver, Alex Graves, Ioannis Antonoglou, Daan Wierstra, Martin Riedmiller, "Playing Atari with Deep Reinforcement Learning", arXiv:1312.5602, 2013

[6] Jim Gao, "Machine Learning Applications for Data Center Optimization", 2014

[7] Masato Sumita, Xiufeng Yang, Shinsuke Ishihara, Ryo Tamura, Koji Tsuda, "Hunting for Organic Molecules with Artificial Intelligence: Molecules Optimized for Desired Excitation Energies", ACS Cent. Sci. 2018, 4, 9, 1126-1133

[8] Kaiming He, Xiangyu Zhang, Shaoqing Ren, Jian Sun, "Delving Deep into Rectifiers: Surpassing Human-Level Performance on ImageNet Classification", arXiv:1502.01852, 2015

[9] Xavier Glorot, Yoshua Bengio, "Understanding the difficulty of training deep feedforward

neural networks", Proceedings of the 13th International Conference on Artificial Intelligence and Statistics (AISTATS) 2010.

[10] Razvan Pascanu, Tomas Mikolov, Yoshua Bengio, "On the difficulty of training Recurrent Neural Networks", arXiv:1211.5063, 2012

[11] Francois Chollet, 巣籠 悠輔, "PythonとKerasによるディープラーニング", 2018

[12] Tomas Mikolov, Ilya Sutskever, Kai Chen, Greg Corrado, Jeffrey Dean, "Distributed Representations of Words and Phrases and their Compositionality", arXiv:1310.4546 , 2013

[13] Kyunghyun Cho, Bart van Merrienboer, Caglar Gulcehre, Dzmitry Bahdanau, Fethi Bougares, Holger Schwenk, Yoshua Bengio, "Learning Phrase Representations using RNN Encoder-Decoder for Statistical Machine Translation", arXiv:1406.1078, 2014

[14] Ilya Sutskever, Oriol Vinyals, Quoc V. Le, "Sequence to Sequence Learning with Neural Networks", arXiv:1409.3215, 2014

[15] Diederik P Kingma, Max Welling, "Auto-Encoding Variational Bayes", arXiv:1312.6114, 2013

[16] Diederik P. Kingma, Danilo J. Rezende, Shakir Mohamed, Max Welling, "Semi-Supervised Learning with Deep Generative Models", arXiv:1406.5298, 2014

[17] Irina Higgins, Loic Matthey, Arka Pal, Christopher Burgess, Xavier Glorot, Matthew Botvinick, Shakir Mohamed, Alexander Lerchner, "beta-VAE: Learning Basic Visual Concepts with a Constrained Variational Framework", ICLR 2017

[18] Aaron van den Oord, Oriol Vinyals, Koray Kavukcuoglu, "Neural Discrete Representation Learning", arXiv:1711.00937, 2017

[19] Ali Razavi, Aaron van den Oord, Oriol Vinyals, "Generating Diverse High-Fidelity Images with VQ-VAE-2", arXiv:1906.00446, 2019

[20] Ian J. Goodfellow, Jean Pouget-Abadie, Mehdi Mirza, Bing Xu, David Warde-Farley, Sherjil Ozair, Aaron Courville, Yoshua Bengio, "Generative Adversarial Networks", arXiv:1406.2661, 2014

[21] Alec Radford, Luke Metz, Soumith Chintala, "Unsupervised Representation Learning with Deep Convolutional Generative Adversarial Networks", arXiv:1511.06434, 2015

[22] Fabio Henrique Kiyoiti dos Santos Tanaka, Claus Aranha, "Data Augmentation Using GANs", arXiv:1904.09135, 2019

[23] Mehdi Mirza, Simon Osindero, "Conditional Generative Adversarial Nets", arXiv:1411.1784, 2014

[24] Phillip Isola, Jun-Yan Zhu, Tinghui Zhou, Alexei A. Efros, "Image-to-Image Translation with Conditional Adversarial Networks", arXiv:1611.07004, 2016

[25] Jun-Yan Zhu, Taesung Park, Phillip Isola, Alexei A. Efros, "Unpaired Image-to-Image Translation using Cycle-Consistent Adversarial Networks", arXiv:1703.10593, 2017

[26] John Duchi, Elad Hazan, Yoram Singer, "Adaptive Subgradient Methods for Online Learning and Stochastic Optimization", Journal of Machine Learning Research 12 (2011) 2121-2159

[27] Diederik P. Kingma, Jimmy Ba, "Adam: A Method for Stochastic Optimization", arXiv:1412.6980, 2014

[28] Nitish Srivastava, Geoffrey Hinton, Alex Krizhevsky, Ilya Sutskever, Ruslan Salakhutdinov, "Dropout: A Simple Way to Prevent Neural Networks from Overfitting", Journal of Machine Learning Research 15 (2014) 1929-1958

[29] Andrew L Maas, Awni Y Hannun, Andrew Y Ng, "Rectifier nonlinearities improve neural network acoustic models", International Conference on Machine Learning (ICML), 2013

[30] Sergey Ioffe, Christian Szegedy, "Batch Normalization: Accelerating Deep Network Training by Reducing Internal Covariate Shift", arXiv:1502.03167, 2015

最後に

本書「はじめてのディープラーニング2」を最後まで読んでいただきありがとうございました。本書を修了した方は、ディープラーニングの原理に基づき、ディープラーニングのコードの読解と実装がある程度できるようになっているのではないでしょうか。

本書ではRNN、生成モデルなど前著よりも踏み込んだ内容を扱いましたが、数学とプログラミングを両輪として手を動かしながら学べば、実は全て同じ共通原理に基づいていることに気づくかと思います。

我々はとても面白い時代に生きています。複雑さが複雑さを生み、技術は指数関数的な進歩を続けています。ディープラーニングはこのような時代を象徴するような技術であるとも言えます。ディープラーニングはスキルとして役に立つだけではなく、現在と未来をつなぐための教養として大きな意義があります。

本書は可能な限り多くの方がディープラーニングを学ぶことの恩恵を受けられるように、できる限り丁寧にその本質を解説したつもりです。また、掲載されているコードはシンプルですが発展性を失わないようにしました。至らない点も多かったかと思いますが、何らかの形でご指摘いただけると今後の活動の上で助けになります。

最後に、本書の長きに渡る執筆を支えていただいた、多くの方々に謝辞を述べさせていただきます。

SBクリエイティブ編集長の平山様には、本書を執筆するきっかけを与えていただいた上､完成へ向けて多大なるご尽力をいただきました。改めてお礼を申し上げます。

オンライン教育プラットフォーム、Udemyにおける講座の開発、運用の経験は、本書を執筆するベースとなりました。いつも講座を支えていただいているUdemyスタッフの皆様に､感謝申し上げます。また､受講生の皆様からいただいた多くのフィードバックは、本書を執筆する上で大いに役に立ちました。私の講座の受講生の皆様にも、感謝を申し上げます。

また、日頃の私を支えてくれた家族、友人の皆様にも、この場をお借りして感謝の意を記したいと思います。

皆様が意義深い人生を送る上で、本書の内容が何らかのお役に立つのであれば、著者としてこれ以上嬉しいことはありません。

2020年2月 我妻幸長

索 引

◇記号・数字

◇A ～ F

◇G ～ L

◇M ～ R

◇ S ～ Z

◇ あ 行

◇ か 行

◇ さ 行

はじめてのディープラーニング2

URL http://isbn2.sbcr.jp/05582/

○本書をお読みいただいたご感想、ご意見を上記URLにお寄せください。

○本書に関する正誤情報など、本書に関する情報も掲載予定ですので、あわせてご利用ください。

はじめてのディープラーニング2

2020年3月31日　初版第一刷発行

著　者　我妻　幸長（あづま　ゆきなが）
発行者　小川　淳
発行所　SBクリエイティブ株式会社
〒106-0032 東京都港区六本木2-4-5 六本木Dスクエア
TEL 03-5549-1201（営業）
https://www.sbcr.jp/
印　刷　株式会社 シナノ

装　丁　大島　恵理子
組　版　三門　克二（株式会社コアスタジオ）
編　集　平山　直克（Sheer Heart Attack）

落丁本、乱丁本は小社営業部にてお取替えいたします。
定価はカバーに記載されております。

Printed in Japan　ISBN978-4-8156-0558-2